기후위기행동사전

당황하지 않고 새 시대를 사는 법

1.15 °C

1850-1900 평균 대비 2022년 현재
1.15°C [1.02°C~1.28°C] 상승

3.2 °C

현재의 정책이 지속될 경우,
2100년 도달할
지구평균온도
상승 예상치 3.2°C

7 m

그린란드 빙상이 모두 녹으면,
전 세계 평균 해수면이
최소 7m 이상 상승할 것으로 예상된다.

27회

2023년을 제외하고, 2022년까지 총 27회의
COP(유엔기후변화협약 당사국총회) 회의가 개최되었으나
아직까지도 온실가스 배출 상승세는 지속되고 있다.

2022

2022년 최소한 1차례의
해양폭염 상태였던 바다의 표면적.
전체의 58%

420.40 ppm

2023년 7월 기준, 대기 중 이산화탄소 농도.

2015년

파리 협정이 체결된 해

8,000㎢

알래스카에서 매년 산불로 소실되는 면적

33,000,000명

2022년 파키스탄에서
홍수로 피해를 본 피해자 집계(추정치) 3,300만 명

80,168,922대

2021년 전 세계 자동차 생산대수 약 8천만 대

654,500,000톤

2022년 한국 온실가스 총 잠정 배출량
약 6억 5천만 톤

1,400,000,000톤

파리 협정의 2050년 목표를 달성하려면
인류가 매년 줄여야 하는 이산화탄소 배출량 14억 톤

8,000,000,000명

2022년 11월 기준, 지구에 부담이 되고 있는
세계 인구 80억 명

52,

948,

6,000,

1,600,000,000,

800,000,000톤

2021년 한 해 동안 인류가 배출한
온실가스 배출총량(토지이용 제외)
이산화탄소 환산 톤 52.8기가톤, 528억 톤
* 1기가톤=10억 톤

000,000,000톤

1990년부터 2021년까지 인류가 배출한 이산화탄소 총량
948기가톤, 9,480억 톤
* 1990년 이전까지 인류가 배출한 이산화탄소 총량은 785기가톤이다.
즉, 1990년 이후 인류가 배출한 이산화탄소 양이
인류사 전체에 걸쳐 인류가 배출한 양보다도 많다.

000,000,000톤

1993년~2019년에 사라진 지구 얼음[빙하]의 총량
6,000기가톤, 6조 톤

000,000,000톤

영구동토층에 매장되어 있을 것으로 추산되는 탄소의 양 160경 톤
대기 중 이산화탄소 총량의 약 2배에 달하는 수치

기후위기 + 행동사전

당황하지 않고 새 시대를 사는 법

김병권 · 남성현 · 우석영 · 이헌석 · 전병옥

기후위기행동사전

—당황하지 않고 새 시대를 사는 법

초판 1쇄 인쇄	2023년 8월 25일
초판 1쇄 발행	2023년 8월 30일
초판 3쇄 발행	2025년 1월 20일

지은이	김병권, 남성현, 우석영, 이헌석, 전병옥 (가나다순)
기획	우석영
디자인	디자인오팔
펴낸곳	산현재 傘玄齋 The House of Wisdom under Shelter
등록	제2020-000025호
주소	서울시 마포구 연희로 11. 5층 CS-531
이메일	thehouse.ws@gmail.com
인스타그램	wisdom.shelter
인쇄	예림인쇄
제책	예림바인딩
물류	문화유통북스

ISBN **979-11-980846-3-7 (03030)**

추천사

이 책은 왜 우리가 기후위기라는 파멸에 이르렀는지, 그에 대한 해결책은 무엇인지 명료하게 알려준다. 기후변화는 위험 실체가 우리 눈앞에 보이지 않는다. 그렇기 때문에 이를 알고자 하는 노력이 필요하다. 기후위기에 행동하여 새 세상을 만들고자 한다면, 이 책을 펼쳐라. 자신이 알고 싶은 주제로 바로 건너뛰어도 된다.

조천호 (전 국립기상과학원장, 경희대학교 특임교수)

기후재앙의 시대가 왔다. 절망과 분노에 머무르지 않아야 우리는 출구를 찾을 수 있다. 도처에 빠르게 등장하는 '기후시민'들은 출구를 찾아 공부하고, 행동한다. 서로를 향해 손을 흔들고 있다. 이 책은 방대한 기후지식과 주요 개념들을 간결하고 영민하게 담고 있다. 꼭 알아야 할 필수 기후지식들을 명쾌하게 소개한 본문에 이어진 '더 찾아보기'는 기후위기의 맥락을 더 깊게 학습할 수 있도록 독려한다. 기후시민을 위한 친절하고 똘똘한 기후학습서를 강추한다.

윤정숙 (녹색연합 공동대표, 60+기후행동 운영위원)

과연 괜히 '사전'이 아니다. 다가온 기후재난 앞에 공존공생을 위한 구체적 행동을 고민하는 모든 이들을 위한 '쪽집게 핸드북'이 나왔다. '해양온난화'부터 '기후시민'까지 목차를 보며 궁금한 키워드를 찾아 곧장 페이지를 펼쳐 보면 군더더기 없는 과학적 설명과 함께 변화를 위해 필요한 핵심적 아이디어와 행동지침을 지금 당장 만날 수 있다. 통독도 좋지만, 늘 가까이에 두고 필요할 때마다 찾아보기 좋은 책이다.

장혜영 (정의당 국회의원)

기후위기에 대해 이해하고 행동하는 것이 쉽지는 않아요. 불쑥불쑥 나오는 지구과학 개념과 기술, 경제 용어, 수많은 숫자 속에서 길을 잃기 일쑤입니다. 그럴 때 이 책 《기후위기행동사전》을 옆에 두세요. 기후위기 관련 주요 용어와 개념 그리고 행동을 위한 큰 그림과 정책, 기후시민으로 살아가는 법까지 모두 담겨 있습니다.

이유진 (녹색전환연구소 소장)

1부 지구 기후변화와 인간

1장 지금 지구에서 무슨 일이 벌어지고 있나?

2부

기후위기 대응 행동

서문

이 글을 쓰고 있는 지금, 규슈 남쪽에 있던 6호 태풍 카눈Kha-nun이 방향을 틀어 남해안 인근으로 올라오고 있다. 방송에선 지난 7월 수해로 집과 세간을 잃은 경북 예천 주민들의 입에서 2차 피해를 우려하는 목소리가 들려온다. 올해 여름의 폭염을 두고 어떤 이는 2018년에 비하면 양호하다고 하지만, 개인적인 느낌으로는 해마다 더하면 더했지 덜한 것 같지는 않다. 동남아시아와 인도와 중동, 남유럽, 미국 각지에서 폭염에 시달리는 사람들의 얼굴은 이미 7월이 시작되기 전에도 뉴스 화면을 채웠다. 올해 들어 가뭄과 홍수와 산불을 두루 겪었고 지금도 산불에 시달리고 있는 캐나다의 사례는 그중에서도 도드라진다. 올해 이곳에서 발생한 산불은 2019-2020 오스트레일리아의 인페르노를 연상시키며 지금도 전국 대다수 지역의 산림을 집어삼키고 있는데, 지금까지 한국 면적의 1.3배를 태우면서 2억 9천 만톤에 이르는 탄소를 배출한 것으로 드러나 충격을 주고 있다. 이런 집계가 발표된 지 며칠 후인 오늘은, 허리케인 도라Dora의 영향으로 하와이 제도에서 급격히 번진 산불로 어떤 섬은 전체가 난리법석이 되었다는 소식이 들려온다…이제는 그러려니, 할 만도 하지만 그러지 못하는 이유는, 아마도 폭염이나 산불이 매년 새롭게 뼛속 깊이 전달되면서, 우리 인체로 하여금 새롭게 말하지 않고는 못 배기도록 만들기 때문일 것이다. 뭔가 두려운 미래로 점점 더 빠르게 빨려 들어가고 있는 것은 아닌가 하는 공포감이 문득문득 찾아든다.

그러나 눈을 다른 쪽으로 돌리면, 그러거나 말거나 세상은 멀쩡히 돌아가고 있다. 이미 기후변화, 기후충격에 대한 대비는 다 되어 있다는 듯, 이 사안에 무사태평하거나 둔감한 그래서 우려스럽기 그지없는 태도와 행동들로 구축된 거대한 성채가 보이는 것이다. 이 성채 안에선 다른 것이 언제나 더 중요하다—이동관 방통위 후보자 검증이, 이재명 리더십의 존망이, 잼버리 대회 파행이 전 지구를 요동치게 하는 거대한 생명의 위기보다도 훨씬, 훨씬 더 중요하다. 정치란 우선 과제, 우선 의제를 정하는 게임이라 할 수 있다. 아직까지도 한국 정치에서는 기후위기가 중대한 우선 과제로 제기되지 않고 있다는 점에서, 기후 정치가 부재하거나 실종된 나라에서 살고 있다고 말할 수 있을 것이다. 정치뿐만 아니라 사람들의 일상에서도 어디까지나 주 관심사는 생계, 경제, 주식이지, 바로 그것을 크게 교란하게 될 기후위기 그 자체는 아니다. 설마 세상이 망하기라도 하겠냐, 어떻게든 해결되겠지 하는 나태한 낙관 심리, 나 한 사람이 뭘 할 수 있겠느냐는 무력감, 그도 아니라면 어쨌거나 경제성장만은 되어야 한다는 골수에 박힌 이데올로기…이런 것이 뒤섞여 하나의 막강한 힘이 되어서는 지금 요구되는 대전환을 가로막고 있다.

그렇다면 이러한 상황에서 우리는 무엇을 할 수 있을까.

가장 중요한 것은, 어떤 상황에서라도 발걸음을 멈춰서는 안 된다는 것이다. 기후위기에 대한 인식은, 적어도 2018년 이후론 한국사회

에서 크게 증대되었다는 판단이 옳을 것이다. 문제는 그 인식의 수준 그리고 인식의 결과로 나타나는 행동의 수준이다. 이것을 냉철히 되짚어볼 때, 해야 할 일과 할 수 있는 일이 결코 적다고 볼 수는 없을 것이다. 잠재적인 욕구와 역량들, 무르익어가고 있는 그것들을 지상으로 뽑아올려야 하는 과제가 우리 앞에 있다.

이 책은 바로 이 과제를 수행하고자 하는 책이다. 그런 점에서 기후시민을 위한 책이다. 그러나 이미 자기 자신을 기후시민이라고 명명하고 있는 앞선 시민을 위한 책만은 아니다. 그런 시민은 물론이지만, 기후위기에 관심을 기울여왔으되 현 상황을 보다 정확히 판단하고 미래를 계획하려는 시민, 나아가 이 문제에 관심은 있지만 기후변화 강의를 들어본 적도 기후변화 관련 책을 읽어본 적도 없는 시민들을 위해서도 집필된 책이다. 우리 다섯 필자가 중시한 가치는 그래서 명쾌함과 친절함이다. 그릇된 정보의 제거, 모호한 정보의 교정, 명확하게 표현되지 못했던 정보의 보다 분명한 방식의 표현 그리고 친절한 안내. 바로 이것이 우리의 목표였다. "지금 지구에서 대체 무슨 일이 일어나고 있고, 왜 일어나고 있으며, 어떤 행동과 전환이 필요한지, 과연 내가 정확하게 알고 있기는 한 걸까?"—이 질문을 놓치고 있지 않은 분들이라면, 책을 펼치는 내내 크게 흡족해할 책이라고 자신한다.

그러나 우리는 이 책을 기성세대보다는 미래세대를 염두에 두

고 썼다는 고백을 해야겠다. 지금 한참 자라고 있는 친구들, 나아가 앞으로 태어날 친구들에게도 장차 유용하게 될, 가장 기초 되는 것부터 심화된 내용까지 두루 전달하는 안내서를 준비했다. 하지만 이 주제를 다룬 모든 훌륭한 교육자료가 그렇듯, 단순한 안내서만은 아니다. 그보다는 다급한 호소를 품고 있다. 부디 알고 토론하고 행동하고 연대하라! 시간이 부족하다! 이 목소리를 담아 이 책을 후세대들에게 전함으로써, 그들에게 진 무거운 빚을 조금이나마 탕감하고자 한다. 또한 그들과 손잡고 새 길을 열고자 한다. 전환의 새 길을.

사실, 유튜브부터 종이책까지 관련 정보는 넘쳐난다. 그러나 신뢰할 만한 정보나 정책 · 행동 제안이 일목요연하게, 알기 쉽게 정리되어 있는 콘텐츠는 찾기 어렵다. 즉, 교과서는 찾기 어렵다. 한국적 상황까지 함께 조망한 기후위기 교과서라면 더욱더 그렇다. 우리가 빚고자 한 책은 바로 이러한 꼴의 기후위기 교과서라는 점을 알아주었으면 좋겠다.

부디 우리에게 다가서고 있는 이 절체절명의 위기를 극복하는 데 도움이 되는 앎과 토론, 행동과 연대의 확산에, 이 책이 하나의 작은 불쏘시개가 될 수 있기를.

2023년 8월

저자들을 대신해서

우석영

1부

지구 기후변화와 인간

1장

지금 지구에서 무슨 일이 벌어지고 있나?

지구온난화와 해양온난화

해양온난화Ocean Warming는 해수의 온도, 즉 수온이 전반적으로 증가하는 현상을 일컫는다. **온실효과**Greenhouse Effect 강화로 지구 시스템 전체적으로 온도가 증가하는 온난화(지구온난화Global Warming, 지구가열화Global Heating, 들끓는 지구Global Boiling)가 진행되면서 대기의 기온, 대륙의 지온과 함께 해양의 수온도 상승하고 있다. 지속적인 열 흡수에 따라 오늘날 특히 북반구 해양을 중심으로 뚜렷한 **해표면 수온**(SST, Sea Surface Temperature) 상승이 관측되고 있다. 그중에서도 북극해와 한반도 주변 해역을 포함하는 동아시아 연해는 전 세계적으로 가장 빠르게 해수의 수온 상승이 나타나는 대표적인 해역이다. 또한 수백, 수천 미터 수심의 심해 곳곳에서 지난 수십 년 동안 관측된 수온을 비교해보면, 비단 해표면뿐만 아니라 서로 다른 수심의 해양 내부에서도, 그리고 심지어 수천 미터 깊이의 심해에서도 지속적인 수온 상승이 감지된다. 거대한 해양 전체에서 온난화가 진행 중인 것이다.

산업화 이후 인류가 계속 배출해온 온실가스는 **지구 시스템**Earth system(→ 지구 시스템과 온실효과) 내 자연생태계에 일부 흡수되었지만 모두 다 흡수되지는 못했기 때문에 고스란히 대기 중에 누적되어 온실효과를 강화하는 중이다. 강화된 온실효과로 지구 시스템 내에 열이 축적되고 있는데, 그중 대부분(90% 이상)은 해양에 흡수되고 있다. 지구 시스템을 구성하는 다른 요소, 즉 대기, 대륙, 해빙sea ice, 그린란드와 남극 대륙의 빙상ice sheet에 흡수되고 있는 열량을 모두 합쳐도 채 10%를 넘지 않는 것이다. 이처럼 지구온난화로 증가한 열이 대부분 해양에 고스란히 축적되므로 해양온난화는 지구온난화의 필연적 귀결이라 할 수 있다. 문제는 해양온난화가 다시 지구의 기후에 지대한 영향을 미쳐 오늘날 기후변화를 심화하는 가장 중요한 요소 중 하나가 되었다는 점이다.

바다에 열이 집적되는 현상에 주목해야 하는 다른 이유도 있다. 바다의 한 가지 특성은 바닷물, 즉 해수의 **열용량**Heat Capacity* 과 **비열**Specific Heat Capacity**이 크다는 점이다. 그런 해수로 채워졌기에 해양은 대기와 대륙에 비해 온도가 잘 변하지 않는다. 따라서 수온 상승도 서서히 나타나지만 일단 수온이 오르고 난 후에는 쉽게 내려가지도 않으므로(오랜 시간에 걸쳐 많은 열을 함유하고 있으므로) 그 온난화 효과는 지대하다. 열용량이 큰 해수로 채워진 해양에서 해수의 수온이 수십 년간 일정하게 유지되지 못하고 상승하고 있다는 사실은 기온이나 지온이 상승하는 것과 차원이 다른 이야기이다.

더구나 해양은 그 규모도 엄청나다. 면적이 육지 면적의 2배 이상이고, 평균 수심이 육상 평균 해발 고도의 4배 이상 깊어 그

* 어떤 물체의 온도를 1℃ 올리는 데 필요한 열량.

** 어떤 물체 1g의 온도를 1℃ 올리는 데 필요한 열량, 즉 단위 질량 당 열용량.

부피와 해수의 질량이 매우 거대하다. 지구 시스템 내에 이처럼 큰 열용량을 가진 물질(해수)로 구성된 거대한 규모의 자연환경이 어디 또 있을까? 결과적으로 **해양 열함량**(OHC, Ocean Heat Content)*은 매우 크다. 10km 두께의 대류권 전체 대기의 열함량을 겨우 3m 두께의 상층 해수가 가지고 있을 정도이다.

이처럼 엄청난 열함량을 가진 해양에 대기로부터 지속해서 열이 전달되고 점점 더 많이 축적되면서 해양온난화가 발생해왔다. 과잉 열 흡수로 해양의 총 열함량이 지속적으로 증가해왔음은 각종 관측 데이터에서 확실히 확인할 수 있다. 1970년부터 2010년까지 총 40년간 해양에 흡수된 열량은 약 250ZJ**로 추산된다. 또한 매년 흡수되는 열량도 점점 증가해서 2020년 한 해 동안에만 약 20ZJ의 열량이 해양에 흡수되었다. 여기서 1년간 흡수된 열량인 20ZJ은 히로시마에 투하된 원자폭탄이 1초에 4개씩, 1시간에 14,400개씩 1년 내내 폭발하는 수준의 에너지 흡수율에 해당한다. 이처럼 엄청난 흡수율로 수십 년째 에너지가 흡수되었으니 해양의 총 열함량이 급증한 것이다.

해양온난화는 이처럼 해양의 과잉 열 흡수와 총 열함량 증가에 따른 필연적 결과로서 해양이 지구 기후를 좌지우지하는 핵심 '**기후조절자**Climate Controller'임을 여실히 보여준다.

해양온난화는 단순히 해수의 수온이 오르는 문제가 아니

* 해양 전체가 함유한 총열량으로서 해당 물질의 비열, 밀도(단위 부피 당 질량), 온도 변화의 곱을 전체 부피에 대해 적분한 값에 해당함.

** 제타줄, 1 ZJ = 10^{21} J

다. 해양온난화야말로 기후재앙의 근본적인 원인임을 직시해야 한다. 해수면 상승, 태풍 등 열대성 저기압의 강화, 한파 · 폭설 · 폭우 · 폭염 · 가뭄 · 홍수 · 산사태 등 각종 기상이변 발생 빈도와 강도 증가, 빙하(육빙과 해빙) 소실, **해양열파**Marine Heatwaves* 발생 빈도와 강도 증가, 이산화탄소 흡수력 감소, 용존산소 감소, 저염화, 해양생태계와 해양 생물의 스트레스 증가 등 각종 기후재난Climate Disaster 사건과 해양생태계의 생물다양성 위협 배경에는 해양온난화가 자리잡고 있다.

한반도 주변 해역에서도 해양열파와 **저산소**Hypoxia 해수 발생 빈도가 점점 증가하고 있고 해수의 염분도 감소하는 추세여서 해양생태계와 수산 자원의 피해가 커지고 있다. 또한 과거와 다른 특성의 태풍, 호우, 한파, 폭염, 가뭄 등으로 홍수, 산사태, 산불 등의 자연재해 피해가 속출하는 상황이다. 해양온난화가 지금처럼 계속 진행될 경우, 2050~2100년의 지구는 인류가 더 이상 거주할 수 없는 환경이 될 것이라는 전망에 점점 더 힘이 실리고 있다. 남성현

더 찾아보기

- 그레타 툰베리, 이순희 옮김, 《기후 책》, 김영사, 2023.
- 남성현, 《반드시 다가올 미래》, 포르체, 2022.
- 남성현, 《2도가 오르기 전에》, 애플북스, 2021.
- 남성현, 《위기의 지구, 물러설 곳 없는 인간》, 21세기북스, 2020.

* 해양 폭염 또는 고수온 현상이라고 부르며, 해수의 수온이 극단적으로 높게 유지되는 현상을 의미함.

- 다비드 넬스 · 크리스티안 제러, 강영옥 옮김, 《기후변화 ABC》, 동녘사이언스, 2021.
- 존 쿡, 홍소정 옮김, 《기후위기, 과학이 말하다》, 청송재, 2021.
- Gulev, S.K. et al., 2021: Changing State of the Climate System. In *Climate Change 2021: The Physical Science Basis. Contribution of Working Group I to the Sixth Assessment Report of the Intergovernmental Panel on Climate Change* [Masson-Delmotte, V. et al. (eds.)]. Cambridge University Press, 287–422, doi:10.1017/9781009157896.004.
- Canadell, J.G. et al., 2021: Global Carbon and other Biogeochemical Cycles and Feedbacks. In *Climate Change 2021: The Physical Science Basis. Contribution of Working Group I to the Sixth Assessment Report of the Intergovernmental Panel on Climate Change* [Masson-Delmotte, V. et al. (eds.)]. Cambridge University Press, 673–816, doi:10.1017/9781009157896.007.
- Bindoff, N.L. et al., 2019: Changing Ocean, Marine Ecosystems, and Dependent Communities. In *IPCC Special Report on the Ocean and Cryosphere in a Changing Climate* [H.-O. Pörtner et al. (eds.)]. Cambridge University Press, 447-587. https://doi.org/10.1017/9781009157964.007.

해양산성화

인류가 대기로 배출한 이산화탄소 중 20~30% 정도가 해양으로 흡수되고 있는데, 이를 **블루카본**Blue Carbon이라고 부른다.(→ 자연기반해법-조림과 블루카본) 만약 해양이 이처럼 거대한 탄소 흡수원 역할을 하지 않았다면 대기 중 이산화탄소 농도는 지금보다 훨씬 더 높은 수준에 도달하여 이미 우리는 돌이킬 수 없는 수준의 지구온난화를 경험했을 것이다. 그런데 문제는 해양온난화 그리고 대기 중 탄소 농도의 지속적인 상승과 함께, 해양의 탄소 흡수력이 점점 저하되고 있다*는 것이다. 해양의 탄소 흡수력이 저하된다는 것은 그만큼 우리가 탄소 배출량 감축을 더 많이 달성해야 한다는 의미이다.

그러나 다른 한편으로 해양으로 흡수된 탄소는 해수와 반응하여 탄산을 발생시키며 해수의 pH**를 낮추는 **해양산성화**Ocean Acidification로 이어져 해양생태계에 부정적인 영향을 미친다.

* 해수에 탄소가 녹는 정도, 즉 탄소 용해도는 해수의 수온이 낮을수록 높다.

** potential of Hydrogen, 수소 이온 지수. 0부터 14까지의 수치로 나타내는데, 로그 규모로 나타내기 때문에 pH가 0.15 낮아졌음은 30% 감소에 해당한다. 수치가 낮을수록 산성이 강하고, 높을수록 염기성이 강하다. pH가 7에 가까우면 중성이다.

해수의 pH가 어느 정도 낮아지기에 해양산성화라고 부르는 것일까? 식초처럼 신맛이 나는 산성 물질과 살균 표백제인 락스처럼 미끈거리는 느낌이 나는 쓴맛의 염기성(알칼리성) 물질은 뚜렷한 pH 차이를 보인다. pH가 7.0보다 작으면 산성, 그보다 크면 염기성으로 구분하므로, 보통 pH가 8.0이 넘는 해수는 약한 염기성에 해당한다. 그리고 해수의 pH가 7.0 이하로 낮아지는 것은 아니나 계속해서 탄소를 흡수한 해수의 pH가 0.1~0.2 정도 낮아지고 있으므로 '산성화'라고 부르는 것이다. 오늘날 전 세계적으로 해수의 pH는 10년마다 0.017~0.027씩 감소하는 것으로 알려져 있다.*

해양산성화는 어떤 부정적 영향을 미칠까? 우선, 인간의 단백질 공급원이 되기도 하는 조개, 가리비, 굴, 전복, 소라 등의 패류 그리고 게, 새우 등의 갑각류처럼 탄산칼슘 골격을 가진 해양생물이 피해에 직접적으로 노출된다. 탄산수로 바뀐 해수에 의해 갑각류나 패류의 껍질을 이루는 골격에서 칼슘이 빠져나가 모두 녹아버리기 때문이다. 인간에 비유하자면 골다공증에 걸리는 셈이다. 다양한 해양생물의 안식처가 되는 산호생태계가 백화 현상으로 인해 사라지고 있는 이유도 해양산성화와 관련되어 있다. 해수의 pH가 낮아지면 산호는 골격이 제대로 형성되지 않아 쉽게 부서지거나 죽기 때문이다.

탄산칼슘 골격을 가진 해양생물은 주로 **캘사이트**Calcite와 **아라고나이트**Aragonite라는 두 종류의 결정구조를 가지는데, 그중에

* 기후변화에 관한 정부간 협의체에서 발간하는 해양과 빙권 특별보고서(Special Report on the Ocean and Cryosphere in a Changing Climate, SROCC).

서도 산호와 같이 아라고나이트 골격을 가진 생물들이 해양산성화에 더 취약하다. 해양산성화 지표로 pH 외에도 아라고나이트 포화도를 사용하는 이유도 이 때문이다. 아라고나이트 포화도가 1보다 낮은 해수에서는 아라고나이트가 불포화*되어 아라고나이트 탄산칼슘 골격을 가진 해양생물로부터 칼슘이 빠져나가게 된다.

산호와 공생하는 플랑크톤은 광합성을 통해 산호에 영양을 공급하고 해수에는 산소를 공급한다. 해양산성화로 산호생태계가 무너지면, 산호와 공생하는 플랑크톤은 말할 것도 없고 해양생물들 각각의 해양산성화 적응력이 서로 다르므로 해양생태계 푸드웹 전반이 영향을 받게 된다. 수많은 해양생물의 서식지를 제공하는 산호가 무너지는 백화 현상은 해양생태계 전반에 악영향을 미치지만, 그것이 다는 아니다. 산호에 생계와 식량을 의존하는 5억 명에 이르는 사람들을 포함해 인류에게도 직접적인 피해를 주기 때문이다.

사실 오랜 지구의 역사에서 해양산성화가 전혀 없었던 것은 아니어서, 과거에도 해수의 pH가 낮아진 기록을 찾아볼 수 있다. 그러나 오늘날과 같이 전례 없는 수준의 대기 중 이산화탄소 농도로 인해서 해수의 pH가 이처럼 빠른 속도로 감소한 적은 일찍이 없었다. 해수의 pH가 급감하는 새로운 환경에 모든 해양생물들이 완벽하게 잘 적응할 것이라 기대하기는 어렵다. 골격이 녹아 석회화하는 행

* 어떤 물질이 용매에 용해될 수 있는 포화량을 초과한 만큼 용해되어 더 이상 용해될 수 없는 상태를 포화 상태라고 하며, 불포화되었다는 것은 포화 상태에 이르지 않은 것이므로 이 경우 해수에 아라고나이트 탄산칼슘이 더 녹을 수 있는 상태임을 의미한다.

태로 직접적인 피해를 입든, 천적의 성장과 생존이 바뀌며 푸드웹을 통해 간접적인 영향을 받든, 해양산성화가 진행되며 해양생태계 전반이 무너지고 수산 자원과 생물다양성이 전반적으로 감소할 것이라는 게 과학자들의 판단이다. 남성현

오늘날 해양생물이 받는 스트레스는 해양산성화만이 아니다. 해양산성화와 동시에 해양온난화로 해수의 수온이 상승하는 중이고, 점점 더 자주 **해양열파**로 인한 열적 스트레스에도 노출되고 있다. 또한 해수 중 용존산소 농도가 매우 낮아져 호흡이 곤란한 **저산소**Hypoxic 환경에 처하여 수십만 마리의 해양생물이 집단 폐사하는 현상인 데드존Dead Zone의 발생과 같은 일이 과거에 비해 점점 더 자주 벌어지기도 한다. 이처럼 해수의 pH 감소는 다른 환경 요인과 복합적으로 작용하며 해양생태계에 심각한 영향을 미친다. 그러므로 해양산성화의 직접적 또는 복합적인 영향 외에 이것이 간접적으로 **해양생태계의 구조와 기능**에 어떤 영향을 미치게 될지 평가하고 예측하기는 매우 어렵다. 지속적인 연구가 필요한 이유다.

한반도 주변 해역에서도 해수의 pH가 감소하며 해양생태계 변화가 나타나고 있다. 2015년 이후 8년간 지속된 국립수산과학원의 조사 결과에 따르면, 표층 해수의 pH는 10년마다 0.019씩 감소 중이다. 이것은 전 지구 평균이나 주변

해역의 산성화 속도와 유사한 수준이다. 다만 좀 더 큰 폭의 계절적인 변동이 동반되는 것으로 조사되었다. 한반도 해역의 해양산성화 관측 자료는 전 지구 해양산성화 자료 네트워크Global Ocean Acidification-Observation Network (GOA-ON)에 제공되고 있다. 한국해양과학기술원 등의 지속적인 해양산성화 연구 결과, 진해만과 광양만 등은 종종 아라고나이트 포화도가 1 이하로 감소했다. 한반도 해역의 산성화 현황과 경향을 정확히 파악하기 위해서는 대기로부터의 탄소 유입은 물론 강을 통한 탄소 등의 물질 유출입, 계절마다 다른 해수 혼합과 생물 활동 변동 등 종합적인 평가 연구가 지속되어야 한다. **남성현**

더 찾아보기

- 그레타 툰베리, 이순희 옮김, 《기후 책》, 김영사, 2023.
- 남성현, 《반드시 다가올 미래》, 포르체, 2022.
- 남성현, 《2도가 오르기 전에》, 애플북스, 2021.
- 남성현, 《위기의 지구, 물러설 곳 없는 인간》, 21세기북스, 2020.
- 다비드 넬스 · 크리스티안 제러, 강영옥 옮김, 《기후변화 ABC》, 동녘사이언스, 2021.
- 존 쿡, 홍소정 옮김, 《기후위기, 과학이 말하다》, 청송재, 2021.
- Gulev, S.K. et al., 2021: Changing State of the Climate System. In *Climate Change 2021: The Physical Science Basis. Contribution of Working Group I to the Sixth Assessment Report of the Intergovernmental Panel on Climate Change* [Masson-Delmotte, V. et al. (eds.)]. Cambridge University Press, 287–422, doi:10.1017/9781009157896.004.

- Canadell, J.G. et al., 2021: Global Carbon and other Biogeochemical Cycles and Feedbacks. In *Climate Change 2021: The Physical Science Basis. Contribution of Working Group I to the Sixth Assessment Report of the Intergovernmental Panel on Climate Change* [Masson-Delmotte, V. et al. (eds.)]. Cambridge University Press, 673–816, doi:10.1017/9781009157896.007.
- Bindoff, N.L. et al., 2019: Changing Ocean, Marine Ecosystems, and Dependent Communities. In *IPCC Special Report on the Ocean and Cryosphere in a Changing Climate* [H.-O. Pörtner et al. (eds.)]. Cambridge University Press, 447-587. https://doi.org/10.1017/9781009157964.007.

해류와 해양 순환

기후조절자Climate Controller로 불리는 해양이 지구의 온도를 조절하는 방식이 바로 해류와 해양 순환이다. 엄청난 열이 해류를 통해 수송되어 해양 표면과 내부뿐만 아니라 대기를 데우고 식히며 지구 곳곳으로 열을 분배하기 때문이다. 레이첼 카슨Rachel Carson은 《우리를 둘러싼 바다》에서 해양을 "지구의 온도 조절 장치"로 묘사하고 있는데, 해류와 해양 순환을 통해 열을 분배하고 지구의 기후를 조절하는 기능을 강조하기 위함이다. 기후위기가 점점 심화하면서 해양 순환을 이해하고 주요 해류를 지속 감시하며 그 변화에 대처하는 노력이 더욱 중요해지고 있다.

'해수의 거대한 흐름'을 의미하는 해류는 한 방향으로 지속해서 흐른다. 그런 점에서 규칙적으로 상하로 왕복 진동하는 파랑ocean waves이나 규칙적으로 전후로 왕복 진동하는 조류tidal current와는 구별된다. 그렇다면 해류는 그 방향(유향)과 세기(유속)가 전혀 변하지 않고 일정하게만 흐르는 것일까? 해류에 의해 수송되는 해수 수송량에 변화가 있다면 전체 해양 순환 자체도 변화를 겪을 수 있다는 의미일까? 이를 이해하려면 우선 해양 순환이 어떻게 이루어지고 있는지부터 이해해야 한다.

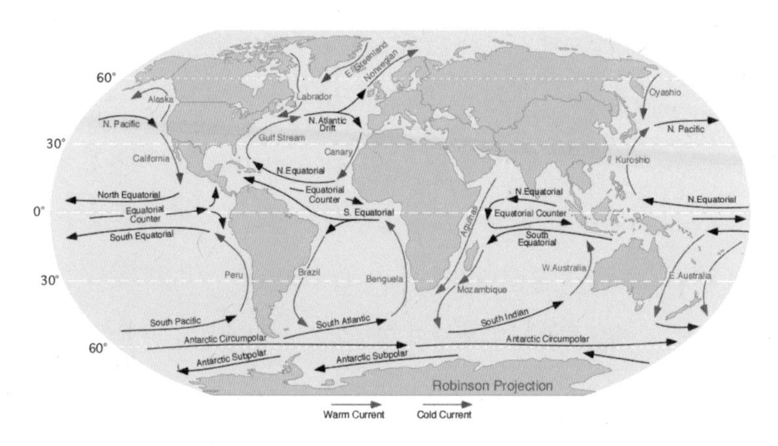

풍성순환(상층 해류) 모식도
[출처] 위키피디아

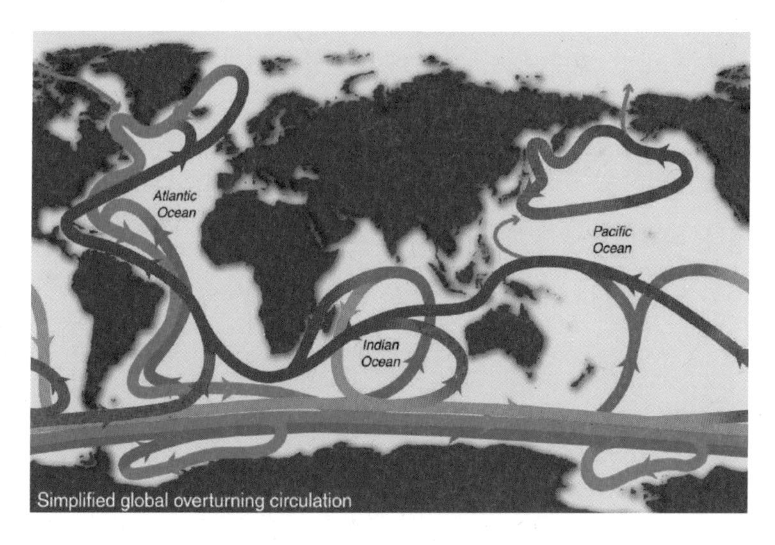

열염분순환 모식도(Lynne Talley et al., 2011)

●보라색: **표층수**, ●빨간색: **중층수**, ●주황색 ●초록색: **심층수**, ●파란색: **저층수**

해양 순환은 크게 두 가지 이론의 틀로 설명하는데, 하나가 **풍성순환**Wind-driven Circulation이고, 다른 하나는 **열염분순환**Thermohaline Circulation이다.

풍성순환은 바다 위에 지속해서 부는 바람, 즉 해상풍sea surface wind에 의해 유도되는 순환이다. 이 순환은 쿠로시오 해류Kuroshio Current나 걸프스트림(맥시코 만류, Gulf Stream)과 같은 **서안경계류**Western Boundary Current*를 비롯한 상층 해류 그리고 이들 해류로 구성된 환류Gyre의 원리를 설명한다.

열염분순환은 해수의 밀도**가 공간적으로 균일하지 않아 그 밀도차에 의해 유도되는 순환이다. 상층 해류에 비해 그 세기는 약하나 거대한 규모로 위도를 가로지르며 남북으로, 상하로 수송되므로 **자오면 순환**Meridional Overturning Circulation이라 불리기도 한다. 보통 담수는 약 4℃에서 분자 간 거리가 최소화되어 최대 밀도에 이른다. 반면, 해수는 어는점***에 도달할 때까지 수온이 낮을수록 분자 간 거리가 계속 짧아져서 밀도가 증가한다. 또한 해수에는 소금이 포함되어 있어 소금기가 많을수록(염분이 증가할수록) 밀도가 증가한다. 따라서 동일 부피의 해수는 수온이 감소할수록, 염분이 증가할수록 무거워진다. 결빙 해역에서는 해표면 냉각으로 수온이 낮아지

* 대양의 서쪽 경계를 따라 흐르는 폭이 좁고 강한 해류로서 동쪽 경계를 따라 흐르는 약한 해류인 동안경계류와 대비됨.

** 단위 부피당 질량으로서 세제곱 미터(㎥) 당 킬로그램(kg), 또는 세제곱 센티미터(㎤) 당 그램(g)으로 나타냄.

*** 물질이 얼기 시작하는 온도. 순수한 물(담수)의 경우 0℃.

고, 해빙sea ice이 형성되는 과정에서 빠져나온 소금기가 주변 해수의 염분을 증가시키므로* 해수의 밀도가 증가하며 무거워진 해수가 심해로 가라앉으며 심층 해수를 잘 생성한다. 예를 들면, 동해East Sea는 자체적으로 심층 해수를 생성하며 자오면 순환 구조를 보여 '작은 대양'으로 불리는 독특한 연해다.

그린란드 해역에서 시작된 심층 해수의 생성과 수송은 북대서양, 남대서양, 남빙양을 거쳐, 인도양과 태평양으로도 이어지고, 상층에서는 다시 태평양, 인도양, 남대서양, 북대서양 순으로 수송되어 결국 그린란드 해역에 이른다. 이처럼 전 세계 대양 전체를 순환하는 거대한 해양 순환은 마치 공장, 공항, 회전초밥 레스토랑 등의 컨베이어 벨트를 따라 움직이는 물건들처럼 서서히 전체를 순환하기 때문에 **해양 컨베이어 벨트 순환**Ocean's Conveyor Belt Circulation이라고 부른다. 린 탤리Lynne Talley 등에 의해 2011년에 출간된《알기 쉽게 풀어 쓴 물리해양학Descriptive Physical Oceanography》에는 최종 갱신된 풍성순환과 열염분순환 모식도가 구체적으로 제시되어 있다.

그러나 전 세계 대양의 주요 해류를 장기간 측정한 결과는 모식도로 제시되는 해양 순환이 실제로는 늘 일정한 세기와 일정한 방향의 흐름으로만 구성되지 않음을 보여준다. 대서양 해류가 시간에 따라 점차 약화하며 저위도의 과잉 열을 고위도로 전달하지 못해 북반구에 빙하기가 도래할 수 있다는 시나리오는 롤랜드 에머리히Roland Emmerich 감독의 2004년 영화《투모로우The Day After Tomor-

* 염분방출brine rejection 또는 brine injection 현상.

row》 제작의 모티브가 되었다. 물론 단 며칠 만에 빙하기가 도래하는 등 일부 과장된 연출도 있지만, 적어도 해류가 약화하는 경우 북반구에 빙하기가 도래할 수도 있다는 점만은 매우 과학적이다.

해류를 통해 수송되는 해수의 수송량과 그로 인한 열 분배는 늘 일정한 것이 아니라 끊임없이 변하고 있다. 그리고 그 변화는 지구 곳곳을 데우고 식히며 지구 기후에 심대한 영향을 미치므로 이에 대한 지속적인 감시와 연구가 요구된다. 남성현

더 찾아보기

- 그레타 툰베리, 이순희 옮김, 《기후 책》, 김영사, 2023.
- 남성현, 《반드시 다가올 미래》, 포르체, 2022.
- 남성현, 《2도가 오르기 전에》, 애플북스, 2021.
- 다비드 넬스 · 크리스티안 제러, 강영옥 옮김, 《기후변화 ABC》, 동녘사이언스, 2021.
- 레이첼 카슨, 김홍옥 옮김, 《우리를 둘러싼 바다》, 에코리브르, 2018.
- Gulev, S.K. et al., 2021: Changing State of the Climate System. In Climate Change 2021: The Physical Science Basis. Contribution of Working Group I to the Sixth Assessment Report of the Intergovernmental Panel on Climate Change [Masson-Delmotte, V. et al. (eds.)]. Cambridge University Press, 287–422, doi:10.1017/9781009157896.004.
- Talley, L. D., Pickard, G. L., Emery, W. J., & Swift, J. H., Descriptive Physical Oceanography, Elsevier, 2011. https://doi.org/10.1016/C2009-0-24322-4

빙하 용융과 해수면 상승

천천히 움직이는 거대한 얼음덩어리, 빙하는 지구상 가장 많은 담수가 존재하는 영역이다. 빙하는 여러 형태로 존재한다. 지구의 빙권Cryosphere을 구성하는 **빙상**Ice Sheet, **해빙**Sea Ice, **만년설**Permanent Snow or Icecaps, **영구동토**Permafrost가 바로 그 다양한 형태들이다. 빙상은 극지와 그 주위의 한대 지역에 얼음으로 뒤덮인, 그 면적이 5만㎢ 이상인 빙하 영역으로, 지구상 존재하는 빙하의 99% 이상을 차지한다. 한편 해빙은 해양에서 해수가 얼면서 만들어진 빙하로서 빙상이 해양으로 흘러나와 떠 있는 **빙붕**Ice Shelf이나 아예 떨어져 나와 해양에서 떠다니는 **빙산**Iceberg과는 구별된다.

이 모든 형태의 빙하가 지구온난화와 함께 오늘날 빠르게 사라지고 있어 우려의 목소리가 높다. 예를 들어, 아프리카의 최고봉(5,895m)으로 잘 알려진 탄자니아의 킬리만자로 만년설은 1986~2017년에 70% 이상 감소했고, 이대로라면 2040년경 모두 녹아 소멸할 전망이다. 아프리카에 남은 마지막 빙하조차 20년 내 모두 사라지면서 현재 고산지역에 거주하는 약 10억 명의 사람들은 더욱 극심한 홍수, 가뭄, 산사태 등에 노출될 뿐만 아니라, 식수 부족으로 결국에는 난민이 될 것으로 보인다.

그런데 만년설보다 훨씬 더 거대한 빙하가 녹고 있다. 바로 그린란드와 남극대륙의 넓은 영역에 걸친 거대한 빙하인 빙상이다. 빙상에는 두께가 3km 이상인 곳도 많다. 과학자들은 2002년부터 인공위성을 이용하여 그린란드와 남극대륙 빙상 두께를 지속 감시·추적 관찰하고 있는데, 관찰 결과는 매우 빠른 속도로 그 두께가 얇아지고 있음을 보여준다.

특히 그린란드 연안이 심각하다. 매년 그린란드에서 사라지는 빙하의 총질량은 무려 2,810억 톤에 달한다. 어느 정도의 양일까? 80억 명의 사람들이 각자 매달 3톤 트럭을 가득 채운 그린란드 빙하를 동시에 녹이고 있다고 생각해보라! 빙상 가장자리에 있던 부분이 부서지며 바다로 떨어져 나가는 것을 **빙괴분리** 혹은 **칼빙**calving이라고 하는데, 그린란드 빙상 표면이 녹으면서 과거보다 빙괴분리가 더 심해지면서 빙상 손실이 가속화하고 있다. 사탕을 천천히 녹이는 것이 아니라 깨물어 잘게 부수면 더 빨리 녹는 것과 같은 원리다. 그린란드 빙상이 모두 녹으면 어떻게 될까? 전 세계 평균 해수면이 7m 이상 올라가는 끔찍한 상황을 생각해야 한다.

그린란드보다도 훨씬 더 거대한 빙상이 존재하는 남극대륙에서도 빙하가 사라지는 중이다. 아직은 사라지는 빙하 손실량이 그린란드보다는 적지만, 서남극*에서는 매우 빠른 속도로 빙하가 사

* 남극은 서남극과 동남극으로 구분하는데, 서남극에 비해 동남극은 빙상 두께가 훨씬 더 두껍고 눈이 많이 내리며 손실되는 빙하량과 결빙하며 새로 생겨나는 빙하량의 거의 같아 비교적 균형을 이루지만, 서남극에서는 이미 손실되는 빙하량이 매우 커서 균형이 깨진 상태로 볼 수 있다.

라지고 있다. 서남극의 빠른 빙상 손실은 대기의 기온이 높아서라기 보다 해수의 수온이 높아서라고 할 수 있다. 어는점* 이상의 수온을 보이는 해수가 빙상의 아래쪽을 파고들며 녹이고 있기 때문이다. 빙붕 아래쪽 해수 중 비교적 수온이 높은 **환남극 심층수**Circumpolar Deep Water가 깊은 해저 골을 따라 흐르며 빙하를 파고들고 있다. 그에 따라 빙상이 더 쉽게 해양으로 흘러나오며 빠른 빙하 손실이 발생한다.

이 과정에서 일부 빙상의 경우에는 돌발적으로 붕괴할 우려마저 있는데 **스웨이츠 빙하**Thwaites Glacier가 대표적인 사례다. 스웨이츠 빙하는 서남극 전체 빙상이 해양으로 흘러가지 못하도록 막아주는, 와인병의 코르크 마개 같은 역할을 한다. 따라서 이 빙하가 돌발 붕괴하는 경우, 서남극 전체 빙상이 그쪽으로 흘러 빠르게 유출되며 빙하 손실과 해수면 상승을 가속화 할 우려가 있다. 스웨이츠 빙하가 '운명의 날 빙하Doomsday Glacier'로 불리는 이유다. 물론 단기간에 그럴 가능성은 극히 낮으나, 만약 남극 빙상이 모두 녹는다면 전지구 평균 해수면은 무려 55미터 이상 올라갈 것이다.

빙하 용융에 관한 우려는 이처럼 주로 해수면 상승에 관한 것이다. 하지만 빙하의 용융과 무관하게 지구의 해수면은 줄곧 상승하고 있었다. 바로 해양온난화 때문이다. 지구온난화로 지구 내 축적된 열의 90% 이상이 흡수된 해양에서 해수의 수온 상승이 일어나고 있고 그에 따라 **열팽창**Thermal Expansion 효과에 의해 그 부피가 증

* 해수의 어는점은 순수한 물(담수)의 어는점, 섭씨 0도에 비해 낮아 영하 1.7도 부근이며, 염분과 압력에 따라 그 어는 점이 변화한다.

가하고 있다. 즉, 해양의 질량이 일정해도 수온 상승에 따른 부피 증가로 해수면이 상승하는데, 여기에 빙하 용융에 따른 융빙수가 해양에 유입되며 질량 자체가 증가하니 더더욱 빠르게 해수면 상승이 발생하는 것이다.

전 지구 평균 해수면을 과거 100년 이상 측정한 결과, 그 상승 속도, 즉 상승률이 1900~1930년에는 연간 0.6mm, 1931~1992년에는 연간 1.4mm, 1993~2015년에는 연간 2.6~3.3mm, 그리고 2015년 이후에는 연간 4.0mm 이상으로 나타났다. 해수면 상승 속도 자체가 증가하는, 즉 해수면 상승 가속화까지 발생 중인 것이다. 해수면 상승이 가속화되면서 과학자들은 미래 해수면 상승 전망치를 계속 수정해야만 했는데, 오늘날에는 가장 좋은 시나리오에서조차 과거 최악의 시나리오에서 전망했던 해수면 상승 수준보다 더 높은 수준의 해수년 상승을 전망하고 있다.*

어떤 곳에서는 하루에도 수 m씩 해수면이 오르내리며 변동하므로 연간 수 mm 수준의 속도로 서서히 오르는 평균 해수면이 그리 위력적으로 느껴지지 않을 수도 있겠다. 하지만 평균 해수면의 상승이란 말 그대로 수 m씩 오르내리는 변동의 기준이 되는 해수면

* 기후변화에 관한 정부간 패널(Intergovernmental Panel on Climate Change, IPCC)에서 2007년에 발표한 제4차 평가보고서(4차 보고서)에서는 2100년이 되면 평균 해수면이 2000년 대비 0.2~0.5m 상승할 것으로 전망했는데, 이후 해수면 상승이 가속화됨에 따라 최근 보고서들(IPCC 6차보고서, 해양과 빙권 특별보고서)에서는 2100년이 되면 2000년 대비 0.5~1.2m 상승할 것으로 보고 있다. 그나마 스웨이트 빙하의 돌발 붕괴 가능성과 같이 불확실성이 큰 요인들은 포함하지 않은 보수적 전망이며, 이들을 포함하는 전망치에서는 시나리오에 따라 2100년에 이미 2.0m 이상의 해수면 상승을 초래하는 결과도 존재한다.

의 평균 그 자체가 일정하지 않고 상승했음을 뜻한다. 즉, 평균 해수면 상승도 장기간의 평균 상태가 변화하는 것이기 때문에 지구 평균 온도 1℃, 2℃의 상승과 같이 지구 기후 자체의 변화에 해당하는 것이다. 더구나 해양 전체 평균 해수면 상승 속도보다 더 빠른 속도로 상승하고 있는 지역도 많다. 투발루, 키리바시, 몰디브 등 일부 국가에서는 해수면 상승으로 인해 이미 국가의 존립까지 위태로울 지경이다.

기존의 평균 해수면에 맞춰 설계된 방파제와 각종 해안 인프라 시설 등을 상승하는 평균 해수면에 맞춰 조정하지 않으면, 해안선이 내륙으로 점점 더 깊숙하게 들어오면서 연안 침수 피해가 빈번해질 것이고, 해일과 너울성 파도 등으로 인한 일상적 피해도 증가할 것이다. 남성현

더 찾아보기

- 그레타 툰베리, 이순희 옮김, 《기후 책》, 김영사, 2023.
- 남성현, 《반드시 다가올 미래》, 포르체, 2022.
- 남성현, 《2도가 오르기 전에》, 애플북스, 2021.
- 다비드 넬스 · 크리스티안 제러, 강영옥 옮김, 《기후변화 ABC》, 동녘사이언스, 2021.
- 존 쿡, 홍소정 옮김, 《기후위기, 과학이 말하다》, 청송재, 2021.
- Gulev, S.K. et al., 2021: Changing State of the Climate System. In Climate Change 2021: The Physical Science Basis. Contribution of Working Group I to the Sixth Assessment Report of the Intergovernmental Panel on Climate Change [Masson-Delmotte, V. et al. (eds.)]. Cambridge University Press, 287–422, doi:10.1017/9781009157896.004.
- Fox-Kemper, B. et al., 2021: Ocean, Cryosphere and Sea Level Change.

In Climate Change 2021: The Physical Science Basis. Contribution of Working Group I to the Sixth Assessment Report of the Intergovernmental Panel on Climate Change [Masson-Delmotte, V. et al. (eds.)]. Cambridge University Press, 1211–1362, doi:10.1017/9781009157896.011.

- Oppenheimer, M. et al., 2019: Sea Level Rise and Implications for Low-Lying Islands, Coasts and Communities. In IPCC Special Report on the Ocean and Cryosphere in a Changing Climate [H.-O. Pörtner et al. (eds.)]. Cambridge University Press, 321-445. https://doi.org/10.1017/9781009157964.006.

빙하와 알베도 효과

지구상 빙하는 여러 형태로 존재하는데, 그 가운데에는 바닷물이 얼면서 만들어진 바다의 빙하, 즉 **해빙**Sea Ice도 있다. 거대한 대륙이 존재하는 남극과는 달리 북극은 바다로 되어 있다. 그렇기는 해도 사실 북극의 바다, **북극해(북빙양)**Arctic Ocean에는 해빙이 매우 많다. 태양 복사에너지 공급이 적은 고위도에 자리하여 가열보다 냉각이 우세하기 때문이다. 상대적으로 태양 복사에너지 공급량이 증가하는 여름에는 그 일부가 녹지만, 공급량이 감소하는 겨울이 되면 다시 얼어붙어서, 매년 이 용융과 결빙의 과정을 반복한다.

그러나 이러한 계절 효과를 제거하고 같은 계절의 북극해 해빙을 장기간 관측한 결과를 보면, 지난 수십 년간 인위적 기후변화와 함께 북극해 해빙이 빠르게 사라지고 있음을 알 수 있다. 이러한 현상은 태양 복사에너지를 잘 반사하는 해빙 부분이 줄어들며 노출된 해표면에 더 많은 열이 흡수되면서 북극해가 지구상 다른 어느 곳보다도 더 빠른 속도의 온난화를 경험하고 있음을 말해준다. 이처럼 북극해에서 유독 빠른 온난화가 발생하고 있는 현상을 **북극증폭**Arctic amplification이라 부른다.

한편, **알베도**albedo는 반사율이라고도 하는데, 태양 복사에너지를 받은 물체가 그것을 반사하는 비율을 의미한다. 지표면의 평균적인 알베도는 약 30%지만 색상에 따라 큰 차이를 보이며, 북극해의 흰색 해빙으로 뒤덮인 영역에서는 알베도가 월등히 커서 90%까지 증가한다. 흰색이나 밝은 계열 외투를 입으면 덜 더운 것도 알베도가 커서 태양 복사에너지를 더 많이 반사해 주기 때문이다. 옥상이나 지붕을 흰색 페인트로 칠해 건물 온도를 낮춰 냉방 에너지를 절감하고 탄소배출을 줄이려는 쿨-루프Cool roof 캠페인을 벌이는 이유도 알베도를 높이기 위함이다.

온실효과 강화와 북극증폭으로 북극해 해빙이 빠르게 사라지고 해빙으로 덮인 면적이 줄어들면서 북극해의 알베도는 큰 폭으로 감소하고 있다. 해빙으로 덮이지 않은 북극해에서는 알베도가 6%까지 감소하여 태양 복사에너지의 94%가 고스란히 북극해에 흡수되면서 해수의 수온을 빠르게 상승시키고 있다. 북극해 해수의 수온이 오르면서 해표면을 덮었던 해빙을 더욱 빠르게 녹이므로 해빙 면적이 감소하고, 이에 따라 알베도가 감소하여 수온 상승을 더 부채질하는데, 이를 아이스-알베도 효과Ice-albedo feedback*라고 부른다.

* 해빙-알베도 피드백sea ice-albedo feedback이라고도 부르며, 이때 피드백은 결과가 다시 원인에 영향을 미치는 과정을 의미함. 특히, 어떤 결과가 원인을 다시 강화하여 결과가 더욱 심화하는 방향으로 작용하는 피드백은 자기강화적 피드백positive feedback으로 부름. 해빙 감소로 인한 알베도 감소가 태양 복사에너지 흡수를 증가시켜 북극해 수온을 상승시키고, 이에 따라 해빙이 더욱 빠르게 녹아 사라져 다시 알베도를 더욱 감소시키므로 북극증폭은 대표적인 자기강화적 피드백 과정으로 설명한다.

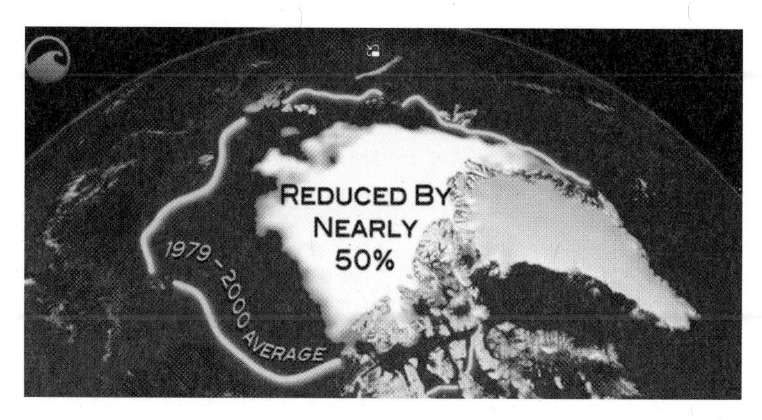

북극해 해빙 감소
[출처] 미국 해양기상청 Ocean Today 웹사이트

아이스-알베도 효과로 설명되는 **북극증폭**은 빠른 온난화 적응에 어려움을 겪는 북극 생태계의 심각한 파괴*는 물론, 북극해에서 멀리 떨어진 북반구 중위도 지역에까지 여러 파급효과를 일으킨다. 대표적인 사례가 **북극한파**다. 북반구 중위도 대류권 상공에는 서에서 동으로 부는 강력한 제트기류가 존재하는데, 북극 고기압을 둘러싸는 **북극 소용돌이** 혹은 **폴라보텍스**polar-vortex를 형성하며 북극의 냉기가 중위도까지 남하하지 않고 고위도에 머무르게 하는 역할을 담당한다. 그런데 이 제트기류는 그 세기가 일정한 것이 아니라 강약 변화를 겪으며 진동**한다. 특히 저위도와의 기온 차이가 큰 겨울철에 강화되고, 같은 겨울이라도 해마다 강약 변동을 보인다. 북극

* 실제로 북극 생태계의 최상위 포식자인 북극곰은 해빙이 사라지면서 사냥 활동에도 어려움을 겪고 바다사자, 물개 등 먹이가 되는 생물들의 서식지도 변경되며 개체수가 감소하고 있는 것으로 알려져 있다.

** 북극진동Arctic Oscillation이라고 한다.

해가 온난화하며 저위도와의 기온 차이가 줄어들면 제트기류가 약해져 그 경로가 심하게 굽이치며 사행meandering*한다. 북극 소용돌이가 무너지며 제트기류가 심하게 사행하는 경우 북반구 중위도 곳곳에서 기온 변동성이 커지면서 극단적인 기온 변동(한파와 폭염)을 경험하게 된다. 제트기류의 경로가 남쪽으로 치우친 지역에는 기온이 크게 하강하며 북극한파라는 극단적 기상이변이 발생할 수 있다. 북극 영향권이 남쪽의 중위도까지 확장되며 중위도에서는 잘 경험하지 않았던 극심한 한파가 찾아올 수 있기 때문이다.

이처럼 북극해의 빠른 온난화는 저위도와의 기온 차이를 감소시켜 제트기류를 약화하고, 북극 소용돌이를 붕괴시켜 제트기류의 사행을 심화할 수 있다. 그 결과 종종 북미, 유럽, 동아시아 곳곳에 극심한 북극발 한파를 몰고 온다. 원래 겨울에도 따뜻했던 미국 남부의 텍사스주에서 심각한 한파로 고위도의 알래스카보다 더 추운 겨울을 보냈던 것도 북극해의 아이스-알베도 효과나 북극증폭, 북극 소용돌이와 무관하지 않은 것이다.

북극해 해빙이 녹는 현상은 지구의 대기 순환만이 아니라 해양 순환에도 영향을 미칠 수 있다. 해빙이 녹으며 표층 해수의 염분이 감소하기 때문인데, 염분이 낮아져 그 여파로 해수 밀도가 낮아지면 심층 해수 생성이 원활하지 않아 해양 순환이 약화할 수 있는 것이다. 해양 순환의 약화는 북반구에 빙하기를 초래할 정도로 심각

* 뱀처럼 구불구불하게 굽이쳐서 흐르는 것을 의미하며 하천 중에서도 굽이쳐서 흐르는 하천을 사행천이라고 부르는 것과 같이 기류나 해류가 굽이쳐서 흐르는 것을 사행한다고 표현함.

한 파급효과를 일으킬 수 있는 문제이기도 하다.

지구온난화인데 왜 더워지는 것만이 아니라 극심한 추위가 찾아오는 것일까? 이를 이해하려면 우선 지구온난화로 표현되는 인위적인 기후변화가 지구 평균온도 조금 오르는 차원의 문제가 아니라는 점부터 인식해야 한다. 오늘날 문제가 되는 기후변화란 북극 소용돌이, 제트기류, 해양온난화 등을 통해 극단적인 기온(한파와 폭염), 극단적인 강수(폭우, 폭설, 가뭄) 등 전례 없는 기상이변을 심화하는 전 지구적 기후 시스템의 변화다. 남성현

더 찾아보기

- 그레타 툰베리, 이순희 옮김, 《기후 책》, 김영사, 2023.
- 남성현, 《반드시 다가올 미래》, 포르체, 2022.
- 남성현, 《2도가 오르기 전에》, 애플북스, 2021.
- 다비드 넬스 · 크리스티안 제러, 강영옥 옮김, 《기후변화 ABC》, 동녘사이언스, 2021.
- 존 쿡, 홍소정 옮김, 《기후위기, 과학이 말하다》, 청송재, 2021.
- Ocean Today, National Ocean Service, National Oceanic and Atmospheric Administration, USA, (Latest access on January 14, 2023). https://oceantoday.noaa.gov/happennowarcticseaice
- Fox-Kemper, B. et al., 2021: Ocean, Cryosphere and Sea Level Change. In Climate Change 2021: The Physical Science Basis. Contribution of Working Group I to the Sixth Assessment Report of the Intergovernmental Panel on Climate Change [Masson-Delmotte, V. et al. (eds.)]. Cambridge University Press, 1211–1362, doi:10.1017/9781009157896.011.
- Meredith, M. et al., 2019: Polar Regions. In IPCC Special Report on the Ocean and Cryosphere in a Changing Climate [H.-O. Pörtner et al. (eds.)]. Cambridge University Press, 203-320. https://doi.org/10.1017/9781009157964.005.

영구동토

영구동토permafrost란 상식적으로는 "영구永久적으로 얼어붙어 있는 땅, 동토凍土"를 의미한다. 하지만 이 용어의 과학적인 의미는, 계절이 바뀌어도 녹지 않고 2년 넘게 어는점 이하의 온도를 유지하며 얼어 있는 땅이다. 이 지대는 태양 복사에너지 공급이 매우 적어 냉각이 우세한 고위도 지역에서만 볼 수 있다. 지구상 매우 제한적으로만 분포할 것 같지만, 실제로는 상당히 넓은 영역을 차지한다. 시베리아, 캐나다, 알래스카 등지의 추운 지역에 위치하며, 러시아 영토의 2/3, 북반구 면적의 약 1/4에 해당하는 광활한 면적이 영구동토에 해당한다.

문제는 이 영구동토 역시 지구온난화와 함께 점점 더 많이 사라지고 있다는 점이다. 영구동토가 녹으면 문제가 되는 점은 우선 지하 토양이 불안정해져 직접적인 재해로 이어진다는 것이다. 단단한 땅속 얼음층이 녹으면서 산사태, 지반침하, 대규모 암석 붕괴 등으로 인해 그 위에 있는 건물이나 도로, 교량 등이 붕괴할 수 있기 때문이다. 러시아 경제는 물론 세계 경제에도 큰 영향을 미치는 자원 추출 인프라의 많은 부분이 러시아 영구동토 위에 설치되어 있어서 영구동토 융해는 경제적 피해로 직결된다. 일부 지역에서는 거대한 싱크홀이 생겨 함몰되는 사건도 발생하고 있다. 미국 연방정부는 영구동토 융해에 따른 인프라 피해 비용이 향후 20년간 최대 60억 달러(8조 4천억 원)에 달할 것이라 추산하고 있다.

그런데 이보다 훨씬 더 심각한 문제가 있다. 영구동토층 붕괴가 기후위기를 심각하게 가속화할 수 있다는 문제다. 현재 영구동토층에는 대기 중 이산화탄소 총량의 약 2배에 달하는 1600Pt*(160경 톤)의 탄소가 묻혀 있을 것으로 추산되는데, 영구동토층이 녹으며 이산화탄소뿐만 아니라 메테인 CH_4 형태로도 다량의 탄소가 대기로 방출되어 지구온난화를 악화할 우려가 있다. 이산화탄소보다 온실효과가 20배 이상 강력한 메테인은 영구동토층이 녹으면서 생기는 열카르스트thermokarst 호수와 늪지대에서 끓는 거품처럼 올라오며 지금도 대기 중 온실가스 농도를 높이는 중이다. 영구동토 내 유기물이 녹으면 박테리아 활동으로 기체가 발생하는데, 그 박테리아의 종류에 따라 산소가 있으면 이산화탄소가, 산소가 없으면 메테인 형태로 탄소가 배출된다.

지구온난화는 지구상 어느 곳에서나 동일 속도로 진행 중인 것이 아니다. 유독 빠르게 지구온난화가 진행되는 지역들이 있는데, 영구동토가 자리한 지역이 대표적이다. 툰드라의 질퍽한 늪지는 점점 더 푸른 초원으로 바뀌는 중이고, 얼어 있던 영구동토는 늪으로 변하는 등 극단적인 변화가 뚜렷하다. 얼어 있던 땅이 초원으로 바뀌어 식물의 광합성에 의한 이산화탄소 흡수가 증가하지 않을까 생각

* 페타톤. 1000조 톤.

할 수도 있지만, 사실 그 효과보다도 땅속에 묻혀 있던 이산화탄소가 땅 밖으로 빠져나올 위험성이 더 크기 때문에 문제가 된다.

미국 알래스카주는 **육빙**, **해빙**, **영구동토**까지 3개 종류의 빙하가 모두 빠르게 녹아내리는, 그야말로 기후위기의 실상을 절감할 수 있는 곳이다. 알래스카 북부 데드호스Dead Horse에서 측정된 지하 온도는 1994년에 영하 8.5도였으나, 2020년에는 영하 5.0도였다. 26년 만에 영구동토 온도가 3.5도나 오른 것이다. 영구동토층에서 지하 20m 온도가 0.1도 올라간다는 것은 지표면에서는 훨씬 더 빠르게 온도 상승이 진행됨을 의미한다. 특히 이곳에서는 빙하가 사라지며 초목이 건조해져 벼락과 함께 산불 피해가 잦아지고 더 넓은 지역에서 발생하고 있다. 알래스카에서 매년 산불로 소실되는 면적은 200만 에이커(약 8000㎢)로, 서울의 약 13배 넓이에 달한다. 더구나 역대 가장 심각한 피해를 가져온 4대 산불 중 세 번의 산불은 모두 2000년 이후에 발생했다.

영구동토층 융해가 초래할 수 있는 또 다른 심각한 문제가 있다. 북극권 영구동토층에는 약 1천 마리의 매머드가 매장되어 있을 것으로 추정된다. 약 1만 년 전, 갑자기 지구가 따뜻해지면서 새로운 기후에 적응하지 못하고 멸종한 것으로 추정되는 것이다. 그러나 당시 영구동토층에 갇힌 것은 매머드만이 아니다. 수많은 생물의 사체가 미생물과 함께 영구동토층에 갇혔다. 문제는 영구동토층이 녹으면서 어떤 미생물이나 바이러스 등의 유기체가 그 안에서 깨어나 인간을 비롯한 지구의 자연생태계에 어떤 영향을 미치게 될지 아무도 모른다는 것이다. 이산화탄소, 메테인과 함께 우리가 경험하지 못한 수많은 미생물도 봉인 해제되는 중인 것이다.

유럽 연구진들은 시베리아 야쿠츠크Yakutsk 지역의 영구동토에서 약 4만 8,500년 전 호수 아래에 묻혀 있던 것으로 추정되는 바이러스를 포함해 인류가 처음 접하는 13종의 바이러스를 발견하고 의학 논문 사전 등록 사이트인 bioRxiv.org에 이 내용을 게재했다. 토양이나 강은 물론이고 2만 7천년 전에 죽은 늑대의 창자에서도 발견된 이들 바이러스는 여전히 충분한 전염력을 갖추고 있어서 "좀비 바이러스"라고 부른다고 한다. 다행히 대부분의 바이러스는 전염력이 없으나 이처럼 인간이나 동물에 전염될 수 있는 바이러스가 지상으로 노출될 가능성도 배제할 수는 없다. 과학자들은 동물 내에 잠복하다 노출되는 바이러스의 위험성에 주목하고 있다. 2016년, 북시베리아에서 폭염이 발생하고 영구동토가 녹으며 사슴 사체가 지상부에 노출되었는데, 이것에 접촉한 어린이 1명이 탄저병에 걸려 숨지고 성인 7명이 감염된 사례가 있었다. 또한 2018년에는 시베리아 영구동토가 급속히 녹으며 탄저균이 드러나며 순록 20만 마리와 어린이들이 사망한 사건도 있었다. 앞으로 어떤 미생물, 박테리아, 바이러스 등이 급속도로 녹고 있는 영구동토에서 드러나게 될지 모두가 관심을 기울여야 하는 이유다. 남성현

더 찾아보기

- 그레타 툰베리, 이순희 옮김, 《기후 책》, 김영사, 2023.
- 남성현, 《반드시 다가올 미래》, 포르체, 2022.
- 남성현, 《2도가 오르기 전에》, 애플북스, 2021.

- 다비드 넬스 · 크리스티안 제러, 강영옥 옮김, 《기후변화 ABC》, 동녘사이언스, 2021.
- 존 쿡, 홍소정 옮김, 《기후위기, 과학이 말하다》, 청송재, 2021.
- Meredith, M. et al., 2019: Polar Regions. In *IPCC Special Report on the Ocean and Cryosphere in a Changing Climate* [H.-O. Pörtner et al. (eds.)]. Cambridge University Press, 203-320. https://doi.org/10.1017/9781009157964.005.

지구 안전 한계선

저명한 기후환경 과학자인 요한 록스트룀Johan Rockstrom과 케빈 눈Kevin Noone 등은 2009년 역사적인 논문을 <네이처>지에 발표했다. 「지구의 한계선: 인류 문명의 안전지대에 대한 탐색Planetary Boundaries: Exploring the Safe Operating Space for Humanity」이라는 이름이었다. 이 논문은 과학적 탐구에 매우 충실했는데, 지구 시스템의 안전을 좌우하는 9가지 요소를 분석하고, 각 요소들의 위험 단계와 현재 상황을 평가했다. 이 논문은 지구 시스템에 대한 종합적인 관점을 제시해 새로운 연구 방향의 물꼬를 텄는데, 2015년 <사이언스>지에 유럽 각국에서 활동하는 18명의 과학자들이 이에 관한 더 심도 깊은 연구 결과를 발표하기도 했다.* 이들은 9개의 요소와 그것들의 현 상황을 아래에서 보이는 것과 같은 레이다 형태의 도표로 작성했다.

* W. Steffen et al., Planetary boundaries: Guiding human development on a changing planet, *Science*, 15 Jan 2015, Vol 347, Issue 6223.

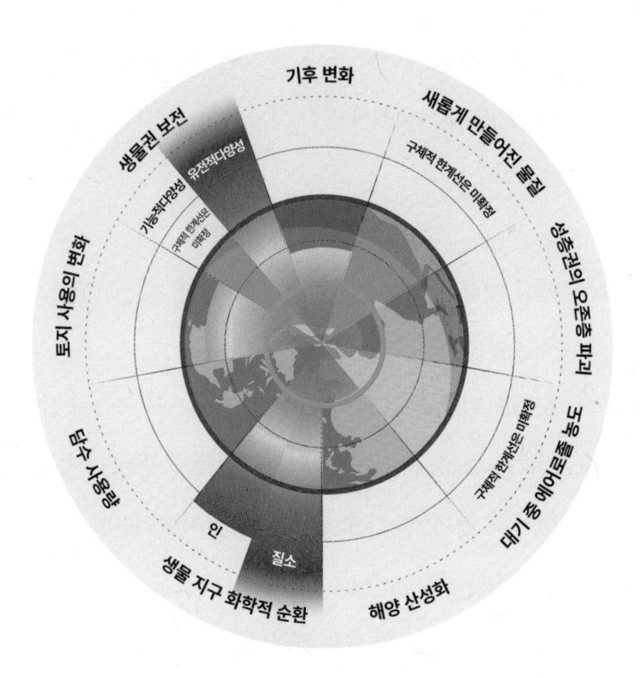

이 9개 요소를 정리하면 다음과 같다.

- 기후변화
- 생물권 보존(생물다양성)
- 성층권의 오존 파괴
- 해양산성화
- 생지학적 순환(인과 질소 순환)
- 토지 사용의 변화
- 담수 사용
- 대기 부유입자(에어로졸) 농도 변화
- 플라스틱 같은 신물질의 도입

이 가운데 기후변화, 생물권 보존, 토지사용의 변화, 생지학적 순환, 이 네 요소(그림에서 붉은 색과 노란 색으로 표시된 영역)는 이미 위험한 단계로 접어든 것으로 분석되었다.

잘 알려져 있듯 기후변화는 대기 중 이산화탄소의 농도와 관계가 깊다. 기후과학자들의 분석에 의하면, 이산화탄소 농도가 350ppm*을 넘으면 온실효과로 인한 지구온난화가 가속된다. 표현 그대로 이 정도의 농도가 기후변화의 안전 한계선인데, 2023년 7월에 측정한 값은 420.40ppm으로 안전 한계선을 한참 넘어서고 있다.

또 다른 요소인 생물권 보존은 멸종되는 개체수와 관련 있다. 생물권 보존 수치는 연간 100만 종의 생물 중 멸종되는 생물종의 수(extinctions per million species-year, E/MSY)로 표현하는데, 최근의 분석 자료를 종합하면 현재 약 100~1000E/MSY로 추정된다. 숫자로 보면 실감이 나지 않지만, 하루에 100여 종의 생물이 사라지고 있다는 의미로 자연적인 수준과 비교하면 최대 1천 배 빠른 속도로 생물종이 소멸되고 있다. 한국에서도 유명한 가이아 이론에 따르면, 지구의 생물권과 다른 권역은 놀라울 정도로 복잡하고 정교한 상호작용을 하고 있는데, 생물종이 이렇게 빨리 소멸될 경우 그 여파는 지구 시스템 전체로 확산될 것이 자명하다.

탄소처럼, 인과 질소도 지구 시스템 내에서 순환하고 있다. 특히 이 물질들은 합성비료의 원재료이기 때문에 인류의 비료 사

* ppm: parts per million의 약자. 미량 물질의 농도를 표현하는 단위로 백만분의 얼마의 비율인가를 의미한다.

용량과 밀접한 관련이 있다. 이 물질들은 워낙 순환되는 양이 많아서 테라그램(Tg, 100만 톤)이라는 큰 단위를 사용한다. 인이라는 물질만 놓고 보면, 위험 한계선은 연간 약 11Tg이지만, 해마다 바다로 흘러드는 인의 양은 그 2배인 22Tg로 분석된다. 이 역시 한계선을 한참 뛰어넘은 수치이다.

마지막으로, 토지 사용 변화가 심각한 상황이다. 인류는 곡물을 경작하고, 가축을 기르고, 목재나 팜유 같은 산림자원을 생산하고, 도시를 확장하기 위해 토지를 변형하고 있다. 지난 수천 년간 숲과 같은 자연지대가 농경지와 목축지로 개간되었다. 현재 인류는 지표면의 50%를 개발하였고, 그중 75%를 활용하고 있다. 과학자들은 지구에 남아 있는 밀림 지역의 상태를 통해 토지 사용의 한계선을 추정하고 있다. 밀림의 원래 크기 대비 현재 남아 있는 크기의 비율을 분석하는 것인데, 현재 남아 있는 큰 밀림은 남미의 아마존 밀림과 아프리카의 콩고 그리고 인도네시아의 밀림이 대표적이다. 대규모 광합성 작용을 통해 이산화탄소를 포집하고 산소를 공급하는 밀림의 역할을 고려할 때, 밀림의 크기가 25% 이상 파괴되면 지구 전체 생태계에 큰 부담이 될 수 있다. 그러나 현재 밀림은 초기 크기 대비 겨우 62%만 남아 있을 뿐이다. 지난 100여 년간 이미 38% 정도가 파괴된 것이다. 지구 시스템의 상호작용을 고려할 때, 파괴된 숲을 복원하는 일은 우리가 해결해야 할 시급한 과제 중 하나다.(→자연기반해법-조림과 블루카본)

9가지 요소 중 위의 4가지를 제외한 5가지는 아직 안전 한계선 내에 존재하는 것으로 평가된다. 그러나 해양산성화 그리고 신물질에 의한 생태계 파괴의 경우, 안전 한계선에 빠른 속도로 근접하고 있고, 특단의 대책이 마련되지 않는 한 조만간 안전 한계선을 넘을 것으로 보인다.

안전 한계선에 관한 과학적 사실은 비교적 최근에 발표된 것이다. 또한 매년 새로운 사실이 추가되고 있기도 하다. 이 연구 결과로부터 도출할 수 있는 결론은 현재 인류가 매우 심각한 생존의 위기에 처해 있다는 것이다. 그리고 그 위기를 해결하기 위한 종합적인 전략 수립과 즉각적인 실천 계획이 마련되어야 한다는 것이다. 전병옥

더 찾아보기

- 요한 록스트룀 · 오웬 가프니, 전병옥 옮김, 《브레이킹 바운더리스》, 사이언스 북스, 2021.
- 조천호, 《파란 하늘 빨간 지구》, 동아시아, 2019.

탄소와 물질의 순환

NASA의 금성 소개 페이지에는 '지구의 가장 가까운 이웃'이라고 표현되어 있다. 금성 다음으로 지구와 가까운 이웃은 화성이다. 지구와 금성의 평균거리는 1억 7천만 km, 화성과의 평균거리는 2억 5,500만 km이니, 거리로 보면 금성은 상당히 가까운 이웃이라고 할 수 있다. 태양과의 거리를 기준으로 보면, 금성, 지구, 화성의 순서이다. 그렇다면 금성은 상대적으로 더 많은 태양에너지를 받을 테니 그만큼 더 높은 온도를 유지하고 있을까? 금성보다 태양에 더 가까운 수성의 평균온도는 어떨까?

금성이 지구보다 표면온도가 높은 것은 사실이다. 관측에 의하면, 금성의 표면온도는 460℃에 달한다. 그런데 이 온도는 수성의 표면온도 180℃보다도 지나치게 높은 수치이다. 더구나 수성은 영하 180℃에서 영상 420℃의 넓은 범위의 온도 변화를 겪는 데 비해, 금성의 최저온도는 0℃에 불과하다. 금성의 이런 신비한 점은 과학자들에게 큰 호기심과 연구 욕구를 불러일으켰다.

금성의 신기한 기후환경은 두꺼운 이산화탄소 대기층에 그 답이 있다. 지구 표면의 대기압은 1기압을 유지하고 있는데, 금성의 대기압은 약 90기압 정도이다. 지구에서 이 정도의 압력을 느끼려면 바다 밑 800m까지 내려가야 한다. 이렇게 두꺼운 금성의 대기 가운데 96.5%는 이산화탄소로 구성되어 있다. 금성이 수성보다 더 높은 표면 온도를 갖게 된 이유는 두꺼운 이산화탄소 대기층에 의한 강력한 온실효과 때문인 것이다. 한편, 수성의 표면온도가 금성과 다른 것도 수성에는 대기층이 없어서 온실효과가 나타나지 않기 때문이다. 화성도 수성과 비슷한 환경이다.

금성의 사례는 지구 기후를 연구하는 과학자들이 대기 중 이산화탄소 농도에 예민하게 반응하는 이유를 알려준다. 태양과 가까운 4개의 행성 중 수성과 화성은 대기가 없어서 큰 폭의 표면온도 변화를 겪고 있는 반면, 금성과 지구는 온실효과에 의해 상대적으로 안정적인 기후환경을 유지하고 있다. 그러나 금성의 대기는 이산화탄소로 가득 차 있어 온실효과가 극대화되어 평균온도는 지구보다 훨씬 높다.

그렇다면 지구의 대기환경이 금성처럼 변할 일은 없을까? 실제로 금성도 약 5억 년 전에는 지구의 대기환경과 비슷했고, 따라서 생태계가 있었을 것으로 예측하는 논문이 발표되기도 했다.*

그러나 현재의 지구에는 금성과 다른 특별한 점이 하나 있다. 이산화탄소를 순환시키는 공조 시스템이 있어서 이산화탄소가 한 구역에 계속 누적되지 않고 순환된다는 점이다. 지구의 시스템은 대기권, 지권[광물권/암석권], 수권, 빙권, 생물권으로 나누어볼 수 있는데, 탄소는 이 권역을 순환하면서 정교한 조절 시스템을 만들고

* theconversation.com, "If there is life on Venus, how could it have got there? Origin of life experts explain", 2020.

있다. 탄소 외에 산소, 질소, 인, 황 같은 물질들도 탄소와 비슷하게 그러나 다른 속도로 이 권역들을 순환하고 있다.

그렇다면 탄소는 지구에서 어떤 방식으로 순환하고 있을까? 우선, 대기 중의 수증기가 빗방울이 되어 떨어지면서 공기 중의 이산화탄소가 일부 녹아 지상으로 떨어진다. 이산화탄소가 녹아든 빗물은 하천으로 흘러가고 여러 침전물들과 함께 바다로 향해간다. 오랜 시간을 거쳐 이 과정이 반복되면, 침전물과 이산화탄소는 하나의 광물이 되어 바다 밑바닥에 쌓이게 된다. 이렇게 만들어진 탄산염암 등이 포함하고 있는 탄소의 양은 대기 중에 존재하는 양보다 수만 배 높은데, 바다 밑의 높은 압력 속에서 얌전하게 쌓여 있게 된다. 요컨대, 바다 밑에는 엄청나게 많은 양의 이산화탄소가 암석 속에 잠들어 있어서 거대한 탄소 저장소 역할을 한다.

생명체들에 의한 광합성과 호흡도 중요한 탄소 순환 작동 방식이다. 식물은 광합성을 통해 대기 중의 이산화탄소를 모으고, 호흡을 통해 수증기를 대기 중으로 내보낸다. 식물과 동물은 죽은 후에는 산소에 의해 분해되어 이산화탄소로 다시 되돌아오는데, 지각 운동에 의해 지하 깊은 곳에 묻히게 되면 압력에 의해 거대한 탄소 웅덩이를 만들기도 한다.

바다와 땅 밑에 저장된 탄소는 화산분출이나 심층수의 용승湧昇을 통해 지표면에 노출되는데, 바로 이 과정에서 대기로 되돌아간다. 그러나 이 과정은 오랜 시간에 걸쳐 이루어져서 탄소 순환 시스템은 느린 호흡으로 천천히 작동하고, 어지간한 변화는 충분히 감내하면서 자체적으로 안정화시킬 수 있다.

그러나 인간이 개입하면 얘기가 달라진다. 현재 인류는 두 가지 방법으로 지구의 탄소 순환을 교란하고 있다. 첫째, 인류는 무자비한 화석연료 사용으로 대기 중 이산화탄소의 농도를 짧은 시간 안에 급격히 증대해왔다. 물론, 이에 비례해 온실효과가 강화되어 지구의 평균온도는 계속 높아지고 있다. 둘째, 플라스틱 같은 신물질의 개발을 통한 탄소 순환 시스템의 교란이다. 화석연료에서 채취한 작은 탄소 덩어리들을 길게 연결해 하나의 거대 분자로 만드는 플라스틱 제조 기술은 그 역사가 100여 년에 불과하다. 하지만 플라스틱 사용량은 최근 철 사용량을 추월할 정도로 엄청나게 늘어나고 있다. 신석기 시대부터 시작된 인류 문명의 발전 단계는 철기 시대를 지나 이제 플라스틱 시대로 접어든 셈이다. 이 거대한 탄소 화합물은 무차별적으로 지구에 폐기되고 있는데, 탄소 숫자가 큰 만큼 분해되는 시간도 오래 걸린다. 따라서 플라스틱은 새로운 탄소 순환의 길을 만들고 있지만, 지구 시스템에게는 매우 낯선 방식의 순환이다.

요컨대, 지구를 지탱하는 탄소 순환 시스템은 인류의 개입으로 인해 커다란 장애물을 만난 셈이다. 이에 대한 해법을 마련하지 않으면 예상보다 훨씬 빠른 속도로 지구는 금성처럼 변할 수도 있다. 전병옥

더 찾아보기

- 국립과천과학관 동영상: https://youtu.be/rQYboNldo4s
- 사토 겐타로, 권은희 옮김, 《탄소문명: 원소의 왕자 역사를 움직인다》, 까치, 2015.
- 정관영 · 이성작, 박기종 그림, 《탄소는 억울해!》, 상상의집, 2021.

생물다양성과 멸종

오늘날의 인위적 기후변화로 인해 초래된 가장 우려스러운 상황이 있다면, 그것은 생물다양성 붕괴일 것이다. 실제로 록스트룀 등이 작성한 〈지구 안전 한계선 9가지〉를 보면, 생물다양성 부분은 이미 안전 한계선을 넘어선 것이 확실해 보인다.

'침팬지 박사'로 유명한 제인 구달Jane M. Goodal은 생물다양성을 거미줄, 즉 '생명의 그물망'에 비유했다.[*] 거미줄의 줄이 한 개씩 끊어지면 언젠가 거미줄 전체가 약해지는 것처럼 동식물 종이 하나씩 없어지면 '생명의 그물망'이 잘려나가 결국 지구의 안전망에 구멍이 생기고, 위험이 초래될 것이다.

'생물다양성'이라는 용어는 1988년 미국의 곤충학자 에드워드 윌슨Edward O. Wilson이 제안한 것으로 1992년 브라질 리우데자네이루에서 열린 UN 환경개발회의에서 공식적으로 언급되었다.[**] 〈생물다양성 협약Convention on Biological Diversity〉 2조에 따르면 **생물다양성**Biological Diversity, Biodiversity이란 육상, 해상 그리고 그 밖의 수중

* 제인 구달 외, 김지선 옮김, 《희망의 자연》, 사이언스북스, 2010.

** 1992년 브라질 리우에서 열린 지구정상회담에서 150개 정부가 〈생물다양성협약〉에 서명했다.

생태계와 이들 생태계가 부분을 이루는 복합생태계 등 모든 분야의 생물체간 변이성을 말하며, 이는 같은 종 내의 다양성, 다른 종간의 다양성 및 생태계의 다양성을 포함"한다. 달리 말해, 생물다양성이란 지구 생물종Species의 다양성, 생물이 서식하는 생태계Ecosystem의 다양성, 생물이 지닌 유전자Gene의 다양성을 총체적으로 지칭하는 개념이다.

세계자연기금WWF에 따르면, 과학자들은 지구에 약 1,500만 종 이상이 있을 것으로 추정하고 있다. 이 가운데 인류가 정확히 확인한 종은 약 170만 종에 불과하다. 우리는 전체의 10% 남짓을 알아낸 셈이다. 따라서 인류가 발견할 종들은 향후 계속 증가할 것이다. 하지만 기후변화와 환경오염에 의해 소멸되는 종들 역시 빠르게 증가하고 있다. 한국의 국립생물자원관의 기록에 의하면, 한국에 사는 생물은 1996년 기준 2만 8,462종이 확인되고 등록되었다. 그리고 2019년 말에는 등록종수가 5만 2,628종으로 늘어났다. 확인되지 않은 종까지 감안해 과학자들은 한국에 약 10만 종의 생물이 살고 있는 것으로 추정한다.

고생대 이후 지구 생태계는 눈부실 만큼 다양하고 복잡해졌다. 물론, 갑작스런 기후환경의 변화로 5회의 대멸종과 24회 소멸종을 겪었지만, 최근 수천만 년간 생물종은 지속적으로 다양해졌다. 생물종이 다양해지면, 먹이 피라미드 구조가 안정적으로 유지되기 때문에 군집과 먹이사슬 구조가 튼튼해진다. 그만큼 생태계 평행에 유리하고 외부 충격에 대한 저항성이 커진다.*

생태계는 특정 지역에 사는 생물들과 그 생물들이 살고 있는 주변의 물리환경을 의미한다. 생태계의 종류에 따라 환경 요인이 달라 서식하는 생물종과 개체수에 차이가 발생하며, 생물간 상호 작용 방식도 달라진다. 생태계 다양성이 확보될수록 지구 전체의 생물다양성도 잘 유지될 수 있다.

이 외에도 유전자 정보의 다양성을 고려해볼 수 있다. 모든 생물은 유전자 정보를 가지고 있고, 다음 세대를 통해 자신의 유전자 정보를 남기려고 한다. 생물들이 멸절하거나 그들의 번식이 멈춰 유전자 정보의 이동이 중단된다면, 생물다양성은 심각한 타격을 받을 수밖에 없다.

산호는 현재의 생물다양성 위기 상황을 말해주는 강력한 사례일 것이다. 산호는 수많은 해양 생물종에게 필요한 서식지가 되어준다. 따라서 산호가 사라지면, 산호에 의지해 살고 있는 여러 생물들의 생존 기반이 무너진다. 또한 산호는 해저에서 발생한 지진과 파도의 충격을 흡수해주는 역할도 하는데, 산호가 감소하면 이런 지각변동에 의한 위험이 육지에 그대로 전달된다. 전 세계에서 가장 다양한 산호 생태계를 갖춘 곳이 오스트레일리아의 그레이트 베리어 리프Great Barrier Reef다. 안타깝게도 해양산성화에 의한 백화현상으로 인해 1995년 이후 20여 년 만에 이 지역 산호의 절반 이상이 파괴된

* Ceballos, Gerardo, et al., Accelerated modern human-induced species losses: Entering the sixth extinction, *Science Advances.* 2015 Vol. 1 Issue 5.

것으로 분석되었다.

생물다양성은 몇 가지 방식으로 생태계의 안정성을 유지한다. 생물다양성이 유지된다는 것은 인류가 일종의 '생물 방어막'을 제공받는다는 것을 의미한다. 숲과 토지, 바다와 구름은 다양한 상호작용을 통해 어느 한 부분이 취약해지는 것을 보완해준다. 코로나19 같은 신종 감염병의 발생도 어떤 면에서는 생물다양성이 훼손되고 취약해졌기에 발생했다고 볼 수 있다. 또한 우리가 사용하는 항생제와 항암제의 80% 이상이 자연에서 유래한 물질일 뿐만 아니라 자연 없이는 새로운 의학 발전도 애초부터 기대하기 어렵다. 예컨대, 신종플루의 치료제인 타미플루도 '스타아니스Star anise'라는 식물의 방어물질이 주요 원료다. 생물다양성을 지키는 것은 인류와 지구 자체를 위해서도 중요하지만 과학의 발전을 위해서도 매우 중요한 요소인 것이다. 전병옥

- 최재천 외, 《생물다양성은 우리의 생명》, 궁리, 2010.
- 제인 구달 외, 김지선 옮김, 《희망의 자연》, 사이언스북스, 2010.
- 위베르 리브스 · 넬리 부티노, 문박엘리 옮김, 《풍요로운 지구를 만드는 생물의 다양성》, 생각비행, 2020.
- 데이비드 크리스천 외, 이한음 옮김, 《빅 히스토리》, 웅진지식하우스, 2022.

기후재난

오늘날 각종 전례 없는 자연재해Natural Hazard, 자연재난Natural Disaster에 따른 전 지구적 피해 규모가 늘고 있는 사태의 배경에는 심화하고 있는 기후변화 문제가 자리하고 있다. 각종 자연재해, 자연재난이 이제 **기후재난**Climate Disaster, 나아가 **기후재앙**Climate Catastrophe이라고도 불리는 이유다.

원래 인재와 구분되는 자연재해는 천재지변天災地變이라고도 불렸다. 인간이 아닌 자연현상으로 인해 인명피해, 재산피해가 발생하고 인간 활동에 제약이 생기는 경우를 의미했었다. 하지만 오늘날의 급격한 기후변화를 초래한 원인이 인간 자신이므로 기후재난을 순수한 의미의 (과거의 뜻 그대로) '자연재해'라고 보기는 어렵다.

과학기술의 발달과 함께 인류의 지구환경 감시 · 예측 능력은 비약적으로 향상되었고, 자연재해를 줄일 수 있는 다양한 기술적 · 정책적 해법들 역시 오랜 기간에 걸쳐 연구되었다. 그렇다면 의당 자연재해 피해 규모는 과거에 비해 감소해야 할 것이다. 그러나 정작 지난 수십 년간 자연재해로 인한 피해 규모는, 인명피해나 재산피해 가릴 것 없이, 인재로 인한 피해 규모와 비교할 수 없을 정도로 급등했다. 온갖 방재 노력에도 불구하고 그 피해 규모가 이처럼 증가한 이유는 기후변화와 함께 자연재해의 특성이 크게 변화하여 우리 인류의 대처 · 적응이 그 속도를 따라가지 못하고 있기 때문이다. 기후변화는 단순히 지구 평균온도가 조금 오르는(지구온난화) 차원의 변화로 그치는 것이 아니다. 기후변화는 전 지구적인 기후 시스템의 총체적 변화를 함의하며, 지난 수십 년간 전례 없던 규모와 빈도의 극심한 폭염, 한파, 폭우, 폭설, 가뭄, 태풍[허리케인·사이클론]* 등을 유발했다. 따라서 기존의 방재 방식으로는 그로 인한 피해를 줄이기 어려운 것이다.

그런데 역설적이지만 자연재해가 늘 우리에게 피해만 입히는 것은 아니다. 때로는 비옥한 토양을 만들어 주거나 새로운 땅을 만들어 주는 등 여러 혜택을 주기도 한다. 사실 우리는 자연으로부터 상당한 혜택을 받으며 살아가고 있는데, 이를 **자연서비스 기능**Natural Service Function이라 한다. 하지만 자연재해나 자연서비스 기능이나 모두 지구가 의도한 것은 아니다. 지구는 어떤 의도를 품고 행위하는 존재가 아니다. 그저 지구는 자체의 법칙에 따라 끊임없이 변화하고 있을 뿐이다. 과학을 통해 이러한 원리를 제대로 이해하지 못하거나 그 환경변화에 제대로 대처 · 적응하지 못해서 취약한 상태에 놓일 때, 자연재해로 인한 피해는 발생한다. 지구의 변화를 과학적으로 이해하고, 예측하며, 그 토대 위에서 한 차원 높은 방재 노력을 할 때만

* 태풍typhoon, 허리케인hurricane, 사이클론cyclone은 모두 동일한 열대성 저기압 현상이지만 지역적으로 다르게 불린다. 태풍은 서태평양-아시아 지역에서, 허리케인은 대서양과 동태평양에서, 사이클론은 인도양과 남태평양에서 나타나는 열대성 저기압을 의미한다.

자연재해 피해를 최소화하고 자연서비스 혜택을 최대화할 수 있을 것이다.

지구 평균온도의 상승은 산업화 이후 1.1℃ 수준에 불과하다. 하지만 이 1.1℃ 상승치의 의미를 이해해야 한다. 이것은 영상 30도와 영하 20도를 오르내리던 지역(평균온도는 10도)에서 영상 51.1℃와 영하 40도를 오르내리게 된다는 것을(평균온도는 11.1℃), 극심한 폭염·열파와 극심한 한파·혹서를 경험한다는 것을 의미한다. 지구 곳곳에서 극한 기온이나 극한 강수량(폭우와 폭설 혹은 반대로 극심한 가뭄)이 과거에 비해 더 잦아지고 강도가 더욱 세지는 현상이 기후변화와 무관하지 않다는 사실이 점차 확연히 밝혀지고 있다. 그렇다고 해서 모든 자연재해가 다 기후변화 때문만은 아니다. 또한 기후변화와 자연재해 사이의 모든 인과성이 다 밝혀진 것도 아니다. 그러나 그것과는 무관하게 오늘날 각종 전례 없는 자연재해가 속출하고 있음은 이미 우리가 피부로 느끼고 있다.

한국도 2020년 여름, 역대 최장 장마를 겪으며 곳곳에서 홍수와 산사태 등을 경험해야 했다. 2022년 여름에는 수도권에서 전례 없이 강한 강우강도로 폭우가 쏟아지며 강남역을 비롯한 곳곳에서 침수 피해를 막을 수 없었다. 2020년 여름의 동아시아 폭우는 중국 남부의 양쯔강 유역과 일본 남서부 규슈 지역에 심각한 홍수로 이어져 수천만 명의 이재민이 발생하는 등 대규모 인명·재산 피해를 남겼다. 또한 2022년 여름, 파키스탄에서는 국토의 1/3이 잠기며, 경제적인 직접 피해 규모만 39조 원, 피해 복구액 20조 원 이상 등 전례 없는 규모의 손실과 피해 기록이 집계되었다. 2019~2020년에는 오스트레일리아에서 초대형 산불이 발생하며 약 6개월간 남한 면적보다 도 넓은 면적을 잿더미로 만들기도 했다. 이러한 초대형 산불도 점점 빈번해지며 2023년에는 캐나다, 스페인, 그리스, 하와이 등에 전례 없던 규모의 피해를 가져왔다. 모두 그 지역에서 과거에는 경험하지 못했던 수준의 기후변화에 따른 기후재난 사례들이다. 남성현

- The World Bank, Parkistan: Flood Damages and Economic Losses over USD 30 billion and Reconstruction Needs over USD 16 billion – New Assessment, 2022
- 남성현, 《반드시 다가올 미래》, 포르체, 2022.
- 남성현, 《2도가 오르기 전에》, 애플북스, 2021.
- 남성현, 《위기의 지구, 물러설 곳 없는 인간》, 21세기북스, 2020.
- 다비드 넬스 · 크리스티안 제러, 강영옥 옮김, 《기후변화 ABC》, 동녘사이언스, 2021.
- 존 쿡, 홍소정 옮김, 《기후위기, 과학이 말하다》, 청송재, 2021.
- Douville, H. et al., 2021: Water Cycle Changes. In Climate Change 2021: The Physical Science Basis. Contribution of Working Group I to the Sixth Assessment Report of the Intergovernmental Panel on Climate Change [Masson-Delmotte V. et al. (eds.)]. Cambridge University Press, 1055–1210, doi:10.1017/9781009157896.010.
- Seneviratne, S.I. et al., 2021: Weather and Climate Extreme Events in a Changing Climate. In Climate Change 2021: The Physical Science Basis. Contribution of Working Group I to the Sixth Assessment Report of the Intergovernmental Panel on Climate Change [Masson-Delmotte, V. et al. (eds.)]. Cambridge University Press, 1513–1766, doi:10.1017/9781009157896.013.

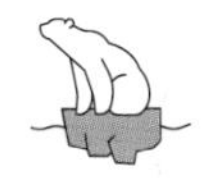

식량위기

기후위기는 다양한 측면에서 우리 삶을 위협할 수 있지만, 그 가운데 가장 큰 충격은 식량위기 형태로 찾아올 가능성이 높다. 농업학자 남재작은 "기후변화로 인해 한 문명이 위기에 처한다면 그것은 식량위기에서 비롯될 것"이라고 전망한다.* 인류가 약 1만 년 전부터 수렵채집 사회를 끝내고 농경사회로 전환한 것은 지구 평균온도의 변화가 1°C 미만인, 대체로 안정적인 기후에 돌입한 홀로세의 시작지점부터였다. 그렇다면 산업혁명 이전 대비 평균온도의 변화가 최근 1.1°C를 초과한 상황에서 안정적 식량생산이 위협받는다는 것은 충분히 예상 가능한 일이다. 일반적으로 평균온도가 1°C 상승할 때마다 식량 생산량은 3~7%가 줄어든다고 한다. IPCC의 전망에 따를 때 이대로 가면 2100년 안에 3~4°C 이상 평균온도가 오를 것이고, 이는 자연상태보다 100배 이상 빠른 속도일 것이므로 앞으로 기후위기가 식량위기로 이어질 가능성은 대단히 높다.

사실 극단적인 기후변동으로 인한 식량위기는 이미 현실이 되고 있다. 2022년 극단적인 기후현상으로 세계적 주목을 받았던

* 남재작, 《식량위기 대한민국》, 웨일북, 2022.

것은 유럽과 미국에서 신기록을 갈아치운 폭염 그리고 파키스탄의 거대한 국토를 1/3이나 물에 잠기게 했던 대홍수였다. 그렇지만 언론이 주목하지 않는 사이, 동아프리카에서는 40년 만에 가장 심각한 가뭄으로 인해 에티오피아, 케냐, 소말리아 등지에서 농업이 황폐화되었고 수많은 사람들이 기아 위험에 빠졌다. 가뭄뿐 아니라 매년 신기록을 갈아치우는 홍수와 태풍, 폭염과 열돔 현상 역시 세계 곳곳에서 안정적인 식량생산을 위협한다.

특히 아시아의 벼농사 지대는 기후변화에 취약하다. "해수면이 상승하면서 해안에 위치한 농경지는 바닷물에 잠기고, 좀 더 안쪽의 농경지에서는 토양의 염도가 높아지기" 때문이다. 또한 기후위기로 인해 해수면이 상승하면 간척지에서의 농업이 힘들어지게 되는데, 한국 서해안 지역도 여기에 해당한다.

더욱이 남아시아 지역의 경우, 기후변화로 인해 히말라야의 빙하가 줄어들게 되면 "강으로 흘러드는 수량과 삼각주에 퇴적되는 토사의 양도 줄어든다. 민물이 줄어들면 바닷물은 강 상류로 더 깊이 올라오고 바닷물의 지하 수위도 높아진다." 그렇게 되면 방글라데시, 인도, 파키스탄, 미안마, 태국, 캄보디아 등 히말라야의 빙하를 공유하는 아시아 국가들이 심각한 식량위기를 겪을 수 있다.*

한국은 쌀, 밀, 옥수수, 콩 등 주요 곡물의 자급률이 약 20% 수준 내외여서 기후위기로 인한 글로벌 식량위기에 매우 취약하다. 기후변화로 인해 다른 국가에서 발생한 최근의 식량위기 사례

* 남재작, 같은 책.

는 적지 않다. 세계 밀 수출 1위 국가인 러시아와 5위 국가인 우크라이나에서 2010년 대가뭄으로 수출이 중단되자, 밀 수입에 의존하여 살아가던 시리아 등 중동지역의 식량 가격이 폭등했고, 그 여파로 '아랍의 봄'이라 불리는 정치적 격변까지 일어난 바 있다. 2022년에는 양국간 전쟁으로 인해 밀수출이 다시 막혔고, 이로 인해 중동과 아프리카의 곡물 가격이 뛰어올라 그 지역 주민들은 식량난을 겪게 되었다. 곡물자급률이 세계적으로 가장 낮은 수준이라 대부분의 곡물을 수입에 의존하는 한국은 기후변화로 특정 지역의 밀, 옥수수 같은 곡물의 가격이 변동하면 곧바로 그 충격을 받게 된다. 대기과학자 조천호는 "한반도의 기후위기는, 식량의 위기로부터 올 가능성이 가장 높다. 향후 20~30년 제일 중요한 문제가 바로 식량위기"라고 강조한다.*

한편, 인류의 농업·식량 생산 방식은 20세기 들어 화학비료에 의존하거나 화석연료에 의존하는 등 환경파괴적인 양상으로 변해왔다. 또한 20세기 후반기에 들어서며 상당수의 인류는 식물단백질을 생산할 때보다 20배 더 많은 토지를 필요로 하고 20배 더 많은 온실가스를 배출하는 육식 또는 육식 생산에 의존해왔다.

다행스럽게도 최근에는 비록 더딘 속도지만 생태기반 유기농업으로의 전환이 유럽을 중심으로 진행되고 있다. "현재 유럽연합 28개 회원국 농지의 6.7%가 유기농으로 경작되고 있으며 미국의

* 프레시안. "한반도 기후위기는 식량위기…복합 위기가 몰려온다" https://www.pressian.com/pages/articles/2023010610523089602
뉴스펭귄. "기후위기는 곧 '식탁의 위기'로 찾아온다." https://www.newspenguin.com/news/articleView.html?idxno=3775

경우 0.6%의 농지만 유기농 작물 생산에 이용되고 있다."* 기존의 환경파괴적 농업에서 유기농업으로 전환하고, 육식 위주의 식단에서 채식 위주의 식단으로 전환하는 것은 결과적으로 온실가스를 줄여 기후위기를 완화하고 식량위기를 방지하는 길이기도 하다.(→ 식량위기 대응 농업 정책 → 기후밥상/기후미식) 남성현

- 남재작, 《식량위기 대한민국》, 웨일북, 2022.
- 제러미 리프킨, 안진환 옮김, 《글로벌 그린뉴딜》, 민음사, 2020.

* 제러미 리프킨, 안진환 옮김, 《글로벌 그린뉴딜》, 민음사, 2020.

2장

왜 지금 지구의 기후가 변화하는 걸까?

지구 시스템과 온실효과

지구의 기후가 어떤 식으로 변화하는지를 이해하려면 먼저 지구 시스템부터 이해해야 한다. 현대 과학은 지구 시스템을 4가지 권역의 상호작용으로 설명한다. 지권[광물권/암석권], 수권, 대기권, 그리고 생물권이 바로 그 권역이다. 지권Lithosphere은 우리가 딛고 있는 땅을 의미하며 지구권Geosphere은 지각, 맨틀, 외핵, 내핵 모두를 지칭한다. 수권Hydrosphere은 물이 차지하는 공간으로 바다, 호수, 강 그리고 지하수를 포함한다.(빙권Cryosphere은 빙하 등의 얼음으로 구성된 공간으로 빙상, 해빙, 만년설, 영구동토가 해당된다.) 대기권Atmosphere은 지권, 수권, 빙권을 감싸는 부분으로 지표면 약 500km 상공까지의 구간을 말하며, 온도의 특성에 따라 대류권, 성층권, 중간권, 열권으로 구분한다. 마지막으로 생물권Biosphere은 지구에 사는 모든 생물과 그것을 둘러싼 생태계를 의미한다.*

* 미국 지질조사연구소USGS 웹페이지 "https//pubs.usgs.gov/pp/p1386a/plate-earthsystem.html"

이 권역들 사이에는 끊임없는 물질 · 에너지 교환이 일어나고 있고, 이에 따라 매일의 날씨와 좀 더 장기적인 기후 현상이 결정된다. 즉, 기후 시스템을 이해한다는 것은 이 권역들의 상호작용 방식을 이해하고, 과학적으로 관찰한 정보를 해석하여 앞으로 벌어질 변화를 예측할 수 있다는 것을 의미한다.

지구를 이렇게 물리환경과 생명체들의 복합 시스템으로 이해하게 된 계기는 무엇보다 1970년대에 제기된 **가이아**Gaia **이론**의 영향이 크다. 영국의 대기과학자 제임스 러브록James Lovelock과 미국의 생물학자 린 마굴리스Lynn Margulis는 미국항공우주국NASA에서 생명체가 살 수 있는 우주의 행성과 그 조건을 탐색했다. 이 과제를 수행하면서 관련 지식이 쌓였는데, 우주 행성을 탐색하면서 오히려 지구에 대한 호기심이 증가했다. 지구의 시스템은 매우 복합적인 면을 가지고 있다는 점을 알게 된 것이다. 이들은 35억 년 동안 지구가 생물이 살 만한 대기의 기온과 해양의 염분을 일정하게 유지할 수 있었던 사실에 주목했는데, 생물권의 피드백 작용이 없다면 불가능하다는 가설을 제안하게 된다. 인류 사회에 큰 영감을 준 가이아 가설이 등장하게 된 것이다. '가이아'는 그리스 신화에 등장하는 '대지의 여신'에서 따온 것으로 노벨문학상 수상자 윌리엄 골딩William G. Golding이 제안한 이름이다.*

가이아 이론은 지구 시스템의 유기적인 상호작용을 훌륭하게 설명한다. 지구 대기에서 산소와 이산화탄소 농도가 커다란 변화 없이 일정하게 유지되고, 탄소와 황 같은 생물권에 중요한 물질의 순환이 끊임없이 이뤄진 것은 미생물을 비롯한 생물의 피드백이 중요하게 작용했기 때문이다. 또한 영양염이 계속 바다로 흘러가는 데도 바다 염분이 수십억 년 동안 생물이 생존할 정도로 일정하게 유지되는 방식도 무생물 환경의 조절 방식만으로는 설명이 어렵다. 수권의 생물들이 이런 상황에 일정하게 개입함으로써 이런 일들이 가능하다고 보는 게 훨씬 타당하다. 가이아 이론을 과대 해석한 '신에 의한 조절' 같은 터무니없는 주장도 제기되었지만, 현대의 과학은 일정 부분 가이아 이론을 수용하고 발전시키고 있다.

2018년 영국 엑서터 대학University of Exeter의 팀 렌턴Tim Lenton과 프랑스 파리 정치학교의 과학기술학자 브뤼노 라투르Bruno

* 윌리엄 골딩은 1954년 출간된 《파리 대왕》이라는 소설로 1983년 노벨문학상을 수상했다. 제임스 러브록은 윌리엄 골딩과 가까운 사이였는데, 산책하던 중 그의 발견을 골딩에게 얘기했고, 골딩은 즉각 가이아라는 명칭을 제안했다고 한다.

Latour는 〈사이언스〉지에 '가이아 2.0'이라는 제목의 글을 실었다. 이들은 가이아가 생태환경의 변화를 감지하는 자기인식 능력을 갖추게 됐다며, 이 새로운 단계를 '가이아 2.0'으로 명명하자고 제안했다. 탄소 순환 시스템은 지구 시스템의 균형을 조절하는 중요한 매개인데, 인간이 고밀도 탄소 덩어리인 화석연료와 인, 질소 등의 자원들을 빠르게 뽑아 쓰고 폐기물을 자연에 유기함으로 인해 시스템의 균형이 무너지고 있다는 게 이들의 주장이다. 이에 대한 가이아의 반응이 현재의 기후변화라는 게 이들의 설명이다. 또한 이들은 기후변화로 인해 지구 생물권의 연결망인 생물다양성이 파괴되고 있는 현실을 우려한다. 가이아1.0의 지구와는 완전히 다른 작동방식들이 진행되면서 과거의 시스템이 새로운 가이아2.0의 시스템으로 교체되고 있다는 것이다.*

대기권의 이산화탄소 농도가 증가하면 지구 기온이 상승한다고 주장한 이는 프랑스 수학자 조제프 푸리에Jean-Baptiste Joseph Fourier였다. 푸리에의 주장은 매우 단순한 의문에서 시작되었는데, '왜 지구는 태양으로부터 햇빛을 계속 받는데 더 이상 더워지지 않는 것일까?'라는 의문이었다. 원칙대로라면 태양으로부터 오는 에너지와 지구에서 밖으로 나가는 에너지의 양이 같아야 하고, 그렇다면 지구의 평균온도는 영하 15℃가 되어야 했다. 따라서 지구에서 밖으로 나가는 에너지의 일부가 다시 지구에 남는다는 가설을 세우게 되었고, 이것을 **온실효과**라고 이름 붙였다.

* 오철우, "'가이아2.0'… 인간 자각 없인 지구시스템도 없다", 〈한겨레〉, 2018. 10. 1.

그렇다면 대기 중에 무엇이 있어서 온실의 유리처럼 태양 에너지의 일부를 붙잡아 온실효과를 일으킬까? 주요 물질은 수증기, 이산화탄소, 메테인, 아산화질소 등이다. 그리고 온실효과를 담당하는 이 물질들을 **온실가스**라고 부른다. 지구의 평균 기온이 영하 15℃가 아니라 영상 14.5℃로 유지되는 것은 이들 온실가스 때문이다.(→ 온실가스)

온실효과는 태양과 지구의 전자기파가 차이가 있기 때문에 발생한다. 즉, 태양의 가시광선 파장은 상대적으로 짧은 데 비해, 지구에서 복사하는 적외선의 파장은 길다.* 지구 대기의 온실가스들은 에너지가 높은 태양의 짧은 파장은 쉽게 통과시키지만, 에너지가 낮은 지구의 긴 파장과는 상호작용해 일부의 지구 복사에너지를 붙잡아 두는 역할을 한다. 지구 시스템 전체로 보면 약간의 열 이득이 생긴 셈인데, 이로 인해 지구는 따뜻한 기후환경을 유지하게 되었고, 생명체들은 아늑한 환경에서 활발하게 진화할 수 있었다. 따라서 온실효과는 생명체에게는 축복할 만한 기상현상이며 생존을 위해 꼭 필요한 기상현상이다.

문제는 과도한 온실효과가 지구의 평균온도를 상승시킨다는 것이다. 그것도 너무 빠르게 말이다. 인류가 화석연료를 본격적으로 사용한 것은 산업혁명 이후 약 250여 년의 시간인데, 이 기간에 지구 평균온도는 1.1℃ 상승했다. 화석연료를 연소하면 필연적으로 이산화탄소가 배출되어 온실효과가 강화되기 때문이다.

* 물체는 고온일수록 높은 열에너지와 짧은 파장의 전자기파를 방출한다.

이산화탄소의 성질 중 가장 특징적인 것은 확산성과 축적성이다. 이산화탄소는 공기 중에 노출되면 바람과 기류에 실려 전 세계로 퍼져나간다(확산성). 따라서 지구의 어느 한 곳에서 이산화탄소가 과다 배출되어도 약간의 시간이 지나면 전 세계에 균등한 효과를 주게 된다. 배출한 나라(가해자)와 배출하지 않은 나라(피해자)가 똑같이 피해를 입는 셈이다. 또한 이산화탄소는 매우 오랜 시간 동안 공기 중에 남아 있게 된다(축적성). 시카고 대학교의 데이비드 아처David Archer의 연구에 의하면, 1~2조 톤의 이산화탄소를 배출할 경우, 29%는 1천 년이 지나도 대기 중에 남고, 14%는 1만 년이 넘어도 그대로 남게 된다.* 지금 당장 이산화탄소 배출량을 대폭 줄이더라도 상당 기간 온실효과가 지속될 수밖에 없다. 모든 사실을 종합해보면, 결론은 단순해진다. 미래를 내다보며 지금 당장 이산화탄소 배출량을 줄여야만 한다. **전병옥**

더 찾아보기

- 국립기상과학원, 온실효과란 무엇인가?, http://www.nims.go.kr
- 허창회, 《찌푸린 지구의 얼굴 지구온난화의 비밀》, 풀빛, 2008.
- 로저 게느리, 이수지 옮김, 《온실효과, 어떻게 막을까?》, 민음인, 2021.

* Archer, D., Kite, E., & Lusk, G. The ultimate cost of carbon. *Climatic Change*, 2020, 1-18.

복사에너지와 온실효과

비록 피부로 느낄 수는 없지만 모든 물체는 전자기파와 중력파 에너지를 방출하고 있는데, 이를 **복사에너지**라 부른다. 태양과 지구도 예외가 아니다. 특히 태양에서 나오는 **태양 복사에너지**Solar Radiation는 지구를 살아 움직이도록 만드는 지구상 에너지의 근원이다.

위도에 따라 그리고 계절에 따라 태양 고도가 변화하면서 지표면에 유입하는 태양 복사에너지 양이 달라지는데, 고위도보다는 저위도에서, 겨울철보다는 여름철에 태양 고도가 높으므로 단위 면적 당 더 많은 양의 태양 복사에너지가 공급된다. 복사에너지 양의 차이에 따라 지구는 가열되고 또 냉각된다. 그에 따라 해양과 대기가 순환하고, 바로 이 과정에서 지구 내 열이 분배되고 기후가 조절된다. 지구 내 복사에너지 양은 시공간에 따라 변화가 크지만, 지구 전체적으로는 거의 일정한 양의 연평균 복사에너지가 태양으로부터 유입된다.

지구 전체적으로 공급되는 태양 복사에너지 양이 항상 일정했던 것은 아니다. 그 양은 오랜 지구의 역사에서 약간씩 변화를 보여왔는데, (태양 활동을 측정하는 기준이 되는) 흑점sunspot의 개수와 관련되어 있다. 즉, 태양 활동이 활발해져 흑점이 많아진 기간에는 지구로 유입되는 태양 복사에너지 양이 상대적으로 증가했다. 그러나 태양 활동과 태양 복사에너지 양 변화만으로는 오늘날의 급격한 지구 평균온도 상승을 설명할 수는 없다. **태양흑점주기**Sunspot Cycle로 불리는 약 11년 주기의 흑점 개수 변화를 따라 지구 평균온도가 증감을 반복한 것이 아니라 지난 100여 년간 급격한 증가세를 보였기 때문이다. 과학자들은 태양흑점주기로 표현되는 태양 활동 요인이 1905년부터 2005년까지의 지구 평균온도 상승분의 약 10%만을 설명해준다고 말한다. 따라서 태양 복사에너지양 변화는 오늘날 나타나는 지구온난화의 주요 원인이 아니다.

지구로 유입되는 태양 복사에너지 양을 변화시키는 요인은 태양 활동 외에도 많다. 타원형의 지구 공전 궤도가 원에서부터 얼마나 찌그러져 있는지의 정도를 나타내는 이심률도 약 10만~41만 년 주기로 변한다. 즉, 지구 공전 궤도가 변하는 것이다. 이 변화에 따라 태양과 지구 사이의 거리가 변하면서 지구로 유입되는 태양 복사에너지 양의 변화를 일으킨다. 또한 지구 자전축의 경사각도는 22.1~24.5도 범위에서 약 4만 년 주기로 변하는가 하면, 자전축 방향이 그리는 원의 궤적도 약 2만 6천 년 주기로 운동*하는데, 이러한 요소도 태양 복사에너지 양 변화를 야기한다.

이처럼 태양 복사에너지 양의 변화로 지구 평균온도의 변화를 설명하는 **밀란코비치 이론**Milankovitch theory은 몇몇 문제에도 불

* 세차 운동이라 함.

구하고 과거 오랜 지구의 역사에서 나타났던 자연적인 기후변동을 상당 부분 설명할 수 있다. 그러나 최근의 급격한 지구 평균온도 상승은 이러한 태양 복사에너지 양 변화로 설명되지 않는다.

거대한 화산폭발 같은 지각 내부 활동에 의해서도 지구 평균온도가 변동한다. 예컨대 화산폭발로 많은 양의 화산재가 분출하면서 대류권을 통과한 후 성층권까지 도달하여 상공에서 오래 머물게 되면, 화산재 중 이산화황SO_2 성분이 태양 복사에너지를 차단하여 오히려 지구 평균온도를 낮추어 지구 냉각화가 발생할 수 있다. 이산화황 같은 에어로졸 성분은 그 입자 크기가 작아서 그 직경에 해당하는 짧은 파장의 복사에너지를 효과적으로 차단하기 때문이다. 즉, 파장이 긴 지구 복사에너지는 온실가스에 의해, 파장이 짧은 태양 복사에너지는 에어로졸에 의해 효과적으로 일부 차단된다. 우주를 향하던 지구 복사에너지의 일부가 대기 중 온실가스에 의해 지구로 되돌아오는 것(온실효과)처럼 태양 복사에너지의 일부도 대기 중 에어로졸에 의해 지표면까지 도달하지 못한다. 따라서 에어로졸 농도가 높아지면 지구 평균온도가 낮아진다. 실제로 과거 1991년 필리핀 피나투보Pinatubo 화산이 폭발하면서 2천만 톤의 이산화황이 분출되어 안정적인 성층권에 1년 이상 머물게 되었는데, 이 기간에 지구 평균온도가 0.2~0.5도 낮아지기도 했다.

그렇다면 지구는 태양 복사에너지를 어떤 식으로 처리할까? 만일 태양 복사에너지를 공급받기만 하고 그만큼 지구가 우주로 복사에너지를 내보내지 않는다면 지구 평균온도는 한없이 올라가야 할 것이다. 하지만 실제로는 지구에 도달한 태양 복사에너지양만큼 지구는 우주로 복사에너지를 내보내므로 출입 양의 균형에 의해 지구 온도는 일정하게 유지되고 있다.* 지구 내에서 위도에 따라 태양 복사에너지 유입이 지구 복사에너지 유출보다 더 큰 곳(저위도)도 있고 반대로 더 작은 곳(고위도)도 있지만, 지구 전체적으로는 그 차이가 서로 상쇄되어 일정한 온도를 유지하는 것이다.

조금 더 자세히 살펴보자. 지구로 유입되는 태양 복사에너지 일부는 대기 구성 물질에 따라 산란 · 반사 · 흡수되고 나머지는 대기를 통과하여 지표면에 도달한다. 지표면 특성에 따라 태양 복사에너지가 반사되는 비율인 **알베도**albedo에서 차이를 보이지만, 지구 전체적으로는 태양 복사에너지의 약 30%가 지표면에서 직접 반사되고 나머지 70%가 흡수된다. 그런데 이렇게 흡수된 70% 정도의 태양 복사에너지만큼 지구 복사에너지가 우주로 유출된다. 그 결과, 지구 평균온도는 오랜 기간 일정하게 유지될 수 있었다.

그런데 오늘날 우리가 경험하고 있는 지구온난화 현상은 태양 복사에너지와 지구 복사에너지 사이의 균형 방식, 즉 **복사에너지 수지**Radiation Energy Budget가 변동했음을 의미한다. 변동 원인은 단연 온실효과다. 지구로 유입되는 태양 복사에너지 양은 거의 일정하지만, 지구가 우주로 유출하는 지구 복사에너지 양은 온실효과 강화에 따라 점점 줄어들고 있고, 그에 따라 지구 내 열의 형태로 에너지가 계속해서 축적되고 있기 때문이다. 즉, 산업화 이후 인류가 배출한 온실가스의 누적, 그로 인한 대기 중 온실가스 농도의 증대가 오

* 복사평형이라 함.

늘날 지구온난화의 핵심 원인이다.

복사에너지 수지에 따라 지구 대기와 해양의 순환은 강제적으로 변동하고 있다. 그러므로 복사에너지는 지구의 기후를 좌우하는 강제력으로 작용한다고 볼 수 있다. 결국 오늘날 우리가 경험하고 있는 급격한 지구온난화의 원인은 온실효과 강화에 따른 **복사강제력**Radiative Forcing의 변화인 셈이다. 남성현

- 남성현, 《반드시 다가올 미래》, 포르체, 2022.
- 남성현, 《2도가 오르기 전에》, 애플북스, 2021.
- 남성현, 《위기의 지구, 물러설 곳 없는 인간》, 21세기북스, 2020.
- 다비드 넬스 · 크리스티안 제러, 강영옥 옮김, 《기후변화 ABC》, 동녘사이언스, 2021.
- 존 쿡, 홍소정 옮김, 《기후위기, 과학이 말하다》, 청송재, 2021.
- Gulev, S.K. et al., 2021: Changing State of the Climate System. In *Climate Change 2021: The Physical Science Basis. Contribution of Working Group I to the Sixth Assessment Report of the Intergovernmental Panel on Climate Change* [Masson-Delmotte, V. et al. (eds.)]. Cambridge University Press, 287–422, doi:10.1017/9781009157896.004.

화석연료와 지구온난화

현생 인류인 호모 사피엔스만 봐도 약 20만 년 전 출현한 이후, 혹독한 추위와 맹수들의 습격에 대비하기 위해 다양한 해법을 고안해왔다. 다행히 이런 상황은 하나의 기술을 개발하면서 어느 정도 해결할 수 있었는데, 바로 불을 다루는 기술Pyrotechnology이다. 특히 숯이라는 도구가 개발되면서 불이 제공하는 열에너지는 삶의 중요한 요소가 되었다. 정확한 화학식은 한참 후에나 알게 되었지만, 인류는 나무나 동물의 배설물 같은 탄소 덩어리를 태우면, 빛과 열에너지를 얻을 수 있다는 경험적 지식을 가지게 되었다.

그러나 주위에서 얻을 수 있는 탄소 덩어리는 에너지 밀도가 그리 높지 않아 불을 효과적으로 유지하기는 힘들었다. 이후, 땅 밑에 에너지 밀도가 높은 탄소 덩어리가 대규모로 존재한다는 사실이 밝혀졌다. 약 3천 년 전에 석탄이 발견된 것이다. 석탄의 효용성은 일찍부터 인정받았지만, 폭발적인 수요 증가는 증기기관의 상업화와 관계가 깊다. 증기기관은 18세기 후반 유럽의 도버 해협 국가들(영국, 벨기에, 네덜란드, 프랑스 등)에 의해 산업의 한 요소로 자리잡았다. 증기기관의 발전과 확산은 석탄의 수요를 급격히 상승시켰고, 이 기계에 힘입어 인간의 물리적 활동은 고삐 풀린 망아지처럼 맹렬하게 확장되었다. 문제는 이 기계들은 탄소 덩어리를 먹어야만 제대로 일을 할 수 있다는 점이다.

산업혁명의 도래와 함께 인류의 에너지 소비에는 중대한 변화가 생겼다. 단적으로 1인당 에너지 소비량이 산업화 전보다 5~10배 이상 상승했다. 산업화를 먼저 이룬 국가들은 250여 년이 지난 지금도 세계의 경제를 좌지우지하고 있고, 이는 곧 이 국가들이 탄소 덩어리에 그만큼 중독되어 있다는 것을 의미한다.

증기기관의 높은 생산성과 에너지 출력에 매료된 인류는 석탄을 능가하는 탄소 덩어리를 찾게 된다. 그러다 발견된 것이 바로 석유다. 석유는 석탄보다 에너지 밀도가 높고 액체로 되어 있어 수송하기도 편리했다. 그리고 150여 년이 흐른 지금, 인류의 삶과 문명은 석유를 제외하고는 설명하기 어렵게 되었다. 2006년 미국의 부시 대통령조차 "미국은 석유에 중독되어 있다"고 하면서 탈석유 정책을 제안할 정도였으니, 더 무엇을 말하겠는가.

석유, 석탄 같은 **화석연료**Fossil Fuels가 이산화탄소로 변하는 것은 화학적으로 매우 간단한 과정이다. 이런 탄소 덩어리들은 공기 중에 풍부한 산소와 반응하여(연소반응) 열과 빛의 형태로 에너지를 방출하고, 이 과정에서 이산화탄소를 배출한다. 따라서 석유중독 상태인 현재의 문명은 필연적으로 이산화탄소의 과다 배출을 유발할 수밖에 없다. 오늘날의 지구온난화는 탄소 덩어리를 채굴하여 편리한 삶을 추구해온 산업 문명화의 필연적인 결과물인 것이다.

이러한 사태를 예견한 과학자들도 있다. 1822년 프랑스 물리학자 조제프 푸리에Joshep Fourier는 지구의 대기에 의해 일부의 복사열이 정체되면서 지구의 온도가 따뜻하게 유지된다는 이론을 제시했다. 온실효과 개념은 이때부터 제기되었다. (➔ 지구 시스템과 온실효과) 온실효과에 관한 실험적 증거는 1856년 아일랜드의 존 틴들John Tyndal의 논문에 의해 밝혀졌다.

이후 과학계는 탄소 중독 문명에 대한 우려를 줄곧 표명했다. 특히 화학반응 속도론의 선구자인 스웨덴의 스반테 아레니우스Svante Arrhenius는 1896년 "인간이 발명한 기계가 석탄을 태워 지구 전체를 데우고 있다"는 내용이 담긴 역사적인 논문을 스톡홀름 물리학회에 기고했다. 이 논문에서 아레니우스는 이산화탄소 농도가 2배 증가하면 지구의 평균온도는 5~6℃ 상승하게 될 것으로 예측했는데, 현재의 연구 결과와 비교해도 상당히 정확한 예측이었다. 당시에는 지구과학이라는 분야가 막 태동하여 지구의 빙하기와 원인에 대한 기초적인 사실만 알려져 있었는데, 이런 지적 환경에서 아레니우스의 가설은 매우 혁신적인 것이었다.

선도적인 과학자들은 계속 등장했다. 1938년 영국의 아마추어 기상관이자 증기기관 기술사 가이 슈트어트 갤린더Guy Stewart Gallendar는 "인류의 산업활동으로 인해 지구온난화가 일어날 것"이라는 내용이 담긴 논문을 영국 기상학회에 투고했다. 증기기관 전문가의 눈에도 문명의 지속가능성은 큰 걱정거리였던 셈이다.

그러나 석유에 중독된 인류는 갤린더의 논문에 관심을 두지 않았다. 물론, 예외적인 사람도 있었다. 그중에서 가장 중요한 사람은 아마도 미국의 로저 르벨Roger Revelle일 것이다.* 그는 박사학위 논문에서 화석 연료 연소로 인해 배출되는 이산화탄소의 대부분은 바다로 흡수된다는 모형을 제시했다. 흥미로운 것은 이 논문이 발표된 이후에 전개된 사건이다. 그의 모형은 20세기 말까지 화석연료 옹호자들에게 큰 방패가 되었던 반면, 정작 르벨은 논문 발표 직후 자신의 모형을 대폭 수정했던 것이다. 새로운 모형에 의하면 바다에 흡수되는 이산화탄소의 양은 한정적이고, 나머지는 공기 중에 계속 누적돼 지구온난화를 가속시킨다.

르벨은 자신의 이론적 모형을 실험적으로 증명하기 위해 고심을 거듭했다. 그러다가 하나의 아이디어를 도출했는데, 대기 중 이산화탄소 농도를 한 장소에서 오랜 기간 측정하면 의미 있는 결과를 얻을 수 있다는 생각이었다. 르벨의 아이디어는 구체화되었고, 장소 선택에 대한 몇 가지 기준이 제시되었다. (1)높은 산 위에 있어서 지상의 공해로 인한 실험의 편차가 없어야 하고 (2)적도 가까이에 있어서 지구의 평균 대기 조성과 가까워야 한다. 그 결과, 하와이 섬의 마우나 로아Mauna Loa 산이 선택되었고, 해발 4천m 정상 근처에 관측소가 설립되었다.**

남은 문제는 세상과 동떨어진 이런 외진 곳에서 자칫 지루할 수 있는 과학 실험을 꾸준하게 진행할 적임자를 찾는 것이었다. 이 일은 생각보다 어려웠는데, 몇년 후 적당한 사람을 추천받았다.

* 1950년대 미국 스크립스 해양연구소의 원장을 역임했다.

** 이 관측소에서는 1958년 3월 29일 세계 최초로 대기 중 이산화탄소 농도를 측정하기 시작했고, 현재까지도 연속적인 이산화탄소 농도 측정을 지속 중이다.

집안 사람들이 모두 경제학자여서 죽어도 경제학은 공부하지 않겠다고 다짐했던 약간 삐딱하고 영민한 젊은 과학자였다. 지금도 기후과학의 선구자로 평가받는 찰스 킬링Charles D. Keeling이 바로 그 사람이다. 초기에 르벨은 킬링이 5년만 일해주면 좋겠다고 기대했었다. 그러나 괴짜 기질이 있었지만 놀랄 정도도 성실했던 킬링은 1958년부터 그가 사망하기 바로 전인 2005년까지 50년 가까이 마우노 로아 관측소에서 대기 중 이산화탄소 농도를 묵묵히 측정했다. 지금도 이 관측소에는 킬링의 아들과 함께 여러 과학자들이 관련 연구를 진행하고 있는데, 관측 결과로 나온 곡선을 킬링 박사의 유지를 기려 **킬링 곡선**Keeling Curve이라고 부른다.

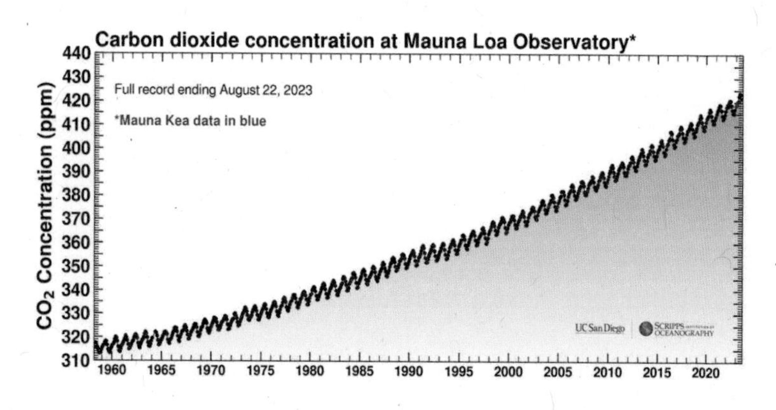

마우나 로아 관측소에서 측정한 대기 중 이산화탄소 농도
[출처] 미국 스크립스 해양연구소

르벨의 아이디어와 킬링의 실험은 이산화탄소와 온실효과, 지구온난화 속도 등에 대한 결정적인 자료를 제공했다. 킬링이 측정을 시작할 무렵인 1958년 경에는 313ppm 수준의 농도였던

이산화탄소는 매년 약 0.7ppm의 비율로 증가하여 2023년 7월에는 420ppm을 넘어섰다. 그리고 계속된 관측과 연구를 통해 이산화탄소 농도를 350ppm 이하로 유지할 때 지구온난화 수준도 인류와 다른 생물에게 유리하게 유지된다는 점도 밝혀졌다. 전병옥

더 찾아보기

- 안드레아 비코, 임희연 옮김, 《세상을 바꾼 에너지의 역사》, 봄나무, 2015.
- 브라이언 블랙, 노태복 옮김, 《에너지 세계사》, 씨마스21, 2023.
- 후루타치 고스케, 마미영 옮김, 《에너지가 바꾼 세상》, 에이지21, 2022.
- 대니얼 예긴, 이경남 옮김, 《2030 에너지 전쟁》, 올, 2013.
- 남성현, 《반드시 다가올 미래》, 포르체, 2022.
- 남성현, 《2도가 오르기 전에》, 애플북스, 2021.

온실가스

온실효과란 대기 중에 있는 온실가스에 의해 열이 지구 대기 중에 갇히는 현상을 말한다. 말 그대로 지구 대기가 작물을 키우는 온실 같은 역할을 하는 것이다. (→ 복사에너지와 온실효과) 온실효과를 일으키는 물질을 **온실가스**Greenhouse Gas라고 부른다.

1950년까지는 이산화탄소CO_2와 수증기H_2O 정도만 온실가스로 알려졌었다. 하지만 1970년대에 들어 메테인CH_4이나 아산화질소N_2O, 프레온 가스CFCs 등이 야기하는 온실효과도 학계에 발표되기 시작했다.

1997년 UN기후변화협약UNFCCC 제3차 당사국 총회(COP)에서 채택된 교토 의정서Kyoto Protocol에는 각국 정부가 줄여야 할 온실가스를 이산화탄소, 메테인, 아산화질소, 수소불화탄소HFCs, 과불화탄소PFCs, 육불화황SF_6으로 규정했다. 수증기의 경우, 다른 온실가스에 비해 대기 중 양이 가장 많고, 다른 어떤 온실가스보다 온실효과를 많이 일으키지만, 인간의 활동으로 만들어지는 양이 극히 적고 대부분 자연적으로 만들어지기 때문에 규제 대상인 온실가스에는 포함되지 않았다.

또한 냉장고의 냉매나 스프레이 등에 사용되던 프레온 가스CFCs의 경우, 온실가스임은 분명하지만 1987년 채택된 몬트리올 의정서에 의해 규정을 받고 있어서 UN기후변화협약 **교토 의정서**에서는 제외되었다. 1990년대부터 단계적으로 줄이기 시작한 프레온가스는 2010년부터 전 세계에서 사용이 금지되었다.(→ 과감한 전환-몬트리올 의정서)

UN기후변화협약은 규제 대상인 온실가스를 추가해왔다. 2015년 UN기후변화협약의 논의로 체결된 '**파리 협정**Paris Agreement'에는 삼불화질소NF_3가 규제 대상 온실가스로 추가되었다. 삼불화질소는 반도체나 LCD를 만드는 과정에서 세정제로 사용하는 물질이다. 인류는 점점 더 다양한 화학물질을 만들어 사용하고 있다. 그리고 이로 인한 생태적 영향이 계속 연구되면서 규제 또한 강화되고 있다.

2020년 기준, 전 세계 온실가스 배출량의 74.4%는 이산화탄소가 차지한다. 17.3%은 메테인, 6.2%는 아산화질소 순이다. 온실가스 배출량 대부분이 석유, 석탄, 천연가스 같은 화석연료를 연소하는 과정에서 나오기 때문에 전체 배출량 중 이산화탄소 비중이 월등히 크다.

하지만 각 온실가스가 지구온난화에 미치는 정도는 모두 다르다. 보통 100년을 기준으로 1kg의 온실가스가 일으키는 온난화 정도를 이산화탄소 1kg이 가진 능력과 비교한 것을 **지구온난화지수(GWP, Global Warming Potential)**라고 한다. 지구온난화지수는 기후변화에 관한 정부간 협의체IPCC에서 매번 보고서를 낼 때마다 업데이트한다. IPCC 6차 보고서에 따르면, 이산화탄소는 1, 메테인 27~29.8,

아산화질소 273, 수소불화탄소 771~1,526, 과불화탄소 7,380, 육불화황 23,500이다. 즉 같은 질량의 육불화황은 이산화탄소에 비해 23,500배 더 온실효과를 일으킨다는 뜻이다.

같은 질량의 온실가스들이라도 온실효과를 일으키는 정도가 각기 다르므로 이들을 비교하기 위해서는 각 온실가스를 이산화탄소로 환산하여 비교한다. 이를 **이산화탄소 환산 톤**CO2 equivalent ton 이라고 부른다. UN환경계획UNEP이 2022년 발행한 〈배출격차보고서Emissions Gap Reports〉에 따르면, 2021년 전 세계 온실가스 배출량은 528억 이산화탄소 환산 톤이었다. 이는 2020년 배출량 526억 이산화탄소 환산 톤에 비해 다소 증가한 것으로 코로나19의 영향으로 인한 감소세에서 회복된 것이다. 이 가운데 71.8%가 이산화탄소이며, 메테인과 아산화질소 등 다른 온실가스가 나머지를 차지하고 있다. 그동안 기후변화협약에서의 논의는 이산화탄소 감축을 중심으로 진행되었지만, 전체의 15% 정도를 차지하는 메테인 감축에 대한 논의도 최근 진행되고 있다. 2021년 미국과 유럽연합을 중심으로 2030년까지 전 세계 메테인 배출량을 2020년 대비 최소 30% 감축하는 내용을 담은 **글로벌 메테인 서약**Global Methane Pledge이 결성되기도 했다.

이헌석

- 기상청 기후정보포털. www.climate.go.kr

온실가스 배출원

온실가스는 지구온난화를 일으키고 있는 '주범'으로 흔히 표현된다. 그렇다면 온실가스를 배출하는 '주범'은 누구일까?

단순하게 생각하면 화석연료나 다양한 온실가스를 대량으로 배출하는 기업이나 개인을 떠올릴 수 있겠지만, 부문별, 국가별, 계급별 기준에 따라 다양한 온실가스 배출원을 나눠볼 수 있다.

먼저 부문별로 온실가스 배출량을 살펴보면, 전력과 열, 수송 등이 포함된 에너지 부문이 전체의 73.2%로 가장 큰 비중을 차지한다. 그리고 축산과 비료, 농업용 토지 등이 포함된 농업·산림·토지 이용이 18.4%, 시멘트와 화학산업 등 산업 부문(비에너지 산업 부문)이 5.2%, 폐기물이 3.2%를 각기 차지한다.*

또한 온실가스 배출량은 국가마다 큰 차이를 보이고 있고, 구성비도 매우 다르다. 국가별로 온실가스 배출량을 비교한 유럽연합 공동연구센터JRC의 2022년 보고서**에 따르면, 중국이 전 세계 이산화탄소 배출량의 32.9%를 차지하고 있고, 미국(12.6%)과 유럽연

* 세계자원연구소(WRI), Climate Watch, https://www.climatewatchdata.org

** JRC, 《CO2 emissions of all world countries》, 2022.

합 27개국(7.3%), 인도(7.0%), 러시아(5.1%)가 그 뒤를 잇고 있다. 산술적으로는 중국의 이산화탄소 배출량이 미국과 유럽연합, 인도, 러시아 배출량의 합계와 비슷한 것이다.

하지만 인구 1인당 이산화탄소 배출량을 비교해보면 중국(8.7톤)은 유럽연합 27개국(6.3톤)이나 인도(1.9톤)보다는 이산화탄소를 많이 배출하지만, 미국(14.2톤)이나 러시아(13.5톤)보다는 적게 이산화탄소를 배출한다. 중국의 1인당 이산화탄소 배출량은 한국의 1인당 이산화탄소 배출량(12.1톤)보다도 적다.

한편, 영토를 기반으로 국가별 온실가스 배출량을 계산하는 방식은 한계가 분명하다. 예컨대, 중국은 온실가스 배출량과 관련하여 단지 하나의 국가로 간주될 수 없다. 중국은 '세계의 공장'으로서 한국을 비롯해 미국이나 유럽 등 선진국들에 주로 기반을 둔 기업들의 수주를 받아 상품을 생산하고 있고, 생산된 상품은 전 세계에서 소비되고 있기 때문이다.

아울러, 산업화를 먼저 달성한 선진국과 이제야 산업화가 진행되고 있는 개발도상국의 온실가스 배출 책임을 똑같이 저울질할 수는 없다. 선진국들은 19세기와 20세기에 걸쳐 막대한 양의 온실가스를 배출했기 때문이다. 제이슨 히켈Jason Hickel은 2020년 논문에서 영토 기반이 아닌 소비 기반의 이산화탄소 배출량과 역사적 이산화탄소 배출량을 포함한 국가별 배출 책임을 계산했을 때, 미국(40%), 유럽연합(29%), 나머지 유럽(13%), 나머지 북반구(10%), 남반구(8%)

순이라고 밝혔다.*

온실가스 배출원을 배출 부문별로 분석해도 다양한 해석이 가능하다. 2018년 영국 옥스퍼드대학 연구팀이 〈사이언스〉지에 게재한 논문**에 따르면, 식품의 생산·유통·소비·폐기 전 과정에서 나오는 온실가스 배출량은 전 세계 온실가스 배출량의 26%로 추정된다. 예를 들어, 한국에서 호주산 소고기를 먹을 경우, 소를 키우는 과정에서 나오는 온실가스는 호주의 온실가스 배출량 중 농업 부문으로 계산된다. 또 소고기를 운반하거나 냉장고에 보관하는 경우 발생하는 온실가스는 각각 수송 부문과 전력 소비로 계산되고, 먹고 남은 음식물 쓰레기는 폐기물 부문으로 계산된다. 같은 소고기라도 벌채된 땅에서 사육된 소는 자연 목초지의 소보다 12배나 많은 온실가스를 배출한다.

소득에 따른 온실가스 배출 차이도 매우 크다. 세계불평등연구소가 발간한 2022년 보고서***에 따르면, 전 세계 소득 상위 1%의 1인당 온실가스 배출량은 110톤으로, 하위 50%의 1.6톤의 68.8배에 이른다. 상위 1%의 온실가스 총 배출량은 전 세계 배출량의 16.8%에 이를 정도로 많다. 기준을 소득 상위 10%로 확대하면 전 세계 배출량의 47.6%로 거의 절반에 이른다. 한국에서도 비슷한 수치

* Jason Hickel, 「Quantifying national responsibility for climate breakdown: an equality-based attribution approach for carbon dioxide emissions in excess of the planetary boundary」, *The Lancet Planetary Health*, 2020.

** J. Poore and T. Nemecek, 「Reducing food's environmental impacts through producers and consumers」, *Science*, 2018.

*** World Inequality Lab, 〈World Inequality Report 2022〉, 2022.

를 발견할 수 있다. 한국의 소득 분포 상위 1%의 온실가스 배출량은 하위 50%에 비해 27.3배나 많다.

이처럼 온실가스 배출량은 어떤 관점에서 보는지에 따라 다양한 해석이 가능하며, 이는 지구온난화에 따른 책임과 보상이라는 문제와 매우 밀접한 관계가 있다. 이헌석

- UNEP, <Emission Gap Report 2022>, 2022.
- World Inequality Lab, <World Inequality Report 2022>, 2022.
- 온실가스종합정보센터 https://www.gir.go.kr/

에어로졸

산업화 이후 대기권에 과다 누적되어온 이산화탄소는 현재 우리가 경험하고 있는 지구온난화의 핵심 원인으로 알려져 있다. 흔히 온실가스를 구성하는 비율이 메테인CH_4이나 오존O_3에 비해 월등히 큰 이산화탄소가 온실효과를 강화하는 주범으로 생각되곤 하는 것이다.

하지만 실제로는 수증기H_2O에 의한 온실효과가 80% 정도로, 약 20%인 이산화탄소에 의한 온실효과보다 월등히 크다. 이산화탄소 등에 의한 온실효과로 지표면 온도가 상승하면 더 많은 증발이 일어나 대기 중 수증기를 증가시키고* 바로 그 수증기가 온실효과를 강화해 기온을 더더욱 상승시킨다는 것이다. 물론 수증기가 응결하여 구름이 되면 **태양 복사에너지**(→ 복사에너지와 온실효과)를 차단하고 지표면에 비나 눈을 내려 지표면을 냉각시키는 효과를 낸다. 어느 쪽이든 수증기에 의한 복사강제력 변화는 지구의 기후를 결정하는 중대한 요소로서 작용한다.

그런데 산업화 이후 인류가 대기 중으로 다량 배출한 것

* 기온 1℃ 상승 시 수증기가 7%씩 증가함.

은 온실가스뿐만이 아니다. 흔히 미세먼지로 알려진 각종 **에어로졸** aerosol* 물질도 인간 활동 과정에서 배출되고 있는데, 에어로졸 역시 **복사에너지 수지**Radiation Energy Budget에서 무시할 수 없는 역할을 담당한다. 그럼에도 온실효과의 주범으로 이산화탄소 등의 온실가스를 탓할 뿐 에어로졸을 탓하지 않는 이유는 무엇일까?

에어로졸에는 해양 기원의 염분, 사막의 모래 먼지, 즉 황사yellow dust, 산불이나 화산 분화 과정에서 분출되는 기체처럼 자연적으로 만들어지는 종류도 있고, 화석연료와 바이오매스 연소로 인해 발생하는 황화합물, 유기화합물, 검댕black carbon처럼 인위적으로 만들어지는 종류도 있다. 특히 자동차, 공장, 조리 과정 등에서 발생하는 아황산가스, 질소화합물, 납, 오존, 일산화탄소 등은 잘 알려진 에어로졸 오염물질이다. 대기로 배출되어 장기간 복사에너지 수지에 영향을 미치는 온실가스와 달리, 에어로졸은 대기 중 체류 시간이 짧아 바람이 강해지거나 비가 오면 대부분 사라지므로 기후 문제보다는 대기오염 차원에서 심각하게 다룬다.

그렇지만 지구 전체적으로 에어로졸 농도의 증가 역시 복사에너지 수지에 영향을 미쳐 기후조절자 역할을 담당한다. 검은 에어로졸은 태양 복사에너지를 흡수하여 지구온난화를 강화하는 방향

* 대기 중 수증기와 물을 제외한 입자상, 액체상 물질을 통칭하는데, 그 크기, 농도, 화학적 조성은 매우 다양하며, 대기 중 입자 형태로 직접 유출되거나 혹은 기체 형태로 배출되고(1차 에어로졸) 화학 반응을 통해 2차 변형되어 생성(2차 에어로졸)되기도 한다. 흔히 미세먼지와 초미세먼지로 부르는 PM-10(Particulate Matter of 10 microns in diameter or smaller)과 PM-2.5(Particulate Matter of 2.5 microns in diameter or smaller) 입자가 여기에 해당한다.

으로 작용하기도 하지만, 대부분의 에어로졸 성분은 태양 복사에너지를 차단하여 지구로 유입하는 복사에너지를 감소시키므로 지구온난화보다 지구냉각화에 기여하고 온실효과와는 반대로 작용한다.

또한 에어로졸은 구름 형성에도 관여하여 직접적으로 태양 복사에너지를 차단할 뿐만 아니라 간접적으로도 지구 평균온도를 낮출 수 있다. 만일 산업화 이후 에어로졸 농도의 증가 없이 온실가스 농도만 증가했다면, 지구온난화 수준은 이미 돌이킬 수 없을 정도였을 것이다. 성층권에 에어로졸을 강제 주입하여 지구온난화를 완화하자는 **기후공학**Climate Engineering 또는 **지구공학**Geo-Engineering* 아이디어가 제시되는 것 역시 이와 같은 에어로졸의 지구 냉각화 효과 때문이다. 남성현

에어로졸이 지구 냉각화에 기여하고 오늘날의 급격한 지구온난화를 완화하는 효과가 있더라도 대기 중 에어로졸 농도 증가는 반가운 소식이 아니다. 대기오염을 심화하여 인체에 유해하기 때문이다. 코로나19 펜데믹 이전부터 사람들이 자발적으로 마스크를 사용했던 것은 흔히 미세먼지, 초미세먼지로 표현되는 동아시아의 에어로졸 대기오염 문제가 사회적 이슈로 대두되었기 때문이다. 런던 스모그, LA 스모그 같은 사건들을

* 인위적으로 개입하여 지구의 기후를 조절하려는 공학 분야. 지구온난화로 표현되는 인위적 기후변화가 심화하며 최근 다양한 지구공학적 아이디어가 논의되고 있으나 그 부작용 우려로 신중한 접근이 요구된다.

통해 대기오염 문제의 심각성을 일찌감치 경험했던 서구 국가들과 달리 동아시아의 대기오염 문제는 최근에서야 불거졌다. 높은 미세먼지, 초미세먼지 농도를 보이며 악화한 대기오염은 단순히 시야를 가리는 차원이 아니라 피부, 눈, 호흡기, 심혈관 등 인체에도 유해하여 주목된다.

그런데 놀랍게도 전국적으로나 서울시의 경우나 연평균 미세먼지·초미세먼지 농도는 지난 20년 이상 지속 감소했다. 이처럼 낮아지고 있는 연평균 농도에도 불구하고 대기질이 개선되었다고 느끼기 어려운 이유는 지난 2015~2019년에 **고농도 일수***와 **미세먼지 나쁨 일수**** 같은 지표들이 감소하지 않고 오히려 증가하는 경향을 보였기 때문이다. 즉, 연평균 농도는 꾸준히 감소하고 있지만 한 번씩 심하게 대기질이 악화하는 빈도는 크게 개선되지 않았다는 의미다. 대기질 관리를 위해서는 미세먼지 등의 에어로졸 농도를 감시 · 예측하는 것이 매우 중요하다. 남성현

* 비상저감조치 발령 기준인 미세먼지 농도 51㎍/㎥ 이상인 날자 수.

** 미세먼지 농도가 36㎍/㎥ 이상인 날자 수.

- 남성현, 《반드시 다가올 미래》, 포르체, 2022.
- 남성현, 《2도가 오르기 전에》, 애플북스, 2021.
- 남성현, 《위기의 지구, 물러설 곳 없는 인간》, 21세기북스, 2020.
- 다비드 넬스 · 크리스티안 제러, 강영옥 옮김, 《기후변화 ABC》, 동녘사이언스, 2021.
- 존 쿡, 홍소정 옮김, 《기후위기, 과학이 말하다》, 청송재, 2021.
- Gulev, S.K. et al., 2021: Changing State of the Climate System. In *Climate Change 2021: The Physical Science Basis. Contribution of Working Group I to the Sixth Assessment Report of the Intergovernmental Panel on Climate Change* [Masson-Delmotte, V. et al. (eds.)]. Cambridge University Press, 287–422, doi:10.1017/9781009157896.004.

3장

지구에 출현한 인간과 그 발자국

지구의 역사

지난 2020년 칠레 북부 사막에서 일어난 일이다. 아타카마 우주 망원경ACT으로 우주를 연구하던 연구팀은 '빅뱅Big Bang'이 남긴 흔적인 '우주마이크로파배경CMB' 복사 지도를 분석해 우주의 나이를 산출했다. 이 결과는 기존의 방법보다 매우 정밀했는데, 이로써 우리는 우주의 나이가 약 137억 7천만 년으로 확신하게 되었다. 우주의 시작이 빅뱅이라는 사건이므로 우주는 지금도 풍선처럼 팽창하고 있다. 과학자들은 최소 2조 개의 은하가 우주에 존재한다고 추정한다. 그리고 우리가 속해 있는 은하, 즉 우리 은하에는 태양과 같은 별들이 약 4천억 개 이상 있을 것으로 추정된다. 말 그대로 천문학적인 수치이다.

지구의 역사는 약 46억 년 전 우리 은하의 변두리에서 시작되었다. 이 즈음 태양 주위를 돌던 뜨거운 기체와 작은 알갱이들이 차츰 커다란 덩어리로 뭉치기 시작했다. 이 뜨거운 덩어리들은 조금씩 식어가면서 단단해졌는데, 이게 태양계에 있는 행성들의 시작이었다.

초기의 태양계는 여러 덩어리들이 여기저기 날아다니던 공간이어서 지구는 사방에서 날아오는 돌덩이들과 끊임없이 충돌해야 했다. 충돌하는 만큼 지구는 점점 더 커졌고, 그러자 점점 더 많은 충돌이 벌어졌다. 이 과정이 반복되면서 지구 표면의 에너지 밀도를 높여 지구는 고온 고압 상태를 유지했다. 물과 이산화탄소 같은 휘발성 물질들은 기체 상태로 쉽게 전환되어 지구의 표면에는 수증기와 이산화탄소가 가득 쌓이게 되었다. 당시 지구의 표면은 극도로 뜨거운 마그마로 뒤덮여 있었으나 시간이 지나면서 온도가 낮아지고 표면이 굳어져서 딱딱해졌다.

그리고 중요한 환경 변화가 시작되었다. 공기 중의 수증기가 물방울로 변해 구름을 만들고 비가 내리기 시작한 것이다. 최초의 비는 약 300℃ 정도로 뜨거웠지만, 지표면은 1,300℃였기 때문에 뜨거운 온도의 비로도 지표면을 식힐 수 있었다. 비는 계속해서 내렸다. 지표면이 식으면서 더 많은 수증기가 물방울로 변했기 때문이다. 연간 10m가 넘는 강우량이 지속되었고, 아마도 이런 상황은 1천만 년 이상 반복되었을 것이다.

이로 인해 원시 대기의 약 80%에 이르는 수증기가 비가 되어 땅으로 스며들고, 강과 바다를 만들어 지표면의 환경을 획기적으로 변모시켰다. 그러다가 커다란 운석과 충돌이 일어나면 지표면의 바다는 다시 증발했을 것이고, 이후에 표면이 식으면서 또 다른 바다를 만들었을 것이다. 2002년 미국 콜로라도 대학의 스티븐 모지스Stephen Mojzsis는 약 43억 8천만 년 전에 생성된 것으로 추정되는 지르콘Zircon 결정을 찾아냈는데, 분석 결과 이 광석은 물에 의해 마그마의 온도가 급격히 낮아진 환경에서 생성된 것으로 밝혀졌다. 모지스의 연구와 발표 덕에 우리는 지구에 물과 바다가 나타난 환경적 배경을 유추할 수 있게 되었다.*

바다의 출현은 생명체의 탄생과 관련이 깊다. 약 38억 년 전 매우 단순한 형태의 생물이 바다에서 출현했다. 원핵생물Prokaryote로 불리는 이 생물은 세포핵은 있었지만 핵산Nucleic Acid이 막으로 둘러싸여 있지 않고 미토콘드리아 등의 구조체도 없었다. 이 생명체의 출현은 상당한 우연이 겹쳐 진행되었을 것이다. 이에 관한 가설은 그것을 처음 주장한 과학자의 이름을 딴 '**오파린 가설**'이라는 이름으로도 유명하다. 구 소련의 과학자 오파린Aleksandr Ivanovich Oparin(1894-1980)과 영국의 할데인John B.S. Haldane은 메테인, 암모니아, 수증기 같은 초기 지구의 대기환경에서 특정한 화학반응이 우연히 일어나면 아미노산 같은 유기물의 구성 물질이 합성될 수 있다고 주장했다. 이후 1950년대에는 전기 방전에 의해 무기물로부터 유기물이 생성될 수 있음이 입증되었고, 이로써 우리는 지구 생명체의 시작을 유추할 수 있게 되었다.

이 유추를 따라 가보자. 번개와 같은 전기 방전에 의해 매우 드문 확률로 아미노산 등이 합성되었고, 이 물질들은 바닷물에 녹아 들었을 것이다. 그리고 이들 중 일부는 바다 밑바닥, 지각이 갈라진 곳에서 뿜어져 나오는 열수 분출공hydrothermal vents 근처에 모여 더 복잡한 물질로 진화했을 것이다. 극도로 단순한 원핵생물이지만, 수많은 우연과 행운이 중첩되어 벌어진 일이었다. 최근의 표현을 따르면, 지구의 형성을 지구1.0, 원핵생물의 탄생을 지구2.0으로 표현

* 오철우의 과학풍경, "광물알갱이에 담긴 지구 대륙 역사", 〈한겨레〉, 2022. 9. 7.

할 수 있을 것이다.

지구3.0은 보다 진화된 진핵생물Eukaryote의 등장과 관계가 있다. 진핵생물은 약 20억 년 전에 출현한 것으로 추정되는데, 그 이전까지는 원핵생물들이 서로 잡아먹으면서 번식하는 상태였다. 이런 상황에서 벗어나 잡아먹힌 생물이 소화되지 않고 살아남아 자신을 먹은 생물과 공생하기 시작한 것이 진핵생물의 시작이었다. 잡아먹힌 것은 세포핵이나 미토콘드리아가 되고, 잡아먹은 것은 그 바깥이 되는 식이었다. 이렇게 하여 진핵생물은 세포에 막으로 싸인 핵을 가질 수 있었고, 미토콘드리아 등의 구조체 역시 발달하게 되었다. 미토콘드리아는 핵의 DNA와 또 다른 독자적인 DNA를 보유하고 있다. '**세포내 공생설**Endosymbiosis'이 말하는, 서로 다른 생명체가 하나의 몸을 이루는 사건은 지구의 역사에서 가장 우연적이고 획기적인 사건이라고 할 수 있을 것이다. 특히 (호기성 박테리아인 리케차Richeettsia의 친척인) 미토콘드리아와 (광합성하는 남세균의 친척인) 엽록체로 이루어진 진핵생물은 산소호흡과 광합성이라는 핵심 생명활동을 자리잡게 해 오늘과 같은 찬란한 생물다양성을 촉진시킨 출발점이 되었다.

광합성은 지구 대기환경을 변화시켰다. 대기 중 산소의 농도가 급격하게 증가한 것이다. 증가한 산소 농도에 반비례해 이산화탄소의 농도는 감소했다. 그리고 이런 환경 변화는 생명체들의 진화를 자극해 약 5억 4천만 년 전, 다양한 동물들을 등장시킨다. '**캄브리아 대폭발**The Cambrian Explosion'로 알려진 이 시기 후 약 1억 년간 지구 안의 생태계들은 훨씬 다양해지고 정교해졌다. 이 상황을 지구4.0

으로 정의할 수 있을 것이다.

지구4.0 기간은 결코 평온한 시기가 아니었다. 이 시기에 총 5회의 대멸종 사태가 있었고,* 대멸종 이후에 생태계는 이전과는 다른 방향으로 진화가 전개되었다. 대멸종보다는 규모가 작은 소멸종은 훨씬 더 많았는데, 총 24회 일어난 것으로 추정된다. 멸종의 근본 원인은 다양하지만, 직접적인 원인은 모두 하나, 기후변화다. 화산 활동이나 운석 충돌 같은 원인에 의해 지구 시스템의 기후가 급변하면 이에 적응하지 못한 생명체는 소멸되었던 것이다.

마지막 대멸종은 약 6,600만 년 전의 일로 소행성의 충돌로 인해 극심한 기후변화와 해양산성화가 일어났기 때문이었다. 대부분의 공룡들도 이 시기를 견디지 못하고 점차 소멸되었다. 그나마 다행인 것은 대멸종 시기에도 소수의 생명체는 끈질기게 살아남았다는 점이다. 가장 심각한 대멸종은 약 2억 5천만 년 전에 일어났는데, 화산 폭발에 의한 대규모 이산화탄소 분출이 원인으로 추정된다. 이 시기를 거치며 바다 생물의 96%가 사라졌고, 육지 생물은 거의 모두 소멸된 것으로 보인다.

그리고 지금 과학자들은 여섯 번째 대멸종을 경고하고 있다. 인류에 의해 대기 중 온실가스 농도가 가파르게 상승하고 있고, 이는 기후변화를 불러와 기존 생명체들에게 괴멸적 타격을 입힐 수 있기 때문이다. 하나의 먼지에서 지적인 고등동물로 진화하기까지

* 대멸종은 지구 생물종의 반 이상이 100만 년 이내에 완전 소멸되는 현상을 의미한다.

숱하게 많은 우연과 행운이 함께했고, 그 결과가 현재의 생태계 다양성인데, 아마도 이런 우연은 다시 일어나기 힘들 것이다. 그만큼 소중하고 경이로운 지구가 생물 절멸의 위기에 놓여있는 셈이다.

지구는 얌전한 도련님이 아니다. 긴 세월 동안 산전수전 다 겪은 베테랑의 풍모를 가지고 있다. 지구의 예민한 반응 혹은 작은 몸부림은 생명체에게 치명적인 흔적을 남긴다. 그리고 이 사건은 대부분의 경우 기존 생명체들의 소멸과 새로운 생명체의 발현이라는 과정으로 이어진다. 약 1억 5천만 년이라는 긴 시간 동안 지구를 주름잡던 공룡도 소행성 충돌에 의한 기후변화에 끝내 적응하지 못하고 사라졌다.

하루에 수십 종의 생명체가 소멸되고 있는 지금, 인간이 야기한 기후변화가 지구 생명체들에게 어떤 괴멸적 타격을 줄지 지구의 역사를 살펴보며 깊이 묵상해볼 필요가 있다. **전병옥**

더 찾아보기

- Horizon, <빅뱅에서 인간까지>, 고등과학원. https://horizon.kias.re.kr
- 루이스 다트넬, 이충호 옮김, 《오리진: 지구는 어떻게 우리를 만들었는가》, 흐름출판, 2020.
- 리처드 포티, 이한음 옮김, 《살아있는 지구의 역사》, 까치, 2018.

생태계의 출현

캘리포니아 공대의 클레어 카메론 패터슨Clair Cameron Patterson은 1956년 역사적인 논문 한편을 발표했다. 「지구와 운석의 나이」라는 제목의 이 논문은 가장 오래됐을 것으로 추정되는 운석을 찾아 그 속에 포함되어 있는 광물을 분석했다. 이를 통해 지구의 나이를 측정했는데, 막연한 예측과는 달리 그 측정 결과는 지구의 나이가 무려 45억 년 정도 되었다는 사실을 알려주었다. 이후 더 정교한 측정 방법이 제안되어 후속 논문이 줄을 이었는데, 패터슨의 최초 논문과 큰 차이는 없었다. 초기의 지구는 뜨거운 광물 덩어리의 모습이었는데, 차츰 식으면서 바다와 대기가 차례로 형성되었다. 여기까지는 태양계의 다른 행성들과 큰 차이가 없는 모습이었다.

그러나 지구는 큰 변화를 맞이한다. 지구 탄생 후 수억 년이 지난 약 38억 년 전의 일이었다. 초기의 바다에 매우 단순하지만 생물이 출현했다.* 광물 같은 무기물에서 유기물로 전환이 이루어진 계기는 비교적 세세하게 알려져 있다. 거의 모든 문명권이 생명체의 출현에 관한 신화를 가지고 있을 만큼 이 문제는 인류의 상상력을 자

* 생물이 출현한 정확한 시점이 언제냐는 주제는 아직 논쟁의 여지가 남아 있다.

극하는 사건이지만, 신화와 상상의 시대를 끝낸 이들이 있었다. 해롤드 유리Harold Urey와 스탠리 밀러Stanley Miller가 바로 그 주인공들이다. 1953년 이들은 하나의 실험 결과를 발표했는데, 실험실 플라스크에 초기 지구와 유사한 대기환경을 조성하고 전기 스파크를 주입했을 때 그 속에서 단백질의 기초 물질인 아미노산이 합성되었다는 내용이었다. 당시엔 믿기 어려운 사실이었지만 거듭된 실험을 통해 입증되었고, 시간이 지나면서 과학적 사실로 인정받았다. 물론, 플라스크 속에 초기 지구의 대기환경 전부를 모사할 수는 없지만, 무기물로부터 유기물 합성이 이루어질 수 있다는 사실이 밝혀졌고, 초기 지구에서도 이런 일이 발생했을 것이다. 확률만 놓고 보면 아주 우연적인 일이지만, 지구 생태계와 그 속의 생물들은 이런 희박한 우연에 의해 발생했다.

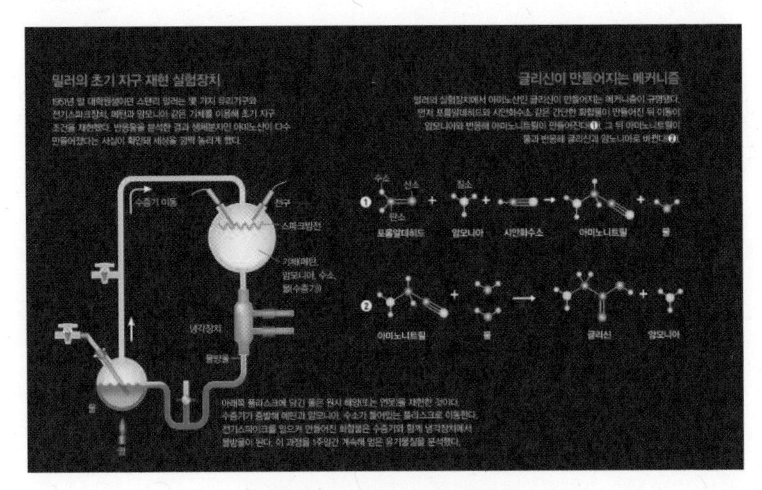

밀러의 초기 지구 재현 실험장치
[출처] 동아사이언스, 2015.09.20

물론 처음 형성된 유기물은 극히 단순한 형태였을 것이다. 고세균류Archaea라고 명칭된 최초의 단세포 생물들은 지구에 바다가 형성되면서 본격적으로 진화를 시작하게 된다. 초기 지구의 대기엔 산소가 존재하지 않아서 고세균류는 산소 없는 환경에 적응했을 것이다. 그러나 약 25억 년 전, 광합성을 하는 남세균cyanobacteria 등이 지구의 대기환경을 극적으로 변화시켰다. 남세균의 개체수가 증가하면서 광합성을 통해 대기 중의 이산화탄소 농도는 줄고, 반대로 산소의 농도가 급증했다. '**산소 대폭발 사건**the Great Oxygenation Event'이라는 거창한 이름이 붙었을 정도로 이 사건은 지구의 대기환경을 뒤바꾸었다. 산소가 없던 시대에 번창했던 고세균류에게 산소는 치명적인 독가스가 되어 75% 이상의 원시 생물이 차츰 멸종했을 것으로 추측된다.

광합성에 의해 산소의 농도는 거침없이 상승했고, 대기권의 가장 바깥층에는 3개의 산소 원자가 뭉친 오존 분자들이 하나의 띠를 형성했다. 이 띠, 즉 오존층은 태양으로부터 오는 높은 에너지의 전자파(자외선)를 차단하여 지구의 생명들을 보호하는 역할을 하기 시작했다. 이런 대기환경이 조성되자, 지구의 생명들은 더욱 번창하기 시작했다. 약 20억 년 전의 일이다.

이제 지구는 산소 친화도가 높은 생물들의 세상이 되었다. 초기의 단순한 원핵생물들로부터 조금 더 복잡한 진핵생물들이 출현했는데(약 15억 년 전), 당연하게도 이들은 생명활동에 산소를 이용하는 호기성 생물들이었다. 진핵생물의 등장과 생식에 의한 번식으로 생물의 진화속도는 매우 빨라졌고, 점점 더 복잡한 생명체들이 출현하게 되었다. 지질 역사를 보면 약 7억 년 전에 다세포 생물과 식물이 출현한 것으로 추정된다.

그리고 생태계는 또 하나의 극적인 변화를 맞이했다. 약 5억 4천만 년 전 비교적 짧은 시기에 다양한 동물들이 무더기로 출현한 것이다. '**캄브리아 대폭발**the Cambrian Explosion'로 알려진 이 시기는 대략 1억 년 이상 지속되었는데, 이 기간 동안 지구 생태계와 생명들은 꾸준하게 다양해지고 놀라울 만큼 정교해졌다. 과학자들은 이 시기 전 약 40억 년의 지구환경을 '선캄브리아' 시기로 통칭하고, 이 시기부터 현재까지를 생물시대로 구분한다. 이후 생물시대는 고생대, 중생대, 신생대로 조금 더 세세하게 구분되기 시작했다.

바다에 모여 살던 생물들은 차츰 육상으로 거주지를 변경했다. 우선, 약 4억 2천만 년 전부터 식물들이 육상에 자리를 잡은 것으로 추정된다. 아주 초기에 육상식물은 이끼나 고사리류의 형태였지만, 차츰 다양한 식물들이 출현했다. 그리고 양서류와 파충류 같은 동물들이 그 뒤를 이었다.

고생대 이후, 즉 복잡한 생물들이 출현한 이후, 지구의 기후환경은 과거에 비해 안정적인 상황으로 전환되기 시작했다. 춥고 더운 상태는 반복되었지만, 다행히도 멸종에 이를 만큼의 끔찍한 환경은 만들어지지 않았다. 과학자들은 이런 상황을 매우 흥미롭게 보는데, 생태계의 생명 활동과 지구의 기후 여건이 상호작용한다고 볼 수 있기 때문이다. 식물들이 육지에 번창하면서 지구의 대기는 일정하게 유지되었고, 탄소, 질소, 물의 순환 체계들도 점점 안정화되었다. 그리고 이런 물질의 순환은 생물의 생존환경을 일정하게 유지시켜 지구 생태계를 더욱 풍부하고 역동적인 상태로 만들었다.

이렇듯 지구 생태계와 생명의 역사는 우연적인 계기와 놀라운 사건의 연속이었다. 별 어려움 없이 번창하고 진화한 시기도 있었지만, 위태로운 소멸의 시기도 적지 않았다. **가이아 이론**의 가설은 아직도 여러 논란이 있지만, 최소한 하나의 사실은 명백하게 입증했다. 지구를 구성하고 있는 지권, 대기권, 수권, 빙권 그리고 생물권은 서로 긴밀히 연결되어 있고 상호작용하면서 진화한다는 점이다.

산업혁명이 야기한 급속한 기후변화로 인해 제6차 대멸종이 우려되는 지금, 지구의 작동방식을 이해하고, 생태계를 보전하기 위해 인류의 지혜를 모아야 할 시점이다. 전병옥

더 찾아보기

- 닉 레인, 김정은 옮김, 《바이털 퀘스천, 생명은 어떻게 탄생했는가》, 까치, 2016.
- 리처드 도킨스, 김정은 옮김, 《리처드 도킨스의 진화론 강의》, 옥당북스, 2022.

호모 사피엔스의 등장과 문명

지질학 조사에 의하면, 지난 250만 년간 가장 큰 화산 활동은 7만 5천 년 전에 발생했다. 인도네시아의 토바산Mount Toba이 그 주인공인데, 거대한 화산 활동으로 인해 분출된 미세한 화산재가 오랜 시간 대기를 뒤덮어 햇빛을 차단했다. 이 사건은 지구를 수백 년 동안 차갑고 건조한 대기환경으로 만들었다. 이 상황을 '화산 겨울Volcano Winter'이라고 한다. 당연한 귀결이지만, 이 사건은 지구 생태계에 큰 영향을 미쳤고, 아프리카 대륙의 한 귀퉁이에서 힘겹게 살던 생명체들은 하마터면 멸종될 뻔했다. 호모 사피엔스로 불리는 우리의 조상들이었다.

이 사실은 미국 스탠퍼드 대학과 러시아 과학아카데미의 연구에 의해 밝혀졌다. 이들은 한가지 질문을 붙들고 연구를 시작했다—인간은 유전적으로 가까운 침팬지와 달리 사실상 거의 동일한 DNA를 가지고 있는데, 그 이유는 무엇일까? 소규모 침팬지 무리의 유전적 다양성이 80억 인간 전체보다 훨씬 더 큰데, 이는 그다지 멀지 않은 과거에 인간의 개체수가 크게 줄었음을 의미한다. 이들의 연구에 의하면, 약 7만 년 전 호모 사피엔스의 출산 가능 인구는 남여 각 1만 명 정도 되지 않았을 것으로 추정된다. 그리고 그 이유는 위에서 설명한 화산 겨울과 관계가 있을 것으로 보인다.*

호모 사피엔스 이전, 영장류의 진화사는 총 4단계로 구분할 수 있다. 첫 단계인 1천만 년~500만 년 사이에 영장류는 직립보행을 시작했고, 330만 년 전에는 간단한 도구를 사용한 것으로 보인다. 두 번째 단계는 약 180만 년 전에 시작되었다. 이 기간에 새로운 종이 가지를 쳐 나왔는데, 호모 에렉투스Homo Erectus라는 이름의 종이었다. 이 종이 그 이전 종들과 뚜렷하게 다른 점은 훨씬 큰 뇌의 용량이다. 그 덕인지 이 종은 불을 활용할 줄 알았고, 음식을 익혀 먹으면서 소화에 사용할 에너지의 양을 획기적으로 감소시켰다. 남은 에너지는 자연스럽게 뇌의 활동에 사용되어 결과적으로 뇌 용량이 계속 커지는 계기가 되었다. 약 70만 년 전, 세 번째 단계의 인류인 호모 하이델베르크Homo Heidelbergensis가 나타났다. 이들은 현대 인류와 비교해 봐도 큰 차이가 없는 뇌의 용량을 보유하고 있었고, 일련의 유전자 돌연변이로 인해 언어 능력도 생긴 것으로 보인다. 마지막으로 네 번째 단계의 인류라고 할 수 있을 호모 사피엔스가 약 20만 년 전에 출현했다.

이처럼 인류의 진화는 뇌의 용량 확대와 깊은 관계가 있다. 실제로 호모 사피엔스는 가장 가까운 유인원에 비해서 압도적으로 큰 뇌를 가지고 있다. 인류 문명의 창조는 뇌의 활발한 활동에 전적으로 의존한다고 할 수 있다. 호모 사피엔스의 뇌가 이렇게 빠르게

* 인류의 유전적 다양성이 매우 협소한 것에 대해 다른 근거를 제시하는 가설들도 있어서 이 부분은 조금 더 검증이 필요하다.

진화한 이유는 뭘까?

초기에는 '사회성' 가설이 힘을 얻었다. 인간이 집단을 이루고 사회성을 유지하며 서로 소통하는 과정에서 사고를 담당하는 뇌가 커졌다는 가설이다. 그런데 인간과 유전적으로 1.6%밖에 차이가 나지 않는 보노보(피그미 침팬지)를 보면 사회성 가설에 의문이 들기 시작한다. 보노보 역시 집단생활을 하고 수많은 감정을 표현하며 동료들과 소통하는데 뇌는 그다지 크지 않기 때문이다.

2018년 영국의 세인트 앤드루스 대학 곤잘레스-포레로 Mauricio Gonzalez-Forero 연구팀은 새로운 가설을 〈네이처〉지에 발표했다. 요지는 인간은 세포 조직별로 집중해야 하는 에너지가 다르며, 에너지의 배분 비중에 따라 신체적 변화가 다르게 일어난다는 것이다. 이 가설에 의하면, 호모 사피엔스의 뇌와 신체, 그 진화와 발달은 60%가 생태환경적 문제에, 30%가 사회적 협력 문제에, 10%가 집단 간 경쟁 문제에 기인했다. 생태환경에 적응하고 새로운 생태환경을 탐지하는 노력의 과정에서 자연스럽게 인간의 뇌가 커졌다는 것이다. 실제로 인류 진화의 4단계는 시기적으로 모두 빙하기에 의한 기후변화와 연결되어 있는데, 이 가설은 갑작스러운 기후변화에 기민하게 대처하기 위해 뇌가 확대되었을 것으로 추정한다.*

정리해 보면, 호모 사피엔스의 출현과 진화는 지구 기후변화와 밀접한 관련이 있다. 갑작스러운 기후변화에 살아남기 위해

* 그러나 이 논문은 비슷한 현상이 왜 다른 동물들에게는 일어나지 않았는지 명쾌하게 설명하지 못하면서 여러 반론에 부딪혔다.

우리 조상들은 더 똑똑해졌고, 감당하기 어려운 기후변화가 발생했을 때는 하마터면 멸종할 뻔하기도 했다. 기후변화와 호모 사피엔스의 상관관계를 이해한다면, 인위적으로 기후변화를 가속시키는 현재의 상황이 얼마나 위험한 일인지 알 수 있을 것이다.

하나 더 살펴볼 만한 것은 우리와 조상이 같고 뇌의 용량이 비슷했던 네안데르탈인들의 멸종 원인이다. 지난 500만 년간 약 31종의 영장류가 있었고, 이후 최소 6종이 살아남아 공존했을 것으로 추정된다. 이들은 서로 교류했고, 사랑했고, 자손을 남기기도 했다. 특히 네안데르탈인들과의 교류 흔적이 많은데, 실제로 유럽이나 동아시아 사람들의 DNA를 분석해 보면 약 1.8~2.6%의 DNA가 네안데르탈인들과 동일한 것으로 분석되었다. 그렇다면 왜 우리는 남고, 그들은 사라졌을까?

한국 기초과학연구원IBS의 악셀 팀머만Axel Timmermann 기후물리연구단 단장은 이와 관련해 2020년 중요한 논문 한편을 발표했다. 슈퍼컴퓨터를 활용해 기존의 가설을 평가한 결과, 가장 의미 있는 이유로 현생인류와 네안데르탈인 사이의 자원 확보 경쟁력 차이를 꼽을 수 있다는 것이 요지였다. 사냥기술, 병에 대한 저항성, 출산 능력 등이 이런 요인에 포함되었는데, 호모 사피엔스가 확산되는 시기에 네안데르탈인이 소멸된 것으로 보아 경쟁력 차이가 이들의 운명을 갈랐을 것으로 보인다. 더 많은 연구가 필요하겠지만, 확실한 것은 호모 사피엔스는 기후변화를 극복하는 과정에서 더 빠르게 진화했고, 경쟁 종들보다 자원 확보를 효율적으로 처리했다는 점이다. 그리고 경쟁 종들이 모두 사라진 후에 놀라운 문명을 건설했다.

현대의 문명은 이렇게 힘든 과정과 경쟁을 거쳐 가까스로 이룩한 것이다. 이 문명을 지켜내고 다음 세대에게 더 좋은 지구환경을 물려주는 것이 우리의 책임일 것이다. **전병옥**

- 유발 하라리, 조현욱 옮김, 《사피엔스》, 김영사, 2015.
- 이상희 · 윤신영, 《인류의 기원》, 사이언스북스, 2015.
- 조지프 헨릭, 주명진 · 이병권 옮김, 《호모 사피엔스, 그 성공의 비밀》, 뿌리와이파리, 2019.

매우 예외적인 안락한 시기 ― 골디락스

19세기 영국 시인 로버트 사우디Robert Southey가 쓴 동화 <골디락스와 곰 세 마리Goldielocks and The Three Bears>에는 골디락스라는 이름의 금발머리 소녀가 등장한다. 주인공 골디락스는 세 가지 중 하나를 선택하는 상황에 여러 번 놓이게 되는데, 대체로 이런 식이다. 골디락스는 아빠 곰, 엄마 곰, 아기 곰이 살고 있는 어느 집에 들어가게 된다. 그리고 마침 식탁에 차려 놓은 세 그릇의 수프를 발견한다. 하나는 너무 뜨겁고, 또 하나는 너무 식어서 차가운 반면, 나머지 한 수프는 적당한 온도여서 결국 이 수프를 선택한다….

UCLA의 경제학자 데이비드 슐먼David Shulman은 이처럼 너무 뜨겁지도 않고 너무 차갑지도 않은 적당한 상태를 지시하기 위해 '**골디락스**Goldielocks'라는 용어를 (앞서 말한 동화에서 가져와) 사용했다. 그리고 이 비유는 훗날 경제 분야를 넘어 대중문화, 예술 분야에까지 확산되어 널리 사용되었다.

너무 뜨겁지도 않고 너무 차갑지도 않은 상황은 지구에도 적용해볼 수 있다. 우리는 차가운 시기인 빙하기가 있었다는 것은 알고 있지만, 사실 지구 역사에는 매우 뜨거웠던 시기도 있었다. 기후과학자들은 약 5,600만 년 전의 지구를 매우 관심 있게 연구하고 있는데, 이 시기의 지구 평균온도가 지금보다 약 5도 이상 높았을 것으로 추정되기 때문이다. 팔레오세-에오세 극열기(Palaeocene-Eocene Thermal Maximum, PETM)라는 명칭이 붙은 이 시기는 약 10만 년 간 지속되었다. 춥다고 알려진 그린란드에서 악어 화석이 나타난 이유도 이 시대의 따뜻한 환경과 관계가 있다.

극열기 시대에 지구가 이렇게 더워진 것은 대기 중 이산화탄소의 농도와 관계가 깊다. 당시에 지구는 예외적으로 화산 활동이 활발했고, 평균온도가 높아져 바다속에 녹아 있던 이산화탄소의 일부가 대기권으로 전이되었다. 그 결과 온실효과가 강화되어 지구 온도는 더욱 높아지게 되었다.

그러나 가팔라 보이는 이 시기의 온도 상승도 최근 200년간의 속도와 비교하면 하품이 날 정도의 수준이었다. 극열기의 온난화 속도가 시속 50km라면 현재의 지구온난화 속도는 시속 500km가 넘는 수준이기 때문이다. 우리는 극열기를 넘어 초극열기로 가는 지구 열차에 탑승한 채, 가속 패달을 끝까지 밟고 있는 셈이다.

극열기와 빙하기를 지나 지구는 지난 1만 2천 년간 춥지도 않고 덥지도 않은 시대를 지나왔다. 지구 전체의 역사를 봐도 매우 예외적으로 온화한 기후였던 이 시대를 '**홀로세**Holocene'라고 한다. 그리스어로 '완전히 새로운'이란 의미인데, 과학자들이 봐도 그만큼 일반적이지 않은 시대였기 때문이다. 동화에 빗대어 **골디락스 시대**라고 불러도 무방할 것이다.

홀로세는 인류의 문명 발달과 매우 깊은 관계가 있다. 호모 사피엔스는 약 20만 년 전에 지구에 출현했음에도 19만 년간 별다른 문명을 건설하지 못했다. 왜일까? 20만 년 전의 인류와 현재의 인류를 비교해보면 뇌 용량은 큰 차이가 없다. 따라서 과거 인류의 역량이 부족했던 것은 아닐 것이다. 그보다는 어떤 외부 요인에 의해 그들이 생존 경쟁에 몰두했기 때문일 것이다. 호모 사피엔스는 매우 춥고 매우 더운 날씨가 반복되는 상황에서 힘겹게 살았을 것이다. 한 지역에 눌러 앉아 가족과 사회를 이루지 못하고 살기 좋은 날씨와 먹을 것을 찾아 철새처럼 이동해야만 했다. 동굴에 숨어 벽에다 간단한 그림을 그리는 것을 제외하면 창조적인 활동은 사치스러운 일이었을 것이다.

그러다 획기적인 전환이 일어났다. 지구의 온도가 갑자기 온화하고 안정적인 상태로 접어든 것이다. 여전히 춥고 더운 날씨가 반복되었지만 그 진폭은 과거에 비할 수 없을 정도로 작아서 인류는 이에 충분히 대비할 수 있었다. 힘겹게 돌아다닐 필요가 없다는 점을 차츰 깨달았고, 농사가 가능한 지역에 정착하기 시작했다.

홀로세 또는 골디락스 시대와 문명의 발전은 궤를 같이하고 있는 것이다. 역사책을 가득 채우고 있는 사회와 환경, 도전과 응전, 권력과 배신, 혁신과 발명 등의 이야기는 모두 이처럼 온화하고 예측 가능한 기후환경이 바탕이 되었기 때문에 가능한 일들이었다. 홀로세의 기후환경이 창의적인 활동을 촉진했고, 그 결과 문명 발전이 가속되었다. 그리고 마침내 과학기술 분야에서의 놀라운 발전이 시작되었다.

과학자들의 분석에 의하면, 이런 골디락스 시대는 앞으로 5만 년은 더 지속될 수 있었다. 누군가가 내부에서 반란을 일으키지 않았다면 말이다.

그러나 골디락스 시대는 끝을 향해 달려가고 있거나 혹은 이미 끝난 것으로 보인다. 홀로세 시대가 끝났으므로 새로운 지질시대의 이름이 필요하다며 **'인류세**Anthropocene'라는 이름이 제안된 지도 20년이 넘었다. 골디락스 시대 너머의 새로운 시대, 매우 춥고 매우 더운 날씨가 반복되고, 먹을 것이 없어 다른 세계로 이주하거나 살기 위해 다른 사회를 공격하는 상황이 우리를 기다리고 있을지도 모른다. 전병옥

- 재러드 다이아몬드, 강주헌 옮김, 《문명의 붕괴》, 김영사, 2005.
- 「인류세: 인간의 시대」, EBS 다큐프라임. https://youtu.be/B-0upDsM2ak

홀로세와 인류세

2002년 2월 멕시코에서 열린 '국제 지권-생물권 프로그램(the International Geosphere-Biosphere Program)' 회의에서는 그동안 논란이 되지 않았던 의제들이 다양하게 제기되었다. 1995년 오존층 구멍을 발견한 공로로 노벨 화학상을 받았던 네덜란드의 대기화학자 파울 크뤼천Paul J. Crutzen도 이 회의에 참석했는데, 여러 논란을 정리하면서 한 가지 의견을 제시했다. 우리는 과거와는 다른 지질시대를 살고 있으니 이 새로운 시대를 '**인류세**Anthropocene'라고 부르자는 제안이었다.

인류세라는 용어를 처음 제기한 사람은 1922년 러시아 지질학자 알렉세이 파블로프Aleksei Petrovich Pavlov였지만, 넓게 확산되지는 못했다. 1980년대 호수 생태학자 유진 스토머Eugene Stormer가 다시 이 용어를 제시했을 때도 큰 공감은 없었다. 이런 선도적인 학자들의 의견을 수용할 만큼 다양한 증거가 제시되지 못했기 때문이다. 지질학적 시대는 -대, -기, -세로 구분되는데, 지각변화와 생물종의 변화로 인해 전 시대와 분명한 차이가 발생했다는 점이 시대 구분 기준이다.

지금 우리가 살고 있는 시대을 지시하는 공식적인 지질학

명칭은 **홀로세**Holocene다. 이 시대는 약 1만 2천 년 전, 마지막 빙하기가 끝나면서 시작된 간빙기로, 홀로세의 특징은 유래가 없을 정도로 안정적이고 온화한 기후다. 따라서 홀로세 이후의 지질시대를 제안하는 과학자들은 홀로세를 상징하는 기후 안정성이 사라지고 있다는 점에 주목하고 있다. 인류세를 다시 제안한 크뤼천은 그 근거로 인구·에너지 사용량의 증가, 온실가스 배출량의 급증, 산림 파괴, 수산물 고갈 등을 제기했다. 크뤼천의 제안 이후, 급증하는 이상기후 현상은 일반 시민들에게도 새로운 지질시대를 떠올리게 했고, 이는 인류세 담론이 확산되는 계기가 되었다. 이에 맞추어 2009년 국제층서위원회International Commission on Stratigraphy는 지질학과 층서학의 전문가들이 모인 '인류세 워킹그룹Working Group on the Anthropocene'을 조직해 새 지질시대명 채택 여부를 두고 연구와 토론을 지속하고 있다.

인류세를 지지하는 과학자들은 점차 증가하고 있지만, 인류세의 시작을 언제로 잡아야 하는지는 여전히 논란이 크다. 약 1만 년 전 인류가 농사를 짓기 시작하면서 지구환경이 바뀌기 시작했다는 주장도 있고, 증기기관이 상용화된 18세기 중반을 시작점으로 보기도 한다. 크뤼천도 처음엔 이 제안을 지지했다. 그러나 일부는 2차 세계대전이 종결된 후 20세기 중반부터 시작된 '**거대한 가속**the Great Acceleration'(→ 거대한 가속) 시기를 인류세의 시작이라고 판단한다. 특히 이 시기에 핵실험이 실시되어 이로 인한 낙진이 지구 토양의 구성 성분을 영구적으로 변화시켰을 것이라는 가설도 제기되었다.

'인류세'는 인류를 뜻하는 '앤트로포스Anthropos'와 '-세cene'를 합쳐서 만든 용어로, '인간의 활동이 지질학적 시대 변화의 주요 변수'가 되었음을 의미한다. 크뤼천은 "지구환경에 새겨진 인간의 흔적이 매우 크고 인간의 활동이 대단히 왕성해져 지구 시스템 기능에 미치는 인간의 영향력이 자연의 거대한 힘들과 겨룰 정도가 되었다"고 말하면서 인류세의 의미를 설명했다.*

물론 증대된 인간의 영향력을 긍정적으로 해석할 수도 있을 것이다. 실제로 어떤 이들은 인류세 논의를 문명의 성과로 판단하는 경향이 있다. '에코모더니스트'라고 불리는 얼 엘리스Earl Ellis는 문명의 발전으로 인간의 영향력이 증대했지만, 이는 곧 지구에 대한 지식의 확대로 이어져 결국엔 인류 문명의 새로운 도약이 일어날 것이라는 낙관적인 미래를 전망했다. 엘리스에게 인류세는 새로운 문명이 창조되는 '위대한 지질시대'인 셈이다.

그러나 인류세는 인류가 설계하거나 의도했던 결과가 아니다. 인간 활동에 의한 지구 시스템의 변화를 인류가 통제할 수 있을 것이라는 전망에는 아무런 근거가 없다. 오히려 최근에 빈번하게 발생하는 기상이변은 새로운 시대에 대한 우울한 전망에 힘을 실어준다. 기후분석그룹인 WWA(세계기상원인분석, World Weather Attribution)는 지구온난화가 계속 된다면 2050년경에는 40℃ 이상의 극심한 더위가 북반구 여름의 일상이 될 것이라고 예측하기도 한다. 이 외에도 인류세에 발생할 기상이변을 우려하는 전망은 여러 논문을 통해 꾸준하게 제기되고 있다.

* 폴 크뤼천 외, 김용우 외 옮김, 《인류세와 기후위기의 대가속》, 한울아카데미, 2022.

저명한 과학철학자인 브뤼노 라투르는 인류세를 인문학적으로 분석하고자 했다. 이를 위해 가이아 이론을 끌어와 지구를 재정의할 것을 제안했다. 가이아는 지구를 안전하고 살기 좋게 만드는 자애로운 어머니가 아니라, 인간이 통제할 수 없는 광폭하고 잔인한 존재라는 것이다. 라투르는 인류세의 인간 조건을 '지구에 묶인 자the Earthbound'라는 말로 표현했다. 온화한 지구환경과 조화를 이루며 살 것인지, 아니면 거칠게 요동치는 지구환경에 묶여 홀로세 이전처럼 생존에 급급하면서 살아갈 것인지 선택해야 한다는 것이다. 그러나 6차 대멸종의 가능성을 진지하게 받아들인다면, 이건 선택의 사안이 아닐 것이다. 전병옥

더 찾아보기

- 「인류 최악의 재앙, 기후변화」, 차이나는 클라스, https://youtu.be/ddU-LxY5uHk
- 「인류는 지구의 환경을 어떻게 바꾸어 놓았을까?」, YTN 사이언스, https://youtu.be/E8EAhg0v4_E

거대한 가속

'인류세Anthropocene'라는 용어는 21세기 벽두, 파울 크뤼천Paul J. Crutzen과 유진 스토머Eugene Stormer가 새 지질시대명으로서 제안하며 대중화된 것이다. (→ 홀로세와 인류세) 이들이 내세운 근거는, 인류가 산업혁명 이후 지구 시스템을 지나치게 변형했다는 것이었다.

그러나 이 문서를 제출했던 파울 크뤼천은 그 후 입장을 바꿔서는, 인류가 지구 시스템을 크게 변형하기 시작한 시점으로 2차 세계대전 이후를 꼽았다.

인류세라는 시대가 정말로 시작된 것이라면, 언제부터 시작되었다고 봐야 할까?*

'거대한 가속[대가속]Great Acceleration'은 이 질문에 대한 답변과 관련해 꼭 살펴봐야 하는 개념이다. 세계의 많은 연구자들은 20세기 중엽 이후 또는 1980년대 이후 (1)지구 시스템의 변화 (2)인류의

* 인류세의 시작점을 논의한 워킹 그룹의 결론은, 인류세가 1945년이나 1950년에 시작된 것으로 볼 수 있다는 것이었다. 이에 관해서는 Ian Angus, "Anthropocene Working Group: Yes, a New Epoch Has Begun," *Climate and Capitalism*, Jan 9, 2016을 참고하라. 그 준거지표로 제시된 것은 핵방사능 수치, 플라스틱과 석유화학제품 생산량 등이다.

지구 영향 (사회경제적) 활동, 이 두 가지 면에서 거대한 가속이 진행되었다고 말한다.

(1)지구 시스템의 변화라는 면에서 어떻게 거대한 가속이 진행되었다는 말일까? 우선, 1750~2010년의 이산화탄소, 메테인, 아산화질소(3대 온실가스) 세계 배출총량의 시기별 추이를 살펴보면, 1950년을 기점으로 기하급수적 증가 추세를 확인할 수 있다. 표면온도 역시 20세기 후반의 어느 시점(1950년 이후)에 기하급수적인 증가 추세를 보이고, 연안 지대로 이동한 질소 그리고 해양산성화의 경우에도 약 1950년을 기점으로 같은 추세를 보인다는 사실을 확인할 수 있다. 육상 생물종 수 감소나 열대우림 파괴라는 지표로 봐도, 1950~2010년의 감소 속도가 1750~1950년에 비해 압도적으로 높다.

(2)1750년 이래의 인류의 지구 영향(사회경제적 활동) 지표를 봐도 20세기 중엽 이후의 거대한 가속이라는 현실은 어렵지 않게 식별된다. 물 사용량, 기본 에너지 사용량, 비료 사용량, 도로를 달린 자동차의 숫자, 국가간(세계) 여행객의 숫자, 이 모든 것이 약 1950년을 기점으로 급증세를 보인다. 이보다 더 중요한 사실은, 이러한 추세와 실질 GDP 증가와 인구 증가 추세, 도시인구 증가 추세가 정확히 일치한다는 것이다.*

거대한 가속 경향을 드러내는 이러한 지표들 앞에서 우리는 어떤 결론을 내릴 수 있을까? 첫째, 에너지 · 자원의 과소비로 이어지는 특정 라이프스타일을 향유하며 살아가는 일부 인류의 수가

* Greta Thunberg et al, *The Climate Book*, Allen Lane, 2022, 34-35 참고.

20세기 중엽 이후 급증했다. 둘째, 수십 년 넘게 누적된, 이 특정 포유동물들의 집합적 활동의 결과 지구 안전 한계선 초과라는 사태가 발생했다.(→ 지구 안전 한계선)

그러나 이러한 결론보다 더 중요한 결론이 두 가지 더 있다. 그것은 첫째, 전 지구적 온난화라는 거대한 위협적 변화가 지구 시스템 전반의 취약화의 한 면모라는 것이다. 그렇다면 우리의 기후행동 방향은 온실가스를 대기권과 바다에서 최대의 효율로 제거하는 과업을 최우선시하는 탄소환원주의로 기울어서는 안 된다. 오히려 모든 기후행동은 지구 시스템의 안전성을 회복한다는 대과업의 일환으로서 생각되어야만 한다. 둘째, 기후변화 유발, 지구 안전 한계선 초과라는 사안과 관련해서 우리가 문제시해야 하는 대상은 단순히 인류 전체일 수도, 탄소 배출량이 더 높은 특정 집단일 수도 없다. 문제시되어야 하는 것, 직시되고 토론되어야 하는 것은 20세기 중엽 이래 주류가 돼온 생산주의적이고 성장주의적인 경제 그 자체다. 우석영

《거대한 가속The Great Acceleration》의 저자들인 J. R 맥닐McNeill과 피터 엥겔크Peter Engelke는 왜 '거대한 가속'이라고 불러야 하는지 설명하며 다음과 같은 지표를 제시한다.

- 1945년 이후 약 70년간의 이산화탄소 배출량은 인류 역사상 이산화탄소 배출량의 3/4을 차지함.
- 같은 기간 지구상의 자동차 수가 4천 만대에서 8억 5천 만대로 급증함.

- 같은 기간 지구상의 도시 인구는 7억 명에서 37억 명으로 급증함. 2015년의 플라스틱 생산량은 1950년의 생산량에 비해 300배임.
- 1945년 이후 합성질소(주로 비료용) 생산량이 400만 톤에서 8,500만 톤으로 증가함*

거대한 가속 시대의 특징은 '급속도'만은 아니다. 이 책의 저자들은 이 시대가 호모 사피엔스의 역사에서도 환경의 역사에서도 지구의 역사에서도 전례 없었고 앞으로도 출현하지 않을, 예외적이고 일시적인 시대였다고 말한다. 즉, "20만 년 이어진 우리 인간종과 생물권 간 관계사에서 가장 이례적이고 가장 평범하지 않은 시대"였다는 것이다.** 한마디로, 이들이 보기에 이 시대는 아노말anormal의 시대였다. 우리에게 필요한 성찰 대상은 다소 고색창연한 느낌으로 환기되는 18세기나 19세기라는 과거가 아니라 20세기 중엽 이래 사실상 단일한 시대인, 우리가 속해 있는 오늘의 시대인 셈이다. 우석영

* J. R. McNeill and Peter Engelke, *The Great Acceleration*, 2016, Kindle 98.

** J. R. McNeill and Peter Engelke, ibid., Kindle 103.

- J. R. McNeill · Peter Engelke, *The Great Acceleration*, Belknap Press, 2016.
- Greta Thunberg et al., *The Climate Book*, Allen Lane, 2022.

2부

기후위기 대응 행동

1장

전환의 큰 그림

1.5℃와 2℃ 사이

2015년 12월 파리에서 채택되고, 2016년 4월 뉴욕에서 서명된 '**파리 협정**Paris Agreement'은 2016년 11월 공식 발표되었다. 온실가스 감축 의무를 선진국에만 부과하던 기존의 **교토 의정서**Kyoto Protocol 체제를 넘어, 모든 국가가 자국 상황을 반영하고 참여하는 보편적 체제를 마련했다는 의의를 지닌다. 합의된 목표는 지구 평균온도 상승을 산업화 이전 대비 2℃보다 상당히 낮은 수준으로 유지하고, 가급적 1.5℃로 제한한다는 것이다.(→ UN기후변화협약과 파리 협정) 하지만 왜 하필 2℃와 1.5℃라는 목표치가 제시된 것일까?

이미 지구 평균온도가 산업화 이전 대비 1.1℃까지 오른 오늘날, 기후모델을 통해 제출된 미래 지구 평균온도 상승 예측 전망은 그 시나리오에 따라 극명하게 다르다. 최근의 전 세계 주요 기관 기후모델 예측치를 종합한 결과*는 탄소배출을 급격히 줄여 이번 세기 중반까지 탄소중립net-zero에 도달한다는 좋은 시나리오와 탄소배출을 지금처럼 계속 증가시킨다는 나쁜 시나리오 사이에 분명한 차이를 보인다. 좋은 시나리오의 경우, 지구 평균온도가 산업화 이전

* IPCC 6차 보고서에 포함된 기후모델의 미래 지구 평균온도 전망치에 근거함.

대비 1.5℃를 다소 초과한 후 2100년까지 1.5℃나 2℃ 아래에서 "건강하게" 유지된다. 반면, 나쁜 시나리오에서는 2℃를 초과하여 3℃, 4℃, 5℃ 끝없이 오르게 된다. 문제는 지구온난화 2℃ 수준을 초과하여 임계점tipping point*을 지나버리면 기후 시스템의 연쇄적인, 돌이킬 수 없는 변화가 진행된다는 점이다.

정확한 기후변화 임계점이 얼마인지는 누구도 확신할 수 없다. 하지만 고기후 자료와 기후모델에 근거한 최근 연구 결과는 잠재적 임계점 16가지** 중 그린란드 빙상 소멸, 서남극 빙상 붕괴, 영구동토층 소멸 등의 5가지는 이미 현재 1.1℃ 상승 수준에서도 지속되어 발생할 수 있을 것으로 보고 있다. 지구 평균온도 상승 추세가 멈추어도 해양과 빙권 등의 변화는 지속되며 임계점을 넘어갈 가능성이 있다는 말이다. 이 임계점을 넘어갈 위험성에 대한 신뢰도는 2℃ 수준의 지구온난화가 되면 높아지고, 2.5~4도 수준에서는 매우 높은 것으로 평가되고 있다. 2℃ 수준에 도달해서 임계점을 초과하는

* 대기, 해양, 대륙, 빙하 등으로 이루어진 지구의 기후는 이들의 복잡한 상호작용을 포함하는 여러 강제력의 균형에 의해 결정되는 하나의 시스템으로 볼 수 있음. 이 기후 시스템climate system은 온실가스 증가와 같은 외부 강제력에 따라 새로운 균형을 찾으며 점진적으로 변하지만, 어느 순간 임계점을 만나 균형이 무너지면 새로운 상태로 급격한 변화를 일으키게 됨. 마치 물이 99℃에서 100℃가 되는 순간 1℃만 변해도 끓기 시작하는 것처럼 급격한 상태 변화를 가져오기 시작하는 임계점을 특이점 혹은 티핑포인트tipping point라고 함.

** 과거 연구에서는 9가지로 꼽았으나 최근 연구에서는 1) 그린란드 빙상 붕괴, 2) 서남극 빙상 붕괴, 3) 라브라도해 대류 붕괴, 4) 동남극 빙하 분지 붕괴, 5) 아마존 열대우림 고사, 6) 영구동토층 북부 소멸, 7) 대서양 자오면 해양순환 중단, 8) 북극해 겨울철 해빙 소멸, 9) 동남극 빙상 붕괴, 10) 저위도 열대 산호 사멸, 11) 영구동토층 북부 돌발 해동, 12) 바렌츠해 해빙 돌발 소멸, 13) 산악 빙하 소멸, 14) 사헬과 서아프리카 몬순 전환, 15) 북부 산림(남부) 고사, 16) 북부 산림(북부) 확장의 16가지를 꼽고 있다.

상황이 도래하지 않도록 가능한 모든 노력을 기울여야만 하는 상황이다.

파리 협정을 통해 2℃보다 "현저히" 낮은 수준, 특히 1.5℃로 제한하려 했던 이유도 바로 그러한 임계점을 넘어서지 않도록 하기 위함이다. 그러나 과학자들의 기후모델 예측 전망은 과거와 달리 이미 1.5℃ 수준으로 제한하기가 매우 어렵게 되었음을 보여주고 있어 충격적이다. 즉, 탄소배출을 급격히 줄인다는 좋은 시나리오에서조차도 1.5℃ 수준의 지구온난화에 도달하는 것을 막기는 이제 거의 어렵게 되었다는 것이다. 그러나 나쁜 시나리오에서와 같이 완전히 돌이킬 수 없는 수준으로까지 치닫고 **기후붕괴**Climate Breakdown로 표현되는 디스토피아가 펼쳐지며 지구가 완전히 거주 불능 행성으로 돌변하는 상황만은 막고, 지구온난화 수준을 1.5℃와 2℃ 사이로 제한하여 2100년까지도 인류가 거주할 수 있는 환경으로 만들기 위한 노력이 바로 **2050년 탄소중립**Net-Zero에 도달하는 방식이다. 따라서 분명히 이 시나리오의 전망에서는 희망이 남아 있으므로 아직은 절대 포기할 때가 아님을 강조해야 한다. 지구 평균온도 상승이 1.5℃와 2℃ 사이에 진입하지 않은 바로 지금부터 급격한 탄소배출 감축 노력을 기울여야만 기후붕괴라는 디스토피아를 막을 수 있을 것이다.

좋은 시나리오에 맞게 탄소배출을 급격히 감축하려는 노력은 선택의 문제가 아니라 인류가 집단 자살을 원하는 것이 아닌 한, 곧바로 실천해야 마땅한 인류 전체의 절대적인 당면 과제이다. 물론 지금 당장 탄소 배출량을 급격히 감축해도 당분간은 그간 누적된 탄소배출에 따른 지구 평균온도 상승을 막을 수 없을 것이고, 그렇게 되면 기존 전망에 비해 10년 이상 당겨진 2030년 전후의 근미래에도 지구온난화 1.5℃ 수준에 도달할 수 있다. 수천만 명이 만성 기아에 직면하고, 수억에서 수십억 명에 이르는 사람들이 극단적인 자연재해에 시달리게 될 뿐만 아니라, 기후난민이 급증하고, 지구 곳곳이 인류의 거주가 아예 불가능한 환경으로 바뀌는 등의 암울한 사태가 머지않은 미래에 일어날 수도 있다. 그럼에도 지구 평균온도가 2℃ 수준까지 상승하지 않도록 하려면, 그리하여 지구와 인류의 회복능력마저 훼손하지 않으려면 지금 당장 탄소배출 감축 노력에 사활을 거는 것이 중요하다. 남성현

- 남성현, 《반드시 다가올 미래》, 포르체, 2022.
- 남성현, 《2도가 오르기 전에》, 애플북스, 2021.
- 남성현, 《위기의 지구, 물러설 곳 없는 인간》, 21세기북스, 2020.
- 다비드 넬스 · 크리스티안 제러, 강영옥 옮김, 《기후변화 ABC》, 동녘사이언스, 2021.
- 존 쿡, 홍소정 옮김, 《기후위기, 과학이 말하다》, 청송재, 2021.
- Gulev, S.K. et al., 2021: Changing State of the Climate System. In *Climate Change 2021: The Physical Science Basis. Contribution of Working Group I to the Sixth Assessment Report of the Intergovernmental Panel on Climate Change* [Masson-Delmotte, V. et al. (eds.)]. Cambridge University Press, 287–422, doi:10.1017/9781009157896.004.

UN기후변화협약과 파리 협정

UN 차원에서 기후변화에 대한 대응을 본격적으로 시작한 것은 1988년 세계기상기구WMO와 UN환경계획UNEP이 중심이 되어 **기후변화에 관한 정부간 협의체**(IPCC, International Panel on Climate Change)를 만들면서부터였다. IPCC는 세계 각국의 과학자와 연구자들의 모임으로 기후변화에 관한 과학적, 사회경제적 시스템을 평가하고 온실가스 감축과 기후적응 방안을 논의하는 기구이다. 2007년 미국의 전 부통령인 앨 고어Al Gore와 함께 노벨 평화상을 수상하기도 한 IPCC는 기후변화에 관한 지식을 축적하고 확대하기 위해 지금까지 6차례 평가보고서와 14차례 특별보고서를 발간했다.

IPCC가 보고서 발간과 과학적 사실 규명을 중심으로 활동을 한다면, 기후위기에 대응하는 실제적 행동에 관한 정부간 논의는 **UN기후변화협약**(UNFCCC, United Nations Framework Convention on Climate Change)를 중심으로 이루어져왔다.

1992년 브라질의 리우데자네이루에서 열린 UN환경개발회의UNCED에서 세계 각국은 '인간과 자연환경 보전, 경제개발의 양립'과 '환경적으로 건전하고 지속가능한 발전(ESSD)'를 주제로 환경보전의 원칙이 담긴 '리우 선언'을 비롯하여 '의제21', '생물다양성협약',

'사막화방지협약', '산림 원칙' 등을 채택했는데, 그 가운데 'UN기후변화협약'도 포함되어 있었다.

1992년 5월 채택되었고 1994년 3월 발효된 UN기후변화협약은 2023년 현재 198개 당사국Party이 참여하고 있다. 한국의 경우 협약 가입은 1993년 11월 국회 비준을 거쳐 1994년 3월부터 발효되었다.

UN기후변화협약은 인간이 지구 기후 시스템에 위험한 영향을 미치지 않을 수준으로 대기 중 온실가스 농도를 안정화하는 것을 목적으로 한다. 이 목적을 달성하기 위해 UN기후변화협약은 **'형평성**equity'과 **'공동의 그러나 차별화된 책임**(CBDR, Common But Differentiated Responsibilities)을 명기하고 있다. CBDR 원칙이라고 불리는 이 원칙은 기후위기 문제 해결과 관련해 선진국과 개발도상국의 책임과 문제 해결 능력에 차이가 있음을 인정한 매우 중요한 원칙이다. 온실가스를 배출하는 모든 국가가 기후위기에 책임이 있지만, 그 책임은 동일하지 않다는 것이다. 산업화를 먼저 이룬 국가일수록 더 큰 책임이 있고, 문제 해결 과정에서 각국이 기여할 수 있는 역량에 큰 차이가 있기 때문에 그에 맞는 책임을 각국에 다르게 부과해야 한다는 것이다.

1997년 체결된 교토 의정서는 선진국들의 역사적 배출 책임을 고려하여 당사국을 크게 세 부류의 국가군으로 분류했는데, 선진국들의 역사적 배출 책임을 고려한 조치였다. 경제협력개발기구OECD 회원국과 유럽경제공동체ECC, 러시아 연방 등 경제적 전환기 국가EIT를 묶은 부속서I국가, 부속서I국가 중 경제성장 이룬 국가들로 구성된 부속서II국가, 개발도상국과 최빈국을 포함해 부속서I에 포함되지 않은 국가들로 구성된 비非부속서I국가가 바로 그 세 국가군이다. 부속서 I과 II 에는 미국, 영국, 독일, 프랑스, 캐나다, 일본, 오스트레일리아, 오스트리아 등이 공통으로 포함되어 있고, 부속서 I에는 이와 별도로 러시아, 우크라이나, 카자흐스탄, 벨라루스 같은 국가들이 포함되어 있었다.

부속서I국가에는 온실가스 배출량을 1990년 수준으로 되돌린다는 목표가 부여되었고, 특히 경제성장을 많이 이룬 부속서II국가에는 개발도상국이 기후위기에 대응하는 과정에서 필요로 하는 재원과 기술을 지원할 의무가 부과되었다. 당시 한국은 OECD 가입국이 아니었기 때문에* 비부속서I국가로 분류되었다. 그러나 교토 의정서에서 명시된 이런 구분은 현재의 파리 협정 체계에서는 모든 당사국에 대한 의무로 바뀌었다.

UN기후변화협약은 매년 당사국 전체가 모이는 **당사국 총회**(COP, Conference of the Parties)를 개최한다. 1997년 일본 교토에서 열린 제3차 당사국총회에서 UN기후변화협약은 선진국들이 1990년 대비 평균 5.2% 수준으로 온실가스 배출량을 감축하자는 내용을 담은 '**교토 의정서**'를 채택했다. 교토 의정서는 이산화탄소 이외에도 메테인과 아산화질소 등 6개 물질을 감축해야 할 온실가스로 지정하고, 국가별 온실가스 감축 목표를 명확히 하는 등 이전보다 진전된 내용을 담고 있었다. 그런데 의정서 발효 이전인 2001년 미국이 먼저 탈

* 한국은 1996년 12월에 OECD에 정회원으로 가입했다.

퇴를 선언했고, 2011년에는 캐나다가 탈퇴했다. 이들 국가는, 중국과 인도처럼 현재 개발도상국이지만 온실가스 배출량이 많은 국가에 책임이 부여되지 않는 것에 대해 강한 불만을 표출했다. 1차 공약기간(2008~2012년)이 끝난 이후 정한 2차 공약기간(2013~2020년)에 일본, 러시아, 뉴질랜드 등이 불참을 선언했고, 그에 따라 반쪽짜리 의정서라는 비판을 받았다.

이런 한계를 극복하고자 2011년 남아프리카공화국 더반에서 열린 제17차 당사국 총회에서 당사국들은 2020년 이후 적용될 새로운 온실가스 감축 체제를 2015년까지 완료하기로 합의했다. '더반 플랫폼'이라고 불리는 이 합의에 따라 2015년까지 당사국 간 협상이 추진되었다. 결국 2015년 프랑스 파리에서 열린 제21차 당사국총회에서 역사적인 '**파리 협정**Paris Agreement'이 채택됨에 따라 기존 교토 의정서를 대체하는 새로운 온실가스 감축 체제가 구성되었다.

교토 의정서와 파리 협정의 가장 큰 차이는 선진국들에만 감축 목표를 지정하는 방식이 아니라, 모든 당사국이 지구 평균온도를 산업화 이전 대비 "2℃ 이하로 유지하고 1.5℃까지 제한하기 위해 노력한다"는 내용의 '1.5℃ 목표'를 지키기 위한 국가 의무를 진다는 점이다. '1.5℃ 목표'를 지키기 위해 각 당사국은 **국가기여목표[국가온실가스감축목표]**(NDC, Nationally Determined Contribution)를 제출해야 한다. 즉 파리 협정 목표를 지키기 위해 온실가스 감축, 적응, 재원, 기술, 역량배양, 투명성 등 6가지 분야에서 어떤 행동을 할 것인지를 약속하는 것이다. 각국이 제출하는 NDC는 2020년을 기준으로 5년마다 갱신되며, 한번 제출된 NDC는 '진전의 원칙'에 따라 후퇴할 수 없다는 내용도 파리 협정에 포함되었다.

UN기후변화협약 당사국 총회는 당사국의 만장일치를 원칙으로 회의가 진행된다. 당사국 총회가 끝날 때마다 합의문을 채택하는데, 다양한 국가의 이해관계가 얽혀 있는 기후 문제의 특징상 논의 과정은 더딜 수밖에 없다. 대표적인 것이 2021년 영국 글래스고에서 열린 제26차 당사국총회에서 채택된 '글래스고 기후합의Glasgow Climate Pact'이다. 온실가스 주요 배출원으로 지목되는 석탄화력발전소와 화석연료에 대한 보조금을 줄이는 것과 관련해서 합의문에 '단계적 감축 phase down'을 넣을지 '단계적 퇴출 phase out'을 넣을지라는 사안을 두고 회의 날짜를 연장해가며 회의를 거듭했다. 초안에는 '단계적 퇴출'이 제출되었으나, 인도와 중국 등 개발도상국들은 선진국들의 전폭적인 지원이 없는 상황에서 석탄발전을 지속할 수밖에 없는 자국의 현실을 언급하며 '단계적 감축'을 주장했다. 결국 '단계적 감축'이란 단어가 포함된 합의문이 채택되면서 당사국 총회 의장은 부실한 합의문에 대해 사과하는 일이 벌어지기도 했다. 점차 심각해지는 기후위기이지만, 정작 국제사회의 논의는 이렇게 더디게 진행된다. 이헌석

- 환경부, 《파리 협정 함께 보기》, 2022.
- UN기후변화협약 http://unfccc.int/
- 법제처 세계법제정보센터 http://world.moleg.go.kr/

탄소중립과 탄소예산

탄소중립Carbon Neutrality 혹은 **기후중립**이란 기후위기를 막기 위해 온실가스 순 배출량을 '0'으로 만드는 것을 말한다. **순 배출량**Net emission을 '0'으로 만든다는 의미에서 '**넷제로**Net zero'라고 부르기도 한다. 엄밀하게 말해 온실가스에는 아산화질소나 육불화황처럼 탄소를 포함하지 않은 물질도 있다. 그러므로 탄소 순 배출을 '0'으로 만든다고 할지라도 온실가스 배출량은 있을 수 있다. 따라서 탄소중립이라는 말보다는 기후중립이라는 말이 더 정확한 표현이지만, 흔히 탄소중립과 기후중립이라는 말은 같은 용어로 취급된다.

탄소중립이란 용어가 국내에 알려진 것은 얼마 되지 않았지만, 《옥스퍼드 미국 영어사전New Oxford American Dictionary》 '2006년 올해의 단어'로 '탄소중립Carbon Neutrality'이 선정될 정도로 영어권에서는 널리 사용되던 표현이다.

이처럼 탄소중립이란 단어가 널리 사용된 것은 기후위기를 막기 위해 온실가스 배출량을 감축하는 일이 매우 중요하기 때문이다. 이를 위해서는 화석연료 사용이나 주요 온실가스 배출원의 배출량을 줄이는 행동이 절대적으로 중요하다.

파리 협정 체결에 따라 IPCC는 2018년, 1.5℃ 목표 달성을 위한 방안을 담은 〈1.5℃ 특별보고서〉를 채택했다. 이 보고서에 따르면, 금세기 말까지 지구 평균온도 상승 폭을 산업화 이전 대비 1.5℃ 이내로 제한하기 위해서는 2030년까지 이산화탄소 배출량을 2010년 대비 최소 45% 이상 감축해야 하며, 2050년까지 전 지구적인 이산화탄소 순 배출량은 '0'이 되어야 한다. 참고로 순 배출량은 총배출량에서 흡수량을 뺀 온실가스양으로 계산된다.

총 배출량이 아니라 순 배출량을 기준으로 삼은 것은, 곡물 생산이나 폐기물 처분 과정처럼 필수적 인간 활동을 통해 발생하는 온실가스도 있고, 반대로 인간의 여러 감축 활동이나 자연력으로 인해 온실가스가 흡수되는 경우도 있기 때문이다.

대표적인 온실가스 흡수원은 토양(흙)의 식물이나 바다이다. 식물의 광합성으로 인해 많은 양의 탄소가 흡수원에 저장되기도 하고, 반대로 산림을 개간하거나 화전火田처럼 경작을 위해 논밭을 불태우는 경우 많은 양의 탄소가 대기 중에 배출되기도 한다. UN기후변화협약에서는 토지 이용Land Use, 토지용도 변경Land-Use Change, 임업Forestry에 따른 온실가스 배출 · 흡수량을 매년 보고하도록 하고 있다. 이 분야는 이들의 머리글자를 따서 LULUCF라고 부른다. LULUCF에서 다루는 토지는 산림지, 경작지, 초지, 습지, 주거지, 기타 토지 등 6가지로 분류된다.

흡수원은 토지 이용과 관련한 것 이외에도 **탄소 포집 · 활용 · 저장**(CCUS, Carbon Capture, Utilization, and Storage) 기술 같은 것도 있다. 이는 공장의 굴뚝처럼 이산화탄소가 배출되는 곳에 포집 장치를 설치해 탄소를 포집한 후, 포집한 탄소를 다른 물질로 바꿔 이용하거나 과거 유전 · 가스전으로 사용하던 곳에 묻어버리는 기술을 의미한다. CCUS가 기후위기를 막을 수 있는 기술인지에 대해서는 논란이 많다. 화석연료를 그대로 사용하면서도 온실가스를 줄일 수 있다는 점에서 CCUS는 많은 장점이 있지만, 탄소 포집과 이용 · 저장 기술이 너무 비싼 데다 오랫동안 대기 중의 온실가스를 보관할 수 있는 안정성이 확보되지 않았기 때문이다. 큰 비용과 시간을 재생에너지 전환에 쏟기보다 기존 화석연료 사용에 투입함으로써 오히려 탄소중립을 막고 있다는 비판도 적지 않다.(→ 탈탄소 기술혁신)

1997년 채택된 교토 의정서가 명확한 수치상의 목표 없이 선진국들에만 감축 의무를 부과한 것이라면, 파리 협정은 지구 평균온도 상승 폭 '1.5℃ 이내'라는 세계 공통의 수치상 목표를 명시하고 있다. 이 목표를 달성하기 위해서는 단순히 2050년 탄소중립을 실현한다는 목표만이 아니라 2050년까지 실제로 온실가스 감축을 어떤 경로로 실천할지, 그 감축 경로가 중요하다. 이런 의미에서 IPCC는 2030년까지의 목표를 함께 제시했고, 이를 더 세밀하게 규정한 것이 **탄소예산**Carbon Budget이다.

탄소예산이란 지구온난화 억제 목표까지 남은, 인류에게 배출이 허용된 탄소 배출총량을 의미한다. 지구온난화 억제 목표에 이르기 위해 배출 가능한 온실가스 배출량에서 산업화 이후 지금까지 배출된 온실가스 누적 배출량을 빼면 탄소예산을 구할 수 있다. 지구상 온실가스 양에 따른 지구온난화 정도가 분석 모델에 따라 다르기 때문에 탄소예산 계산 결과 역시 연구기관마다 조금씩 차이가 있다. 하지만 인류가 줄여야 할 온실가스의 양이나 감축 속도를 명확히 보여주는 효과가 있다.

전 세계 18개국 80개 단체가 모인 글로벌 탄소 프로젝트GCP가 추정한 〈글로벌 탄소예산 2022〉 보고서에 따르면, 1.5℃ 목표에 따른 탄소예산은 3,800억 이산화탄소 톤으로 추정된다. 2022년 전 세계 이산화탄소 배출량이 406억 이산화탄소 톤이었으므로 단순 계산하면 현재와 같은 수준의 온실가스 배출이 계속된다면, 지구 평균온도 1.5℃에 이르는 시간은 채 10년도 남지 않은 것이다.[*] 탄소예산은 인류에게 남은 시간을 말해준다.

탄소예산은 우리가 어떤 경로로 온실가스 배출량을 줄일 것인지에 관한 지표이기도 하다. 앞으로 10년간 현재처럼 온실가스를 배출하다가 10년 뒤 갑자기 온실가스 배출량을 '0'으로 만들 수는 없을 것이다. 2050년 온실가스 배출량을 '0'으로 놓고 현재 배출량 (연간 406억 이산화탄소 톤)을 점차 줄이는 계획을 세운다면, 매년 약 14억 이산화탄소 톤씩 줄여가면 된다. 이 양은 2020년 코로나19로 온실가스 배출이 급감했던 시기의 양과 비슷하다. 즉 코로나19 당시 외출을 삼가고 회사와 공장, 학교가 멈추던 상황을 27년간 지속해야 하는 상황이다. 다소 절망적일 수 있으나, 이와 같은 숫자는 현재와 같은 화석연료 중심의 사회 시스템을 그대로 둔 채 '절약'하는 수준으로 기후위기를 극복할 수는 없다는 것을 역설적으로 보여준다. 아무리 우리가 아낀다 해도 코로나19가 극심하던 상황처럼 극단적인 '절약'은 할 수 없을 것이기 때문이다. 과감히 화석연료를 퇴출하고 전 사회적으

* https://www.globalcarbonproject.org/carbonbudget

로 에너지 사용을 획기적으로 줄이기 위해 새로운 사회·경제 시스템과 문화를 창출하지 않는 한, 탄소중립은 '공염불'에 불과하다는 점을 탄소예산은 잘 말해준다. **이헌석**

더 찾아보기

- IPCC, <Global Warming of 1.5°C : Summary for Policymakers>, 2018
- Global Carbon Budget https://www.globalcarbonproject.org/carbonbudget/
- Carbon Action Tracker https://climateactiontracker.org/

그린뉴딜

그린뉴딜Green New Deal이란 기후위기와 불평등 문제를 해결하기 위한 일련의 포괄적 정책을 말한다. 1930년대 미국 루스벨트 대통령이 추진한 '뉴딜New Deal'이란 단어와 기후위기와 환경 문제 해결을 상징하는 '그린Green'이 합쳐진 그린뉴딜은 미국의 언론인 토머스 프리드먼Thomas Friedman이 2007년 처음 사용한 말로 알려져 있다. 그는 《코드 그린》이란 책을 통해 에너지와 자원의 수요 증가, 석유 자본의 증가, 온실가스 증가, 에너지 빈곤과 수많은 동식물 멸종에 맞서 에너지 산업에 대한 투자를 늘리고 일자리를 창출하는 등 적극적인 정책이 필요하다는 점을 강조했다. 특히 전통적인 제조업이나 서비스업, IT 산업보다 에너지 기술 산업이 향후 주력산업이 될 것이라 전망하면서 정부가 이에 대해 적극적인 정책을 펼쳐야 한다고 주장했다.

오바마 대통령이 추진한 '미국 경기회복 및 재투자법(American Recover and Reinvestment Act)'이 대표적이다. 이 법은 일자리 창출과 국민건강 향상, 교육환경 개선, 사회기반시설 확충, 미래 청정에너지 기술 확충 등을 위한 법으로 7,870억 달러 규모의 자금을 지원했다. 이 중에는 전력망 현대화, 지능형 전력망(Smart Grid) 신설,

에너지 효율 지원, 철도와 대중교통 투자, 전기자동차 지원, 저소득층 주택 리모델링 지원, 재생에너지 연구 등이 포함되어 있다.

그린뉴딜은 환경 보전이나 이를 위한 규제 정책 중심의 기후·환경 정책과 분명히 다른 흐름을 보인다. 에너지 효율 향상이나 재생에너지·전기차 지원은 기후위기 해결 문제와 맞닿아 있지만, 특정 산업 부문이나 기업에 대한 지원책으로 연결될 수밖에 없기 때문이다. 태양광·풍력 발전 건설 지원 사업은 기존 화석연료 사용을 줄이기 위해 꼭 필요하고 녹색 일자리를 만드는 일이기도 하지만, 결국 해당 기업에 보조금을 주는 형태로 정책이 추진되게 된다. 하지만 기후위기 문제의 특성상 기존 화석연료·에너지 다소비 업종을 없애는 것만으로 문제가 해결되지는 않는다. 단순히 기존의 것을 없애는 것뿐만 아니라, 새로운 것으로 '전환'하는 노력이 함께 이뤄져야 한다. 또한 이 사안은 단순히 개인의 실천 수준에서 해결할 수 있는 문제가 아니라 산업이나 시스템을 바꾸는 영역까지 연결된 사안이다. 이런 상황에서 그린뉴딜이 단순히 산업이나 기업 지원 정책으로 머무르지 않기 위해서는 정책 목표와 추진 주체가 명확해야 한다. 그렇지 않으면 기후위기나 환경 문제 해결과 무관한 정책으로 변질될 수 있다.

미국 그린뉴딜 정책의 영향을 받아 우리나라 이명박 정부에서 추진했던 '저탄소 녹색성장' 정책은 이러한 변질의 실상을 보여준다. 이명박 대통령은 2008년 광복절 축사를 통해 과거 1, 2차 석유파동 같은 위기가 산업고도화와 대외 개방의 촉매가 되었다고 평가하고, 당시 고유가 상황에서 경제 체질을 바꾸고 기후변화에도 대응하는 신성장 동력으로 만들어야 한다며 '저탄소 녹색성장' 정책 추진을 선언했다. 이명박 대통령은 녹색성장을 온실가스와 환경오염을 줄이는 지속가능한 성장이자, 녹색기술과 청정에너지로 신성장동력과 일자리를 창출하는 신 국가발전 패러다임이라고 소개했다. 하지만 이명박 정부 동안 온실가스 배출량은 전혀 줄지 않았다. 정부가 목표로 했던 '2030 온실가스 감축 로드맵'이 있었으나, 이명박 정부 마지막 해였던 2012년, 온실가스 배출량은 정부 목표치보다 4.5%나 많았다. 이는 명목상 온실가스 감축을 목표로 내걸고 있으나, 실제로는 4대강 사업 같은 토건 사업이 정책사업의 큰 비중을 차지하고 있었고, 온실가스 저감이라는 원칙에도 불구하고 석탄이나 LNG 화력 발전소 추가 건설 계획이 계속 추진되었기 때문이다.

이후 2015년 파리 협정(→ UN기후변화협약과 파리 협정)이 채택되고, 국가 단위의 적극적 행동이 강조되자 그린뉴딜 정책은 다시 부각되었다. 여기에는 청년기후단체인 '선라이즈 무브먼트Sunrise Movement'처럼 그린뉴딜 정책을 실현하기 위해 정치인들에게 직접적인 압력을 강하는 적극적인 기후운동 힘도 크게 작용했다. 2019년 2월, 미국 의회에는 최연소 하원의원인 알렉산드리아 오카시오-코르테즈Alexandria Ocasio-Cortez를 비롯해 상·하원 의원 73명이 서명한 '그린뉴딜 결의안'이 제출되었다. 이 결의안에는 IPCC 1.5℃ 특별보고서에서 다룬 기후위기 대응의 시급성과 함께, 미국 사회의 경제적 불평등과 차별을 해결하는 방안이 제시되어야 한다는 내용이 포함되어 있다. 이를 위해 향후 10년간 기후재난 대응 인프라 구축, 재생에너지를 통한 100% 전력 생산, 모든 건물의 에너지 효율 향상, 산업공정에서의 오염과 온실가스 배출 방지, 대중교통 확충과 내연기관차 전환, 생태계 복원, 기존 유해 폐기물 정화 등의 총 14개 주요 프로젝트가 제안되었다. 이 결의안은 상원에서 부결되었지만, 2020년 미국 대통령 선거를 앞두고 큰 반향을 일으켰다. 민주당 대선 후보 경선 과정에서 버니 샌더스Bernie Sanders 후보는 2030년까지 전력과 교통 부문 에너지를 재생에너지로 100% 전환하고 건물에서의 화석연료 사용 중단 등을 위해 15년간 16.3조 달러를 투입하겠다고 밝혔다. 조 바이든 후보도 2050년 탄소중립을 위해 2035년까지 1.7조 달러 투입 계획을 밝히는 등 각 후보 간 그린뉴딜 정책 경쟁이 촉진되었다.

이런 흐름은 바이든 행정부 출범 이후에도 이어져 트럼프 행정부 당시 탈퇴한 파리기후변화협정 재가입, 2050년까지 탄소중립 선언 등이 이어졌다. 2022년에는 인플레이션 감축법(IRA)을 통해 에너지 안보와 기후변화 대응에 약 3,690억 달러를 투자하는 정책을 추진하기 시작했다. 2030년까지 온실가스 40% 감축이라는 목표를 위해 추진되는 이 법안에는 전기차와 재생에너지 설비 등 친환경 생산에 세제 혜택과 보조금을 지급한다는 내용이 있다. 특히 자국내 생산·고용 여부에 따라 보조금을 차등 지급하는 등 일자리 확충을 위한 내용도 포함되어 있다.

그린뉴딜의 흐름은 유럽에서도 급격히 확산하여 2019년 12월, EU 집행위원회는 'the European Green Deal' 정책을 공표했고 여기에는 '2050년 유럽 탄소중립 선언'이 포함되었다. 이후 EU 집행위원회는 유럽 그린딜 투자계획과 정의로운 전환 체계, 유럽 기후법, 2030년까지 탄소배출량을 1990년 대비 55%로 만들기 위한 14개 법안 패키지인 'Fit for 55', 러시아 천연가스 위기와 고유가 극복을 위한 'RePower EU', 산업 전환을 위한 '그린딜 산업 전환' 계획 등을 발표했다.

국내에서는 2020년 문재인 대통령이 '한국판 그린뉴딜' 정책을 발표했다. 기후변화 대응 강화와 친환경 경제 구현을 목표로 녹색 인프라와 재생에너지 투자, 녹색산업 육성에 총 73.4조 원을 투자해 약 66만 개의 일자리를 창출하겠다고 밝혔다. 하지만 과거 이명박 정부의 '저탄소 녹색성장' 계획처럼 탄소중립을 위한 장기 목표가 명확하지 않고, 자동차와 수소 등 일부 산업계에 대한 지원책이 대부분이어서 산업 시스템을 바꾼다는 그린뉴딜의 비전과는 동떨어진 것이었다. 2022년 윤석열 정부가 들어서면서 이전 정부에서 세운 계획마저 사라져 실효성 있는 정책으로 평가되기에는 어려워 보인다. 이헌석

더 찾아보기

- 제러미 리프킨, 안진환 옮김, 《글로벌 그린뉴딜》, 민음사, 2020.
- 놈 촘스키 · 로버트 폴린, 이종민 옮김, 《기후위기와 글로벌 그린뉴딜》, 현암사, 2021.

기후정의/정의로운 전환

기후위기 이슈와 관련해 어쩌면 가장 상식적이지만 지금까지는 소홀히 다뤄졌던 질문 두 가지는 다음과 같다. 지금과 같이 기후위기가 심각해지는 데 누가 가장 많은 책임이 있을까? 그리고 기후위기가 발생하면 누가 가장 많은 피해를 입을까?

이 두 가지 질문에 대한 답변은 그런데 이미 나와 있다. 기후위기의 직접 원인인 온실가스를 많이 배출하는 것은 부유한 국가들이거나 부유층이지만, 실제로 기후위기로 인해 가장 큰 피해를 보는 것은 온실가스 배출 책임이 가장 적은 빈곤국가들이거나 서민들이라는 답변이다. 기후 문제에 대한 책임이 제일 적은 국가나 사회집단이 기후 문제로 인한 피해를 제일 크게 입는 현실을 '기후 부정의'라고 한다. 따라서 기후위기에 더 책임이 있는 선진국이나 부유층이 기후위기 해결에 더 많은 역할을 해야 하며, 책임이 적은 개발도상국이나 서민들이 기후위기로 인한 피해를 입지 않도록 일정한 개입이 필요하다고 기후정의론자들은 말한다.

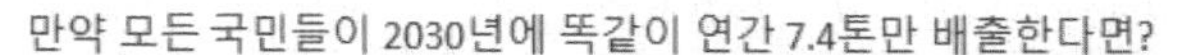

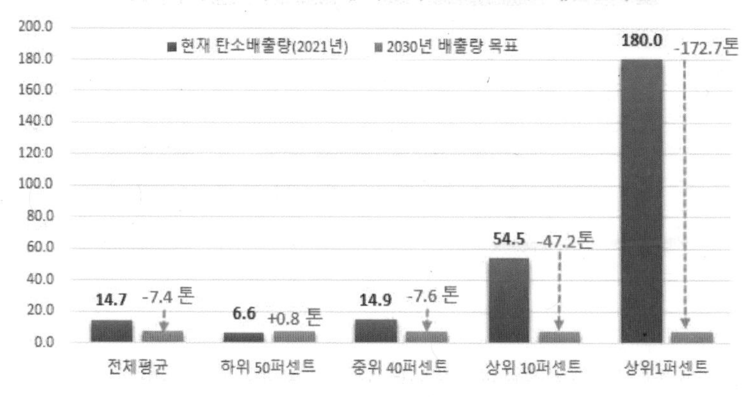

한국인 탄소 배출 불평등과 2030년까지 평등한 수준으로 배출할 경우
[출처] Chancel, Lucas·Piketty, Thomas et al. 2021

예를 들어보자. 프랑스 불평등 연구 경제학자 뤼카 샹셀Lucas Chancel과 토마 피케티Thomas Piketty가 조사한 <세계불평등 보고서 2022>에 따르면, 한국인 1인은 연간 평균 14.7톤의 탄소를 배출하는데, 그중에서 소득 하위 50%는 고작 6.6톤밖에 배출하지 않는다. 반면 상위 1%는 무려 180톤을 배출한다. 만약 2030년까지 국가 전체에서 탄소 배출을 절반으로 감축하자고 한다면, 국민 1인당 평균 약 7.4톤까지 감축하면 될 것이다.* 그런데 이미 현재 소득 하위 절반의 연간 탄소 배출량은 6.6톤에 불과해 2030년 목표보다도 적다. 더 줄일 필요가 없다는 뜻이다. 반면 상위 1%는 180톤을 배출하므로 무려 95.8%에 해당하는 172.7톤을 감축해야 하고 상위 10% 역시 86.2%에 해당하는 47.2톤을 감축해야 한다. 이처럼 기후대응을 정의롭게 원

* 김병권, 《기후를 위한 경제학》, 착한책가게, 2023.

칙대로 하자면 국민 모두가 1/N로 책임지는 것이 아니라 더 많이 오염을 일으킨 집단이 더 많이 책임을 져야 한다.

한편, 정의로운 전환Just Transition은 주로 석탄산업 등 탄소집약적인 산업을 폐쇄하는 데 따른 노동자들의 일자리 불안정을 해결하기 위해 '기후대응과 일자리를 동시에 해결'하자는 취지에서 노동조합이 채택한 전략이었다. 예를 들어, 기후대응을 위해 석탄화력발전소를 폐쇄하는 등 탄소집약적 산업을 줄이고 녹색산업으로의 전환을 추진한다고 생각해보자. 이때 폐쇄되는 발전소에서 일하는 노동자들은 일자리를 잃고 생계위협에 처할 수 있다. 따라서 기후대응을 위한 녹색전환이 노동자들의 희생 위에서가 아니라 노동자들의 삶과 고용을 보장하면서 이뤄지도록 사회가 적극적으로 역할을 해야 한다는 것이 정의로운 전환의 취지였다.

하지만 최근에 와서는 정의로운 전환이 특정 기업이나 노동조합의 울타리를 넘어서 지역사회, 또는 더 나아가서 전 사회적 범위에서 기후대응과 불평등 해소, 지속가능한 사회 실현과 정의로운 사회 실현을 어떻게 교차시켜 나갈 것인지라는 사안으로 확장되고 있다. 예를 들어보자. 석탄화력발전소가 폐쇄될 경우, 발전소 노동자들 뿐만 아니라 발전소가 자리한 지역사회도 큰 피해를 입는다. 특히 지역 주민들의 의사를 묻지 않고 일방적으로 화력발전소 폐쇄를 강행하거나 태양광, 풍력 발전을 신설할 경우, 심각한 주민 갈등에 직면하는 사례가 발생할 수 있다. 이 경우, 전환과정 결정 과정에의 주민 참여는 정의로운 전환을 위한 중요 과제가 될 것이다.

이와 같은 맥락에서 캐나다 출신의 저널리스트이자 기후

활동가인 나오미 클라인Naomi Klein은 최근 정의로운 전환의 원칙을 다음 5가지로 압축하여 예시했는데, 정의로운 전환이 무엇을 뜻하는지를 쉽게 알 수 있게 해준다.

(1) 재생에너지 분산성 특징에 맞게 다양한 소유 형태로 전환하는 '**에너지 민주주의**energy democracy' 원칙

(2) 전환 과정에서 피해를 입을 수 있는 현장 지역 주민들과 공동체들을 최우선으로 고려하는 '**최전선 공동체 우선**front line first' 원칙

(3) 탄소집중도가 낮고 삶을 위해 필수적인 돌봄 일자리를 위해 더 많이 투자하고 생활임금을 보장해주는 '돌봄 일자리가 곧 기후 일자리care work is climate work'라는 원칙

(4) 기존 탄소집약적 산업의 축소로 인한 일자리 상실과 생존 위협에 대해 확실히 책임을 지는 '한 사람의 노동자도 뒤쳐지지 않게 no worker left behind' 배려하는 원칙

(5) 전환 과정에 소요되는 막대한 재정을 오염자와 과소비자들이 부담하는 '**오염자 부담**polluter pays' 원칙*

김병권

* 그레타 툰베리, 이순희 옮김, 《기후책》, 김영사, 2023.

- 기후정의포럼, 《기후정의선언 2021》, 한티재, 2021.
- 뤼카 샹셀, 이세진 옮김, 《지속불가능한 불평등》, 니케북스, 2023.
- 그레타 툰베리, 이순희 옮김, 《기후책》, 김영사, 2023.

엔트로피와 경제

엔트로피Entropy는 낯설지 않은 용어이지만, 평범한 이들이 그 정확한 의미를 알기 어려운 모호한 물리학 용어로 알려져 있다. 그런데 물리학에서 사용하는 엔트로피 개념이 어떻게 경제와 관련되고, 더욱이 기후위기 해법과 연결될 수 있단 말인가?

엔트로피라는 물리량 개념은 원래 19세기 초반에 증기기관이 막 발명되어 활용되기 시작했던 시대에 나왔다. 정확히는 증기기관이라는 열역학 엔진의 효율을 높이려는 시도들의 연장선에서 나왔으니, 그 역사가 무려 200년 가깝게 된다.

1865년 독일 물리학자 루돌프 클라우지우스Rudolf Clausius가 열역학 관점에서 이 개념을 처음으로 정의했다. 클라우지우스는 (열역학 제1법칙에 따라 에너지는 형태만 바뀔 뿐 생기거나 사라지지 않지만) 자연 상태에서는 항상 **가용 에너지[자유 에너지]**Free Energy가 더는 사용할 수 없는 불가용 에너지로 흩어지고, 열은 높은 곳에서 낮은 곳으로만 흐를 뿐 반대 방향으로는 가지 않는다는 사실 역시 확인할 수 있었다. 그는 이를 **열역학 제2법칙** 또는 **엔트로피 법칙**이라고 명명했다. 이후 오스트리아 물리학자 루트비히 볼츠만Ludwig Eduard Boltzmann이 1877년에 통계역학으로 엔트로피를 다시 정의한다. 그의 묘비명에 새겨진 그의 엔트로피 공식은 다음과 같다.

엔트로피(S) = k logW

(k:볼츠만 상수, W:계의 거시상태에 대응하는 미시상태의 수)

간단히 말하자면 일정한 거시상태를 갖는 계System 안에서, 미시상태의 분자들이 자유롭게 재배열될 확률이 낮으면 엔트로피가 낮고, 반대로 그것들이 자유롭게 재배열될 확률이 높으면 엔트로피가 높다는 것이다. 마치 청소를 하지 않은 채 방을 계속 사용하면 자연스럽게 어질러질 확률이 매우 높은 것처럼, "고엔트로피 상태에서 가능한 배열의 수는 저엔트로피 상태의 배열 수보다 압도적으로 많기 때문에, 분자들이 무작위로 움직이다 보면 엔트로피가 높은 상태로 이동하게 된다. 이 변화는 엔트로피가 최대치에 도달할 때까지 계속된다."*

이 법칙은 중요하고 뒤흔들 수 없는 것으로 생각되었다. 아인슈타인은 이 법칙을 "기본 개념의 적용 범위 내에서 결단코 전복되지 않을 것이라고 내가 확신하는, 보편적인 내용을 갖춘 유일한 물리 이론"이라고까지 했다. 또한 영국의 천문학자 아서 에딩턴Arthur Stanley Eddington 역시 1928년 "엔트로피가 항상 증가한다는 열역학 제2법칙은 모든 물리학 법칙에 우선한다"고 강조할 만큼 엔트로피 법

* 브라이언 그린, 박병철 옮김, 《엔드 오브 타임》, 와이즈베리, 2021.

칙은 저명한 물리학자들로부터 탄탄한 지지를 받고 있다.*

이제 경제학과 엔트로피를 연결해보자. 엔트로피 법칙을 경제과정에 적용한 것은 니콜라스 로겐Nicolas Georgescu-Roegen이라는 경제학자다. 로겐은 1971년 《엔트로피와 경제The Entropy Law and the Economic Process》라는 기념비적인 저서를 출판하면서 무한한 경제성장이 엔트로피 법칙에 의해 제한될 수밖에 없다는 생각을 대중에게 알리게 된다. 그는 유용한 에너지와 그렇지 않은 에너지에 대한 물리학적 설명을 담고 있는 엔트로피 법칙이 어떤 의미에서 보면 '경제적 가치에 관한 물리학'이라고 주장했다.

엔트로피 법칙을 물리학 영역이 아니라 경제 영역으로 가지고 오면 어떤 점을 새롭게 설명할 수 있을까? 지금까지 경제가 생산과 소비의 무한순환을 반복하며 무한성장할 수 있다는 가정이 일거에 무너질 수 있다. 엔트로피 이론에 따르면, 생산과 소비활동이 반복되면서 지구 위의 유용한 에너지는 점점 더 사용하기 어려운 에너지가 되어 흩어지고, 활용도 높은 자원들은 점점 더 활용도가 떨어지는 폐기물이나 오염물질로 전환된다. 닫힌계closed system인 지구 시스템 안에서 인류가 문명 발전을 추구하기 위해 물질적 경제활동을 확대하면 할수록 지구는 점점 더 무질서한 상태로 '퇴화'한다는 역설에 직면한다는 것이다.

로겐은 우주 전체에 걸쳐 적용되는 엔트로피 법칙을 경제에 끌어들여서 인간 경제가 결국은 유한한 닫힌계인 지구 시스템에

* 김병권, 《기후를 위한 경제학》, 착한책가게, 2023.

의해 제한될 수밖에 없고, 미래의 인간 경제는 최종적으로 태양에너지를 활용하는 수준에 의존하게 될 것이라고 전망했다. 하지만 불행하게도 무한 경제성장의 불가능성을 근원적으로 입증할 근거로 사용될 수 있었던 그의 엔트로피 경제학은 학계나 정책 분야에서 주류를 이루고 있던 학자들에 의해 철저히 무시되었다.

생태경제학자 허먼 데일리Herman Daly는 엔트로피 개념이 경제학에 들어오면 어떤 충격이 벌어질지 다음과 같이 적절하게 묘사한다. "엔트로피 개념은 트로이의 목마다. 일단 두꺼운 경제학 교과서 안으로 들어가는 게 허용되면, 그 함의 속에 들어있는 숨은 군대가 책의 거의 모든 부분을 공격한다." 예를 들어, 경제학원론 맨 앞의 경제순환 모형은 "경제적 과정을 기업에서 가계로 이어지는 고립된 순환의 연속인 것으로 생각하게 만드는 단선적 세계상을 전달한다. 여기에는 유지와 재충전이 내부적으로 이뤄지는 것처럼 보인다. 즉, 환경에 의존할 필요가 없는 듯하다. 이것은 마치 생물학 교과서가 동물 연구를 제시할 때, 소화기관은 전혀 언급하지 않고 순환계만으로 설명할 수 있다고 하는 것이나 마찬가지다. 소화계는 없고 순환계만 있는 동물은 영구기관인 셈이다." 이러한 "경제순환은 이론적으로 영원히 성장할 수 있다. 추상적인 교환가치가 물질적 차원을 가지고 있지 않기 때문이다. 그러나 엔트로피 흐름 속의 성장은 고갈, 오염, 생태적 훼손이라는 물질적 장벽에 부딪힌다."*

* 허먼 데일리, 박형준 옮김, 《성장을 넘어서—지속가능한 발전의 경제학》, 열린책들, 2016.

유한한 지구 위에서 무한 성장이 불가능하다는 직관을 물리학의 엔트로피 법칙으로 설명해낸 로겐의 주장은 1989년 생태경제학이라는 독립적인 학문분과가 만들어지는 데 중요한 기여를 했다. 최근에 주목을 받고 있는 탈성장론 주창자들도 자신들의 이론적 기초가 로겐의 엔트로피 경제이론이라고 밝히고 있다. 그만큼 로겐의 엔트로피 경제학은 기후위기 시대에 새롭게 주목받고 있다. 김병권

더 찾아보기

- 니콜라스 게오르게스쿠-뢰겐, 김학진 · 유종일 옮김, 《엔트로피와 경제》, 한울, 2017.
- 브라이언 그린, 박병철 옮김, 《엔드 오브 타임》, 와이즈베리, 2021.
- 허먼 데일리, 박형준 옮김, 《성장을 넘어서—지속가능한 발전의 경제학》, 열린책들, 2016.
- 김병권, 《기후를 위한 경제학》, 착한책가게, 2023.

생태경제

환경과 경제를 연구하는 학문을 생각하면 제일 먼저 '환경경제학Environmental Economics'이 떠오른다. 그렇다면 환경경제학과 '생태경제학Ecological Economics'은 같은 것일까 다른 것일까? 결론부터 말하면, 둘 다 경제활동과 자연환경의 관계를 다루지만 접근법이 정반대다. 전통적인 시장주의 경제학의 연장선에 있는 환경경제학은 자원 고갈이나 환경 오염을 '시장실패market failure' 현상으로 본다. 생산활동 과정에서 일부 비용(환경 오염 비용)이 시장 밖으로 흘러나가 시장가격이 포착하지 못하는 외부성externality이 발생했기 때문이다. 따라서 온실가스 배출과 같은 오염의 사회적 비용을 계산해서 이를 시장가격에 반영하면 시장실패를 교정할 수 있다고 간주한다. 탄소가격제도가 대표적인 해법인데, 이처럼 환경경제학은 시장실패, 외부성, 사회적 비용계산, 탄소가격부과 방식, 세대할인율 계산 등으로 채워진다. 여기서는 성장의 한계가 어디인지 같은 질문은 절대로 나오지 않는다.

하지만 환경경제학과 달리 **생태경제학**은 인간의 경제활동이 지구 시스템의 일부에 불과하다는 것을 인정하는 데서 출발한다. 유한한 지구 안에서 지구 시스템이 제공할 수 있는 만큼의 에너지와 물질을 얻어 생산이 진행되고, 소비의 결과 버려지는 폐기물과 폐열 역시 지구가 감당할 수 있는 방식으로 처리되어야 한다고 본다.

생태경제학은 오염의 사회적 비용이 아니라 현재 인간의 경제 시스템이 지구의 생태적 수용능력에 비추어 얼마나 적정한 규모인지를 가장 먼저 문제 삼는다. 경제 '규모scale'의 문제가 경제의 최상위 질문이 된다는 뜻이다. 이 질문은 지구 시스템이 제공해주는 에너지와 물질의 한계 범위 안에서 생산이 이뤄지는지, 지구 시스템이 받아줄 수 있는 한계 범위 안에 물질적 소비가 한정되는지를 살펴보도록 만든다. 다시 말해서 생태경제학은 인간의 경제 규모가 지구 시스템의 수용능력을 넘어서고 있는지를 다양한 방식으로 측정하며, 넘어설 위험이 있거나 넘어섰다면 여기에 대한 대처가 경제 정책의 1순위가 되어야 하고 더 이상의 무한성장을 멈춰야 한다고 주장한다. 따라서 생태경제학에서 가장 중시되는 질문은 '지구의 한계를 넘어선 경제의 성장을 어떻게 멈출 것인가'이다.

생태경제학이 '성장의존 경제'의 대안으로서 제시하는 생태경제는 다양한 이름으로 불린다. 우선 엄밀한 학문적 개념이라기보다는 일종의 시민 캠페인으로 사용되는 '**웰빙경제**Wellbeing Economy' 가 있다. 2018년 조직된 '웰빙 경제 얼라이언스Wellbeing Economy Alliance'는 비록 초보적 수준이지만 <웰빙경제 정책 안내서Wellbeing Economy Policy Design Guide>를 온라인에 공개하고 다양한 실천 방안들을 제시하고 있다. 이들은 웰빙 경제를 "인간과 지구의 웰빙에 봉사하는 것을 최우선 목적으로 설계함으로써, 사회정의와 건강한 지구를 실현할 수 있도록 하는 경제"라고 정의하고 있다.*

학문적으로는 선구적인 생태경제학자 허먼 데일리Herman Daly가 1970년대부터 제안한 '**정상[정지] 상태 경제**Steady-State Economy' 모델이 생태경제의 대표적인 모델이다. 정상상태 경제란 인간의 경제활동을 위해 자연에서 얻는 물질과 에너지 그리고 경제활동의 결과 자연으로 버리는 폐기물의 규모를 지구가 감당할 수 있는 한계 안으로 제한하는 경제다. 이를 위해 인구와 부를 더 늘리지 않고 자연이 감당 가능한 일정한 수준으로 유지하자는 것이다. 즉, 정상상태의 경제는 물리적 측면에서 성장하지 않는 경제다.

케이트 레이워스Kate Raworth의 '**도넛경제**' 역시 유력한 생태경제 모델 중의 하나로서 암스테르담을 포함해서 많은 도시들에서 정책으로 채택되고 있다. 생태거시경제학자 팀 잭슨Tim Jackson과 피터 빅터Peter Victor 등이 제안하는 '**성장 없는 경제**Economy without Growth'도, 성장률을 무리하게 끌어올리지 않고 생태환경과 복지가 어우러진 경제를 모색하고 있다. 넓게 보면 최근에 다양하게 제안되고 있는 탈성장degrowth 모델들 역시 생태경제의 범위 안에 포괄할 수 있다.

잘 알려진 **지속가능발전**Sustainable Development은 유사한 개념이지만 상당히 복수적인 의미로 사용되고 있다. 지속가능발전 개념은 UN의 요청으로 노르웨이 수상 브룬틀란트Brundtland, G. H.가 주도해서 1987년에 공개한 보고서 <우리 공동의 미래Our Common

* WeALL. 2018. Wellbeing Economy Policy Design Guide. wellbeingeconomy.org.

Future>에서 정의된 개념이다. 원래 보고서는 지속가능발전 개념에 대해 다양한 해석의 가능성을 열어놓고 있다. 하지만 실제로는 '세대 간 형평성'에만 맞춘 정의, 즉 "미래세대의 욕구를 충족시킬 수 있는 능력을 위태롭게 하지 않고 현 세대의 욕구를 충족시키는 발전"이라는 정의가 많이 알려졌고, 심지어 사람들마다 용어 해석을 달리해온 탓에 지금까지도 의미가 모호한 채로 남아 있다. 심지어 UN의 이름으로 이 개념이 공유된 지 단 2년 만에 60개의 서로 다른 정의가 난무할 정도로 태생부터 오용될 소지가 컸다. 하지만 확실한 것은 브룬틀란트 보고서가 '경제성장'을 명시적으로 부인한 적이 없고 2015년 발표된 UN 지속가능발전목표SDGs 역시 분명하게 경제성장을 17개 목표 안에 포함하고 있어 생태경제학자들의 비판을 받고 있다는 사실이다.

생태경제학자 허먼 데일리는 "경제는 발전하지 않고 성장할 수도 있고, 성장하지 않고 발전할 수도 있고, 둘 다 하거나 둘 다 하지 않을 수도 있다. 인간 경제는 성장하지 않는 유한한 지구 시스템의 하위 시스템이므로 발전은 하더라도 경제성장이 장기적으로 지속가능하지 않다는 것은 명확하다. 지속가능한 성장이라는 용어는 잘못된 모순어로 거부되어야 한다. 지속가능한 발전이라는 용어가 훨씬 더 적절하다"고 지속가능성장 개념을 비판하면서 지속가능발전을 지지했다. 하지만 탈성장을 주장하는 이들은 지속가능발전마저도 비판하고 있다. 김병권

- 김병권, 《기후를 위한 경제학》, 착한책가게, 2023.
- 팀 잭슨, 전광철 옮김, 《성장 없는 번영》, 착한책가게, 2015.
- 팀 잭슨, 우석영 · 장석준 옮김, 《포스트 성장 시대는 이렇게 온다》, 산현재, 2022.

도넛경제

최근까지 세계의 많은 나라에서 추구한 가장 이상적인 국가모델은 모든 시민들이 최소한의 사회 안전망 안에서 살도록 보장하는 복지국가였다. 그런데 기후위기 시대가 되면서 한가지 더 생각해볼 문제가 생겼다. 최소한의 복지 안전망뿐 아니라, 기후위기와 생태위기의 위험으로부터 시민들을 안전하게 지켜내야 한다는 과제가 새롭게 등장했기 때문이다. 기존의 사회 안전망과 더불어 생태위험으로부터 시민을 지켜줄 정책모델은 어떻게 가능할까?

코로나19 와중이던 2020년 4월 네덜란드 암스테르담시가 전격적으로 도시의 회복 비전으로 채택해서 더욱 유명해진 케이트 레이워스Kate Raworth의 '**도넛경제모델**Doughnut Economy Model'은 이에 대한 한가지 대답이다. 레이워스는 '도넛'이라는 은유를 이용해서 시민들이 정의롭고 안전한 사회공간에서 머무를 수 있게 하는 대안을 제시했다. 대단히 직관적이어서 시민들과의 소통이 빠르고 탄력적으로 응용할 수 있기 때문에 정책실행자들이 선호하는 모델이다.

도넛경제를 한마디로 표현한다면 시민들로 하여금 아래로는 복지를 위한 '**사회적 기초**social foundation' 아래로 떨어지지 않게 하고 위로는 '**생태적 한계**ecological ceiling'를 넘지 않게 하여, 그 사이에

'사람들의 삶을 위한 안전하고 정의로운 영역'을 구축하는 경제모델이다. 안쪽 경계선은 "모든 이들에게 무조건 보장되어야 하는 최소한의 것들"을 분명히 한다. 한편, 바깥쪽 원은 "인간이 지구에 가하는 스트레스가 지구의 생명유지 시스템들이 감당할 수 있는 수준을 넘어서면 실로 위험한 상황이 벌어질 수 있다는 것"을 보여준다. 복지와 생태를 아우르는 간명한 경제 비전이다. 도넛 안쪽의 12가지 사회적 기초는 "2015년 UN이 '**지속가능발전목표**SDGs'에 구체적으로 적시한 우선적인 과제에서 도출"한 것이다. 또한 도넛 바깥쪽의 "생태적 한계는 요한 록스트룀과 윌 스테펀Will Steffen의 지구 시스템 과학자 집단이 제안한 9가지 경계선"을 차용한 것이다.(→ 지구 안전 한계선)

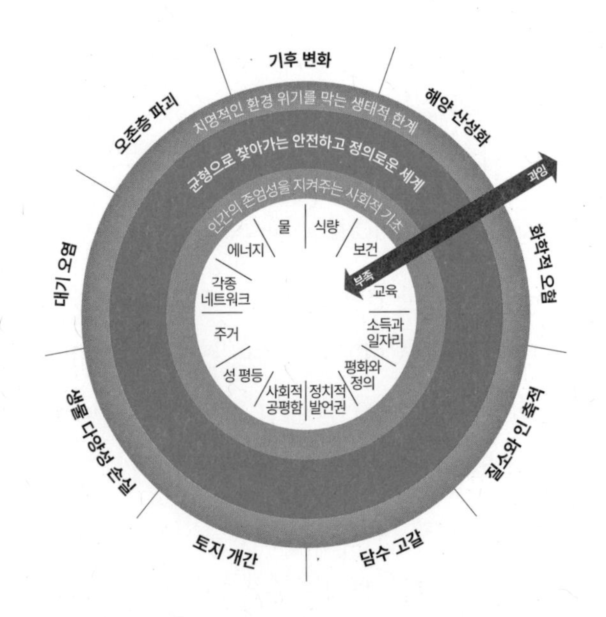

코로나19 이후 많은 도시들에서 경제회복 대안으로 각광받는 도넛경제모델

그렇다면 어떻게 도넛경제에 도달할 수 있을까? 케이트 레이워스는 새로운 생태경제에 접근하는 7가지 대안적 접근을 통해 도넛 경제에 이를 수 있다고 말한다.

(1) GDP에서 도넛으로 목표를 바꿔라
(2) '자기 완결적인 시장에서 사회와 자연에 묻어든embedded 경제로' 큰 그림을 (바꿔) 그려라
(3) '합리적 경제인'이 아니라 '사회 적응형 인간'으로' 인간의 본성을 키워라
(4) '기계적 균형'부터 '동학적 복잡성'까지 '시스템'의 활용에 능숙해져라
(5) '부자로 만들어주는 성장 신화에서' 벗어나 분배를 설계하라
(6) '저절로 깨끗해진다는 성장만능주의에서' 벗어나 되살림regeneration을 설계하라
(7) '유일한 지상명령에서 성장 불가지론growth agnostic으로' (이동해) 성장 맹신을 버려라

도넛경제는 국가의 경제비전으로 적용할 수 있을 뿐만 아니라 도시모델이나 지역모델, 심지어 기업의 경영모델이 될 수도 있고 개인의 삶의 모델로 활용할 수 있다. 레이워스는 이렇게 질문한다—"한 사람 한 사람이 도넛에 맞도록 삶을 바꿔나간다면? 그래서 쇼핑을 하고, 식사를 하고, 여행을 하고, 생활비를 벌고, 은행에 가고, 투표를 하고, 자원봉사 활동을 하는 동안 도넛의 사회적 경계와 지구적 경계를 고려해 최대한 올바른 방향으로 바꿀 수 있다면? 기업 하나하나가 모두 이 도넛을 중심에 놓고 경영 전략을 짠다면? 그래서

항상 자기 기업의 핵심 사업이 인류를 안전하고 정의로운 공간으로 이끄는 도넛 브랜드라고 할 수 있는가를 중심으로 사업 과제를 정한다면?"

현재 암스테르담시에서는 도넛모델을 선택한 87만 2천 명의 시민들의 삶이 도넛 안으로 들어오게 함으로써 모두가 양질의 삶에 접근하게 하면서도, 견뎌낼 수 있는 것 이상의 압력을 지구가 받지 않도록 하겠다는 계획을 실천하고 있다. 그리고 2022년 6월, 코펜하겐시도 암스테르담시의 사례를 따르기로 결정했다. 2022년 말에는 캐나다 브리티시 콜롬비아주의 나나이모Nanaimo, 뉴질랜드의 작은 도시 더니든Dunedin이 동참했다. 미국에서는 오리건주 포틀랜드와 텍사스주 오스틴이 자체적으로 이 개념을 도입했다.

한편, 레이워스는 2019년 '행동에 집중하고 항상 실험을 통해 학습'하겠다는 뉘앙스를 담은 '도넛 경제학 실행 랩Doughnut Economics Action Lab[DEAL]'을 조직해서 도넛모델 아이디어를 구체적인 공동체 실천으로 전환하고 시스템 변화까지 이루려는 노력을 하고 있다. 도넛경제학 실행 랩은 '새로운 경제 서사'를 만들어내고, 정부나 기업 등을 상대로 전략적 제안을 제시하며, 지역사회 등과 함께 교육하고 실험하면서 정책수단을 개발한다는 목표를 내걸고 있다. 그리고 전 세계에서 이를 실천하는 그룹이나 커뮤니티와 네트워크를 구성하고 각각의 실험들을 공유하면서 발전시키고 있다. 김병권

- 케이트 레이워스, 홍기빈 옮김, 《도넛 경제학》, 학고재, 2018.
- DEAL 웹사이트. https://doughnuteconomics.org/

탈성장

탈성장Degrowth/Décroissance라는 단어는 세계의 거의 모든 나라에서 가장 중심적인 경제 정책 과제이자 제1목표인 경제성장을 정면 부인하는 뉘앙스를 담고 있다. 탈성장 연구자들과 정책 지지자들은 2000년대 초반 프랑스와 스페인을 중심으로 활동을 시작하다가 2008년 파리에서 열린 제1차 탈성장 회의에서부터 학계를 넘어 시민사회 차원으로 확대되었다. 영어 표현인 'Degrowth'도 2008년에 등장했는데, 탈성장 회의는 이후 2년마다 계속 더 큰 규모로 열리고 있다.

그렇다면 정확히 탈성장이란 무엇을 의미할까? "**지속가능한 탈성장**Sustainable Degrowth이란 생산과 소비를 줄이는 것, 이를 통해 사람들의 웰빙을 증진하고 지구의 생태적 여건과 형평성을 개선하는 것이다. 이는 새로운 형태의 민주적 제도를 통해 개방적이고 지역화된 경제로, 그리고 보다 공평하게 자원이 분배되어 사회가 생태적 제약범위 안에서 살아가는 미래를 요구한다. 그러한 사회에서는 더 이상 '성장 아니면 죽음'일 필요가 없다. 물질적 축적은 이제 사람들의 문화적 상상에서 중요한 지위를 차지하지 않게 될 것이다."*

탈성장 인류경제학자로 주목받고 있는 제이슨 히켈Jason Hickel도 비슷한 방식으로 탈성장을 정의한다. "탈성장은 GDP를 줄이는 것에 관한 이야기가 아니다. 경제 과정에서 물질·에너지 처리량을 줄여 생명세계와 균형을 이루도록 되돌리는 것, 그러면서 소득과 자원을 더 공정하게 배분하고, 사람들을 불필요한 노동에서 해방시키며, 사람들이 번영하는 데 필요한 공공재에 투자하는 것에 관한 이야기다. 이는 보다 생태적인 문명으로 향하는 첫걸음이다. 물론 이렇게 하면 GDP가 천천히 성장하거나, 또는 성장을 멈추거나, 어쩌면 하락할 수도 있다. 그렇더라도 괜찮다. 중요한 것은 GDP가 아니기 때문이다."**

한편 네덜란드 경제학자 예룬 판덴베르흐Jeroen van den Berg는 탈성장 대신 '**비성장**A-growth'이라는 용어를 사용하는데, 그는 탈성장이 여전히 경제성장 프레임에 갇혀 있다면서, 성장 자체에 관심을 보이지 않는 제3의 선택지로서 비성장이 필요하다고 주장한다. 비슷한 취지에서 생태경제학자 케이트 레이워스는, GDP가 올라가는지 아니면 그대로 멈춰 있는지와 관계없이 인류의 번영을 추구하는 경제를 설계하자는 취지에서 '불가지론agnosticism' 입장에 서 있다.

탈성장은 어떤 경우에는 성장의존형 경제에 비판적인 견해들을 대표하는 개념으로 사용되기도 하고, 또 어떤 경우에는 성장

* '리서치와 탈성장research and degrowth' 그룹 웹사이트. https://degrowth.org/

** 제이슨 히켈, 김현우·민정희 옮김, 《적을수록 풍요롭다—지구를 구하는 탈성장》, 창비, 2021.

의존형 경제에 반대하는 다양한 견해들 가운데 가장 비판적인 입장을 의미하기도 한다. 또한 탈성장은 성장주의에 대한 대안경제모델을 넘어서 사회문화적 캠페인이자 정치적 운동까지를 포괄하는 용어로도 사용된다. 적극적 선전 캠페인이자 다양한 의견들과 개념들, 공동체들을 포괄하는 '우산 개념umbrella term'으로 탈성장을 매우 넓게 규정하는 경제사학자 마티아스 슈멜쩌Matthias Schmelzer는 다음과 같이 5가지로 탈성장 조류를 분류하고 있다.

첫째는 '제도 지향적 흐름'이다. 사회경제적 성장주의에서 벗어나 '번영prosperity'이라는 새로운 개념을 향한 거시경제적 전환을 이룰 광범위한 정책을 주장하는 이들을 여기에 넣을 수 있다. 허먼 데일리나 팀 잭슨, 케이트 레이워스처럼 스스로 탈성장론자라고 말하지 않는 이들을 포함하여 대부분의 생태경제학자들이 포함될 것이다.

둘째는 '자급자족sufficiency 지향적 흐름'이다. 성장주의에 대한 생태적, 문화적 비판, 그리고 산업주의에 대한 비판에 기초를 두고 있다. 지역화와 탈상품화된 경제를 통해서 자원 소비를 과감히 줄이자고 주장하며, 소비주도형 자본주의 시장경제 밖에서 지금 당장 실천하자고 한다. 전환마을 운동이나 에코 빌리지 운동 참여자들이 여기에 해당한다.

셋째는 '커머닝commoning'을 중심으로 한 대안 경제 흐름이다. 이들은 지금 여기서 유토피아를 실현해보자는 나우토피아nowtopia의 지향이 강하다. 공동체 기반 농업, 커머닝, 연대적이고 협동조합적 커뮤니티 경제, 동료간Peer-to-Peer 생산, 플랫폼 협동조합 등을 구체적 실천 방안들로 예시한다.

넷째로, '페미니스트 흐름'이다. 이들은 사회와 삶의 기초를 이루고 있는 재생산과 돌봄이 경제와 경제적 사고의 중심이 되어야 한다고 주장한다. 생산과 재생산의 분리를 극복하기 위해 과감한 노동시간 단축과 젠더간 돌봄노동의 공정한 분배, 즉 '돌봄혁명care revolution'을 해야 한다고 주장한다.

다섯 번째로, '포스트자본주의적 흐름'이 있다. 이 경향은 '성장 없는 사회주의socialism without growth', 즉 생태사회주의적 접근법이라고 볼 수 있는데, 이들은 분배와 소유권 등에서 경제구조의 변화가 필요하다고 주장한다. 이들은 구조 변화를 위한 직접행동으로서 시민불복종 운동이나 핵심 거점에 대한 점거운동을 선호한다.*

마지막으로, 탈성장이라고 하면 마치 모든 종류의 생산과 소비를 줄이자는 것인지 의문을 가질 수 있다. 하지만 탈성장은 불필요하고 낭비적이며 과시적인 생산 그 자체와 소비주의 문화의 지배를 비판하는 것이다. 사실 GDP 성장이야말로 필수재와 사치재와 오염물질을 가리지 않고 모두 늘린다며, 탈성장론은 기존 GDP 중심주의를 비판한다. 탈성장은 경제에 필수적인 것들은 추가 투자하고 규모를 키우는 반면, 과도하거나 필수적이지 않은 부분은 규모를 줄이자고 제안한다.

한편 탈성장을 마이너스 성장으로 인한 경기침체와 혼돈

* Schmelzer, Matthias · Vetter, Andrea · Vansintjan, Aaaron. *The Future is Degrowth: A Guide to a world beyound Capitalism*, Verso, 2022. 191.

하기도 한다. 하지만 탈성장 주창자들은 지구 시스템 파괴로 인한 재앙을 피하기 위해 탈성장을 하자는 것이지, 재앙을 자초하기 위해 탈성장을 주장하는 것이 아니라고 강조한다. 탈성장이 위기를 가져오는 것이 아니라 무한 경제성장이 위기를 초래하는 것이라고 이들은 말한다. 저명한 탈성장 프랑스 경제학자 세르쥬 라투슈Serge Latouche는 탈성장이 "과소비로 인한 비만의 위협에 노출된 시대에 삶의 질을 개선하기 위해 자발적으로 소박한 생활을 선택하는 치료법"이라면, 경기침체는 "기아로 죽게 될 가능성이 있는 강요된 다이어트"라며 둘의 차이를 분명히 했다.* **김병권**

더 찾아보기

- 요르고스 칼리스 외, 우석영 · 장석준 옮김, 《디그로쓰》, 산현재, 2021.
- 제이슨 히켈, 김현우 · 민정희 옮김, 《적을수록 풍요롭다》, 창비, 2021.
- 세르쥬 라투슈, 양상모 옮김, 《탈성장 사회》, 오래된생각, 2010.
- Schmelzer Matthias · Vetter Andrea · Vansintjan Aaaron, *The Future is Degrowth: A Guide to a world beyound Capitalism*, Verso, 2022.

* 세르쥬 라투슈, 양상모 옮김, 《탈성장 사회》, 오래된생각, 2010, 217.

순환경제

순환경제Circular Economy라고 하면 무엇이 가장 먼저 떠오르는가? 고철을 재활용하는 고물상이 생각나는가? 아니면 재활용품 수거함에 들어가는 플라스틱이 생각나는가? 사실 순환경제는 이런 것보다 훨씬 더 큰 의미를 함축하는 개념이다.

우리는 지금까지 생산과 소비가 하나의 방향으로만 흐르는 '선형경제Linear Economy'에 익숙해졌다. 예를 들어, 기업에서는 자연에서 자원과 에너지를 취득해서 상품이나 서비스를 생산한다. 이렇게 생산된 상품과 서비스는 소비자가 구매해 사용한다. 그리고 마지막으로는 더 이상 쓸모없게 된 중고제품이나 파손제품을 폐기처분한다. 자연에서 원료과 에너지를 공급받아 생산하고, 소비한 후에는 다시 자연으로 폐기물과 폐열을 버리는 과정을 반복하면서 경제는 무한히 성장하는 것처럼 보이고, 우리의 물질생활은 점점 풍요로워지는 것처럼 보인다. 하지만 이 과정은 또한 끊임없이 유한한 지구의 자연자원을 소모시키고 고갈시키는 과정이다. 또한 지구가 감당하고 흡수할 수 있는 한계를 넘어서는 폐기물의 누적과정이다. 지구 기체 순환 시스템이 감당할 수 없는 수준으로 누적된 온실가스라는 폐기물을 인류가 배출한 결과로 발생한 것이 바로 오늘의 기후위기다.

순환경제는 지금까지 '요람에서 무덤까지'라는 표상으로 환기되는 선형경제에서 방향을 바꿔서 '요람에서 요람으로' 물질을 순환시키자는 것이다. "순환경제는 태양에너지, 풍력, 조력, 생물연료, 지열 등 재생에너지로 작동하며, 모든 유독성 화학물질을 제거하고, 결정적으로 폐기물과 폐열을 근본적으로 없애도록 설계한다. '폐기물은 곧 식량'이라는 인식에서 가능해지는 것이다. 한가지 생산과정에서 나온 잔여물-음식 찌꺼기든 금속 찌꺼기든-은 매립지로 보낼 것이 아니라, 그 다음 생산과정의 원료가 된다."*

순환경제가 말하는 순환은 생물학적 순환 과정과 기술적 순환 과정으로 나눌 수 있다. 즉, 생물학적 요소들biological nutrients은 가능한 한 유기적인 방식으로 분해와 회복 과정으로 환류되어야 하며, 기술적 요소들technical nutrients은 최대한 유지, 재사용, 재제조remanufacure, 리사이클링되어야 한다는 것이다.**

먼저 **생물학적 순환**은 음식물 같은 생물학적 자원들을 자연이 재생하는 속도보다 더 빨리 수확하지 않는 것, 그리고 생물학적 분해능력을 넘어서는 만큼 폐기하지는 않는 것이다. 물고기가 번식하는 양보다 더 많은 물고기를 남획하지 말고, 나무가 자라는 속도보다 더 많이 벌채를 하지 말자는 것이다. 또한 흙과 물 속의 미생물이 분해하는 것보다 더 많은 양의 유기물을 버리지 말자는 것이다. 아울러 수확한 물질들도 한번만 사용하고 폐기처분할 것이 아니라 생애

* 케이트 레이워스, 홍기빈 옮김, 《도넛 경제학》, 학고재, 2018.

** Founding Partners of the Ellen MacArthur Foundation, 〈Towards the Circular Economy〉, 2013.

주기를 거치는 동안 최대한 활용하자는 것이다.

프랑스는 2016년 '음식물 낭비와의 전쟁 관련 법'을 제정했다. 이 법에 따르면, 슈퍼마켓은 팔리지 않는 재고 식품을 폐기하는 대신, 유통기한 최소 48시간 이전에 이를 수거해 필요한 사람에게 제공할 수 있도록 관련 구호 단체들과 파트너십을 맺어야 한다. UN 식량농업기구FAO에 따르면, 인간이 먹기 위해 생산되는 전체 식품의 1/3인 13억 톤의 음식물이 매년 폐기되고 있다.

한편, **기술적 순환**은 각종 금속이나 합성섬유 등이 자연에서 분해되지 않기 때문에 수리, 재사용, 재단장 같은 기술적 공정이 생산과 소비의 과정에 다시 들어올 수 있도록 하자는 것이다. 기술적 순환 과정에서 최근 가장 주목받고 있는 것은 녹색경제에서 사용이 급증하고 있는 폐배터리나 폐태양광을 순환시켜 재사용하는 것이다.

한 조사에 따르면, 일본에서 버려지는 전자기기에 들어있는 금이 남아프리카 매장량보다도 많다. 또한 이미 연간 전기차 판매량이 600만 대를 넘어선 중국에서는 2025년이 오기 전에 세계 최초로 출시되어 대량 판매된 전기자동차들의 배터리가 수명을 다해 폐배터리 쓰나미가 중국을 덮칠 수 있다는 경고음도 들린다. 수명을 다한 폐태양광 패널도 마찬가지다.

이런 현실 속에서 최근 '**도시광업**'이라는 이름으로 전자제품 안의 희귀금속, 폐배터리, 폐태양관을 순환시키는 산업이 큰 주목을 받고 있다. 애플사는 2019년 사용 만료된 중고 아이폰을 재활용하기 위해 '데이지Daisy'라는 이름의 아이폰 해체라인을 가동했다. 이 해체라인은 15종의 아이폰을 시간당 200개씩 분해한다고 한다. 중국은 2018년 전기자동차 배터리 재활용 의무를 생산업체에 부과하는 정책을 발표다. 그리고 그에 따라 현재 자동차 제조사들은 배터리의 이력 주기를 관리하고 있다.*

충북 진천의 '태양광 모듈 연구센터

한국에서도 2021년 충북 진천에 수명을 다한 태양광 모듈을 재활용할 수 있는 시설인 '태양광모듈 연구센터'가 전국 최초로 건립되었다. 여기서는 연간 3,600톤의 태양광 폐패널을 처리한다. 미래 재생에너지를 공급해줄 태양광도 생산부터 폐모듈 재활용까지 태양광 전주기 순환체계를 만들게 된 것이다. 이처럼 순환경제는 폐기물 분리수거처럼 생산 외적인 작은 일이 아니라, 기존의 선형적 경제를 통째로 바꿔서 '요람에서 요람으로', 즉 자연에서 온 제품이 자연으로 돌아가도록 경제의 방식과 흐름을 전환하는 프로젝트다. **김병권**

* 루카스 베드나르스키, 안혜림 옮김, 《배터리 전쟁》, 위즈덤하우스, 2023.

- 케이트 레이워스, 홍기빈 옮김, 《도넛 경제학》, 학고재, 2018.
- 루카스 베드나르스키, 안혜림 옮김, 《배터리 전쟁》, 위즈덤하우스, 2023.
- Founding Partners of the Ellen MacArthur Foundation, <Towards the Circular Economy>, 2013.

커먼즈 기반 경제

커먼즈Commons란 공동 목초지, 공동 숲, 공동 어장 등 특정인에 의해 소유되지 않은 채 공동체가 함께 이용하고 의존하는 '모두의 것'을 지시하는 용어다. 커먼즈는 공동체가 함께 이용하지만 무한하지 않아서, 만일 과도하게 이용할 경우 고갈될 수 있는 특징이 있다.

영국의 경우, 원래 공동 목초지 같은 커먼즈는 중세 시대까지는 농촌 공동체의 지속에 가장 기본이 되는 자원이었다. 그런데 16세기부터 양을 기른다는 명목으로 농민들을 커먼즈에서 내쫓는 '**울타리치기**[**인클로저**enclosure]'가 시작되면서 커먼즈가 사라지게 되었다. 커먼즈에서 쫓겨난 농민들은 먹고 살 수단을 잃게 되었고 할 수 없이 노동력을 파는 신세로 전락하게 되었다.

하지만 16세기 영국의 사례는 전체의 작은 부분일 뿐이다. 공동 목초지나 공동 어장, 공동 저수지 등 크고 작은 커먼즈들이 지금까지 세계의 곳곳에서 사라지지 않고 다양하게 보존·관리되고 있다. 사실 기후위기와 연결되는 지구의 대기, 바다 등도 가장 큰 규모의 글로벌 커먼즈라 할 수 있다.

1968년 미국 생물학자 개릿 하딘Garrett Hardin은 '**공유지의**

비극The Tragedy of the Commons'을 주장하면서 커먼즈의 존속 가능성을 의심했다. 공동 목초지를 이용하는 공동체 주민들이 이기적으로 각자 자기 소를 더 많이 키우려고 경쟁할 것인데, 그 결과 공동 목초지는 얼마 안 가서 황폐해질 운명에 처할 것이 틀림없다는 논리였다. 이 비극을 막기 위해서 하딘은 목초지를 분할해서 개인들의 소유로 하거나 국가가 엄격히 규제하는 방법밖에 없다고 봤다. 어떤 경우라도 목초지가 그대로 공동체가 운영하는 공유지로 살아남을 수는 없게 된다는 것이다.

반대로 미국 정치학자 엘리너 오스트롬Elinor Ostrom은 전 세계의 공유지를 자세히 조사한 후 전혀 다른 결론에 도달했다. 공유지를 책임 진 공동체들이 일정한 규칙을 세워 관리하면 공유지는 얼마든지 잘 보존되고 유지될 수 있다는 것이다.

지구의 대기는 개인소유 영역으로 분할할 수도 없고, 글로벌 정부라는 것도 없으니 공공기관이 책임지고 통제할 수도 없다. 하지만 토지나 대기, 바다 같은 생태 시스템들의 파괴가 심각해지면서 커먼즈를 기반으로 한 대안적인 경제가 새롭게 주목받고 있다. 일본의 소장 마르크스주의자 사이토 고헤이는 일본에서 베스트셀러가 된 《지속불가능 자본주의》에서 기후위기 대처를 위한 포스트 자본주의 사회가 커먼즈 중심의 생산 시스템으로 전환되어야 한다고 주장한다. 고헤이는 과거 '자연이라는 커먼즈'에 더하여 지식 그리고 에너지와 인터넷 등으로 커먼즈의 포괄 범위를 넓히고 이를 공동체가 운영하도록 하는 새로운 시스템을 만들자고 주장한다. 예를 들어, 공동체가 운영하는 새로운 커먼즈 모델은 "시민전력회사와 에너지협동조합이 설립되어 재생에너지를 보급하는" 방식의 분권적인 생산 시스템으로 구현될 수 있다는 것이다.* 사실 햇빛과 바람은 누구의 것도 아니고 모두에게 필요하다는 점에서 커먼즈다. 따라서 태양광과 풍력 발전도 특정 사기업이나 토지 소유자만 그 이익을 얻는 모델보다는 해당 지역 주민들이 함께 참여하고 운영해 이익을 공유하는 커먼즈로 발전시키는 모델이 바람직하다. 한국에서 재생에너지가 가장 빨리 보급된 제주도의 경우, "공유수면인 바다라는 공간과 그곳에서 불고 있는 바람이라는 자연에너지"는 "사적인 이윤획득을 위해 상품화"할 수 없는 공유자원이라는 인식 아래 2015년부터 '공공 주도의 풍력개발'을 선언하기도 했다.**

특히 '커먼즈 되찾기'는 최근 탈성장 운동가들에 의해 중요한 미래 대안으로 주목받고 있다. 예컨대, 요르고스 칼리스 등은 이렇게 주장한다. "질병과 감염병 유행에 맞서 회복력을 제공하는 위생, 의료, 돌봄 커먼즈는 가장 중요한 커먼즈 가운데 하나다." 또한 "수도, 에너지, 폐기물 관리, 교통, 교육, 의료, 아동 돌봄 같은 서비스들은 영리기업이 아니라 지방자치단체나 소비자 협동조합을 통해 제공"하는 것이 시민들을 위해 더 나은 방안이라고 이들은 주장한다.*** **김병권**

* 사이토 고헤이, 김영현 옮김, 《지속불가능 자본주의》, 다다서재, 2021, 238-241.

** 김동주, 《전환사회의 새로운 힘, 재생에너지를 공유하라》, 한그루, 2022.

*** 요르고스 칼리스 외, 우석영 · 장석준 옮김, 《디그로쓰》, 산현재, 2021.

- 엘리너 오스트롬, 유홍근 옮김, 《공유의 비극을 넘어》, 랜덤하우스코리아, 2010.
- 사이토 고헤이, 김영현 옮김, 《지속불가능 자본주의》, 다다서재, 2021
- 김동주, 《전환사회의 새로운 힘, 재생에너지를 공유하라》, 한그루, 2022.

과감한 전환 — 몬트리올 의정서

2003년 초 UN 사무총장이었던 코피 아난Kofi Atta Annan은 "아마도 인류 역사상 가장 성공적인 국제 협정서"라는 말로 <**몬트리올 의정서**Montreal Protocol>를 평가했다. 인류 문명 발전의 부작용으로 지구환경이 크게 손상된 일은 기후변화 이전에도 있었는데, 그중의 하나가 오존층의 파괴다. 실제로, 1980~90년대 인류는 남극의 상공에서 발견된 거대한 오존층 구멍에 대해 큰 위협을 느꼈었다. 그러나 현재 이런 위기 상황을 얘기하는 사람은 거의 찾아보기 어렵다. 인류가 해법을 찾았기 때문이다. 그 해법의 이름이 바로 <몬트리올 의정서>다.

'**오존층**'은 태양이 방출하는 자외선을 막아주는 얇은 층을 의미한다. 하늘에 떠 있는 자외선 차단제와 같은 효과를 내므로, 지구의 생명체 입장에서는 더할 나위 없이 소중한 존재다.

오존의 존재는 상당히 오랜 전부터 알려졌었다. 1840년, 스위스 바젤 대학의 화학과 교수였던 쇤바인F.C. Schoenbein은 「몇 가지 화학반응에서의 냄새의 성질에 관한 연구」라는 논문을 발표한다. 쇤바인은 이 당시 발견한 기체를 '냄새가 나다'라는 뜻의 희랍어 'Ozein'에 착안해 오존Ozone이라고 명명했다.

공기 중의 산소는 지구 생명체의 생명 활동에 긴요하다. 산소 기체는 산소 원자 두 개가 뭉쳐져 만들어진 분자인데, 오존은 3개의 산소 원자로 구성되어 있어 외부 자극에 쉽게 반응하는 특성을 지닌다. 오존 기체들은 주로 지상 20~40km에 분포해서 하나의 얇은 막을 형성하고 있는데, 자외선에 대한 반응성이 커서 태양으로부터 오는 대부분의 자외선을 차단해주는 역할을 한다. 지구의 동식물들은 오존층 덕분에 자외선 영향이 적은 환경에서 활기차게 살 수 있다. 자외선에 장시간 노출되면 세포의 DNA가 손상돼 성장이 멈추거나 심하면 생명을 잃을 수 있기 때문이다. 이 오존층이 굳건히 유지돼야 생물권의 안정성이 확보되는 것이다.

남극 상공에 커다란 오존층 구멍이 있다는 사실은 1970년대부터 과학자들에 의해 제기되었지만, 국제적으로 인정받기까지는 10년 이상의 시간이 소요되었다. 오존층을 파괴는 주범은 프레온 가스CFCs라는 화학물질과 이와 유사한 구조의 염화불화탄소 물질들로, 프레온 가스는 냉장고나 에어컨의 냉매로 활발하게 사용되고 있었다. 따라서 오존층 파괴를 멈추고 정상상태로 회복시키려면 이 프레온 가스의 사용을 규제해야만 했다. 하지만 산업계의 반발은 물론이고, 냉장고와 에어컨의 혜택에 익숙해진 시민들도 쉽게 과학자들의 의견을 수용하려 하지 않았다. 그러나 오존층 파괴현상에 대한 연구 결과와 실측 자료가 축적되면서 1986년 9월 전 세계 주요 국가와 프레온 가스 생산업계 대표들은 새로운 규제가 필요하다는 합의에 도달한다. 그리고 1년 뒤 1987년 9월 캐나다 몬트리올에서 개최된 국제회의에서 24개국과 유럽경제공동체EEC 간에 **〈오존층 파괴물질에**

관한 몬트리올 의정서>가 정식 국제협약으로 채택되었다.

의정서 채택의 막전 막후에도 다양한 의견 표출과 대안 제시가 진행되었다. 과학적 사실에 반하는 의견도 있었고, 대체물질 채택에 대한 속도조절론과 비용부담에 대한 국제적 지원 등의 주장도 활발히 제기되었다. 규모의 차이는 있지만, 2015년 기후변화에 대한 국제 협정서인 '**파리 협정**'을 둘러싼 상황 역시 이와 매우 비슷했다고 할 수 있다.

몬트리올 의정서를 구성하는 틀은 오존층 파괴물질에 대한 규제조치, 비당사국에 대한 무역규제조치 그리고 개도국에 대한 재정적 · 기술적 지원제도로 나누어 볼 수 있다. 의정서에 의거해 개도국이 아닌 당사국은 1999년까지 프레온 가스로 대표되는 염화불화탄소의 생산량과 소비량을 50% 감축해야 했다. 이 의정서는 현재까지 4차례의 개정을 거쳐 총 96종의 오존층 파괴물질을 규제대상물질로 정했는가 하면, 생산량과 전폐일정도 확정했다. 염화불화탄소보다 값싼 대체물질로 개발된 HCFCs에 대해서도 잠재적인 악영향을 인정해 2030년까지 전면 폐기하도록 규정했다.

그리고 이러한 행동의 결과, 오존층은 다시 회복되었고, 완벽하지는 않지만 크게 우려할 상황은 넘어섰다. 몬트리올 의정서에 대한 UN 사무총장의 평가는 이런 성과가 있었기 때문에 가능한 얘기였다.*

기후위기에 대해 많은 시민들이 실질적인 해결 방안의 부

* 한국대기환경학회(www.kosae.or.kr)

재를 우려하고 있다. 위기 상황에 대한 경고는 넘쳐나는데, 해법에 대해 속 시원한 얘기는 듣기 어렵기 때문일 것이다. 정보처리이론Information Processing Theory에 의하면, 인간의 뇌는 반복된 자극을 해소하는 대안이 없으면 자극을 무시하는 방향으로 정보를 처리한다. 기후위기에 대해 시민들의 경각심과 행동하려는 열의가 좀처럼 커지지 않는 이유도 적절한 해법이 보이지 않기 때문일 것이다.

그러나 인류는 당면한 지구적 환경 문제를 국제적인 합의에 의해 과감히 해결한 경험을 이미 중요한 자산으로 보유하고 있다. <몬트리올 의정서>가 가장 선명한 사례다. 기후위기는 오존층 파괴보다 규모가 훨씬 더 큰 문제이지만, 근본적인 성격은 크게 다르지 않다. 전문가들이 문제의 원인을 분석하고 이에 대한 해법을 제시하면, 시민사회와 각 정부가 이행방법을 만들어 질서있게 실행하면 되는 사안이다. 고통과 불편이 어느 정도는 따를 수밖에 없지만, 그 고통과 불편은 새로운 삶의 기회일지도 모른다. 더구나 그것은 인류가 생존하기 위해서 반드시 성취해야만 하는 과업이기도 하다. 전병옥

- 「몬트리올 의정서」, UN환경계획, 2003
- 「몬트리올 의정서」, 기획재정부 홈페이지, www.motie.go.kr

2장

기후위기 대응 정책

에너지 전환과 RE100

에너지 전환은 기후위기에 대응하고 환경 문제를 해결하기 위해 에너지원을 친환경적인 에너지로 바꾸는 것을 말한다. 우리가 사용하는 에너지원은 다양한 환경 문제를 일으킨다. 대표적인 것이 온실가스 배출로 인한 기후위기 심화이다. 온실가스 배출에서 에너지 부문 배출량이 차지하는 비중이 전체의 73.2%로 가장 많다. (→ 온실가스 배출원) 이는 현재 인류가 사용하는 주요 에너지원이 석유, 석탄, 천연가스 등 화석연료이기 때문이다. 또 화석연료에 비해 온실가스 배출량은 적지만 핵폐기물이 발생하거나 체르노빌 · 후쿠시마 사고처럼 중대 사고가 일어날 가능성이 높은 핵발전에서 벗어나는 것도 에너지 전환의 범주에 포함된다.

에너지 전환은 단순히 연료를 바꾸는 것만을 의미하지 않는다. 연료의 특성에 따라 에너지 공급과 소비 시스템이 달라서 연료 전환은 필연적으로 기존 에너지 시스템의 변화로 이어지게 된다.

우리나라 최초의 전기는 1887년 경복궁 건청궁에 설치된 발전기를 통해 공급되었다. 미국 에디슨 전기회사의 7kW짜리 발전기는 석탄을 연료로 하고 건청궁 앞 연못의 물을 냉각수로 사용한 것으로 알려졌다. 이 발전기에서 생산된 전기는 궁궐 내 전등을 켜는

데 사용했는데, 당시 사람들을 이를 '물불' 혹은 '건달불'이라고 불렀다고 한다. 연못 물을 냉각수로 쓰다 보니 수온이 올라가 물고기가 떼죽음을 당하거나 발전기가 시끄럽고 전기 공급이 원활하지 않아 자주 깜빡거려 건달 같다고 해서 붙여진 이름이다.

130여 년 전이나 지금이나 화석연료를 사용하는 발전기는 비슷한 특징을 갖고 있다. 그때보다 규모도 커졌기에 더 많은 냉각수가 필요하며, 발전기에서는 상시 큰 소음이 난다. 또한 많은 양의 석탄을 태우기 때문에 석탄을 보관하는 저탄장이나 재를 처리하는 회 처리장에서 많은 양의 먼지가 나오기도 한다. 따라서 이런 발전소는 물을 구하기 쉽고 인구 밀도가 낮은 곳, 즉 대도시에서 멀리 떨어진 곳에 건설되는 것이 일반적이다. 도시에서 멀리 떨어진 발전소에서 도시로 전기를 공급해야 하므로 대형 송전탑과 변전소 역시 건설되어야 한다.

반면, 태양광 발전의 경우는 이런 문제가 없다. 별도의 소음이나 분진, 냉각수가 필요하지 않기 때문에 대도시 건물 지붕이나 주차장, 도로변처럼 평소에 사용하지 않는 땅에 발전소를 건설할 수 있다. 풍력 발전의 경우, 크기가 크고 블레이드(날개)가 계속 돌기 때문의 대도시에는 적합하지 않지만, 삼면이 바다로 둘러싸인 우리나라의 특성을 생각하면 수도권 인근인 인천 앞바다에 많은 풍력 발전기를 설치할 수 있다. 반면 석탄화력발전소는 수도권 대기질 문제로 인해 법적으로 더 이상 발전소 건설이 불가능하고, 사고 위험성으로 인해 핵발전소 건설도 사실상 불가능한 상태다. 태양광이나 풍력으로 에너지원이 바뀌게 되면 석탄화력발전이나 핵발전을 중심으로 만들어진 송전망은 필요 없어지기 때문에 자연스럽게 송·변전망 전환도 이뤄져야 한다.

전기뿐만 아니라, 수송 연료의 에너지 전환도 마찬가지다. 휘발유와 경유를 이용한 내연기관 자동차를 전기차로 전환하게 되면 자동차만 바뀌는 것이 아니라, 연료 공급망도 바뀌게 된다. 2022년 말 현재 전국에 1만 1,144개의 주유소가 운영 중이다. 특히 고속도로 같이 차량 왕래가 잦은 곳은 대략 30km마다 주유소를 설치하고 있다. 그렇지 않을 경우, 자동차 운행이 어렵기 때문이다. 잠시 주유하면 그만인 내연기관 자동차와 달리 전기차의 경우 연료 보충에 수십 분에서 몇 시간까지 시간이 걸린다. 이에 따라 정부는 2030년 전기차 420만 대 보급에 대비해 전기차 충전기 123만기 보급 목표를 세우고 있다. 촘촘한 충전 인프라가 없이는 전기차 대중화가 어렵기 때문이다.

한편 에너지 전환은 일자리와 비에너지 부문 산업에도 지대한 영향을 준다. 기존 일자리가 사라지는가 하면, 새로운 일자리가 만들어지기도 하고, 지역사회에도 적지 않은 영향을 준다. 석탄화력 발전소 폐쇄에 따라 일자리가 사라지는 노동자가 생기기도 하고, 내연차의 엔진과 변속기가 사라짐에 따라 부품공장이나 정비 업체 일자리가 사라지기도 한다. 하지만 재생에너지 설비 생산, 설치, 유지보수 업체에서는 새로운 일자리가 만들어질 것이다. 전환 과정에서 피해를 최소화하기 위한 '정의로운 전환' 계획이 만들어지지 않는다면, 에너지 전환은 적지 않은 저항에 부딪힐 것이다.(→ 기후정의/정의로운 전환)

또한 에너지 전환이 중요한 정책과제가 되면서 이를 새롭게 촉진하기 위한 다양한 방안이 나오기도 한다. RE100과 같은 캠페인이 대표적이다. **RE100(Renewable Energy 100)**은 기업에서 사용하는 전력의 100%를 재생에너지로 공급하겠다는 협약으로, 2014년 다국적 비영리기구인 'Climate Group'이 주도하고 있다. RE100 협약에 가입한 기업은 재생에너지 100% 달성 목표를 정하는데, 해당 기업이 직접 사용하는 전력을 재생에너지로 바꾸는 것뿐만 아니라, 납품받는 부품 등에 대해서도 재생에너지 100%를 요구하는 사례가 많아지면서 재생에너지 확대 속도가 더욱더 빨라질 것으로 예상된다. 예를 들어, 애플사는 2030년까지 자사의 탄소 배출량을 75%까지 감축한다는 목표를 수립하면서 애플사에 제품을 공급하는 업체들에도 2030년까지 RE100 달성을 요구했다. 이에 따라 애플사에 반도체를 납품하는 국내 기업들도 RE100을 지키지 않을 수 없는 상황이 된 것이다. 그러나 2022년 기준 우리나라의 신・재생에너지(→ 재생에너지) 발전량 비중은 전체의 7.6%에 불과해 RE100 목표를 지키기에는 턱없이 부족한 상황이다.

기후위기 심화에 따라 온실가스 감축, 재생에너지 전환이 중요한 화두가 되면서 이를 강제하기 위한 다양한 수단이 앞으로 만들어질 것이다. 온실가스 감축이나 재생에너지 전환에는 큰 비용이 투입되어야 하므로 이런 노력 없이 제품을 생산・판매하는 '무임승차'를 막지 않는다면 기후위기는 극복될 수 없을 것이기 때문이다. 이러한 강제 수단과 비슷한 것으로 온실가스 감축 규제가 덜한 나라에서 강한 나라로 제품을 수출할 때 부과하는 '탄소국경세'가 있다. 유럽연합은 2026년부터 철강, 알루미늄, 비료, 전기, 시멘트 등을 수입할 때, 탄소 배출량에 대해 세금을 부과할 예정이다.(→ 탄소가격제도) RE100과 탄소국경세는 기후위기 대응이 국내에서 또는 일국 수준에서 접근 가능한 사안이 아니라 전 세계적 · 범인류적 이슈이며 경제 문제와 매우 밀접하다는 것을 보여준다. 이헌석

- 그레천 바크, 김선교 등 옮김, 《그리드: 기후 위기 시대, 제2의 전기 인프라 혁명이 온다》, 동아시아, 2021.
- Climate Group https://www.there100.org.

전기화

우리가 사용하는 에너지는 자연 상태에서 바로 가져온 1차 에너지와 몇 차례 변환을 거쳐 최종적으로 소비되는 최종 에너지로 나뉜다. 예를 들어, 탄광에서 캔 석탄은 1차 에너지 통계에 잡히지만, 이 석탄을 화력발전소에서 사용해 전기를 생산할 경우, 최종 에너지 통계에는 전기가 잡히는 식이다.

전기는 자연 상태에서 바로 가져올 수 없으므로 1차 에너지가 될 수 없다. 석탄이나 천연가스, 핵에너지, 풍력 등을 이용해 발전기를 돌리거나 태양전지Solar Cell를 이용해 빛에너지를 전기로 전환해야 전기를 만들 수 있다.

마찬가지 이유로, 수소도 1차 에너지가 아니다. 우주에 존재하는 원소 중 가장 많은 것이 수소이고, 지구상에도 물이나 수많은 유기물에 수소가 포함되어 있지만, 공기 중 순수 수소 비중은 0.00005%(0.5ppm)밖에 되지 않는다. 이는 네온이나 헬륨 같은 희귀가스보다도 더 적은 비중이다. 순수한 수소를 얻기 위해서는 물을 전기 분해하거나 석유 정제과정, 천연가스 개질과정reforming을 거쳐야 한다. 그리고 이 과정에는 전기나 열 같은 에너지가 필요하다.

이처럼 전기와 수소는 1차 에너지를 이용해 전환된 에너지다. 자연 상태의 에너지를 전달한다는 의미로 전기나 수소를 '**에너지 전달자**Energy Carrier'라고 부르기도 한다. 인간은 석탄의 에너지를 전기로 바꿔 수백 km 떨어진 곳으로 송전할 수도 있고, 바람이 좋은 지역에서 풍력 발전기로 전기를 생산할 수도 있다. 또한 이 전기로 물을 전기 분해하여 수소로 바꾼 후 탱크에 담아 수천 km 떨어진 곳으로 보낼 수도 있다. 이때 전기와 수소는 석탄이나 바람 에너지(풍력)를 옮기는 전달자 역할을 하는 것이다.

그런데 이처럼 에너지를 다른 에너지로 변환하게 되면 상당한 손실이 발생한다. 전력거래소가 밝힌 2021년 한국 유연탄 화력발전소의 효율은 38.8%에 불과하다. 즉, 석탄이 가진 에너지 중 61.2%는 전기로 바뀌지 못하고 버려지는 것이다. 가스터빈과 증기터빈을 결합한 복합화력 발전의 경우, 효율이 47.0%로 유연탄 화력발전소보다 높지만, 절반 이상의 에너지가 전기로 바뀌지 못한 채 온배수 등으로 버려진다.

화석연료가 주 에너지원이던 때에는 에너지 변환을 적게 하는 것이 에너지 효율 측면에서 유리했다. 예를 들어, 천연가스로 발전한 전기로 난방을 하는 것보다 천연가스로 직접 난방을 하는 것이 효율이 더 높다. 하지만 기기의 효율이 점차 높아지고, 탄소중립 실현을 위해 탈화석연료가 중요해진 지금의 시점에서는 재생에너지 발전과 전기화electrification가 중요한 과제들이다.

전기화는 에너지원을 화석연료에서 전기로 바꾸는 것을 의미한다. 우리 주변에는 석유, 석탄, 천연가스 등 화석연료를 에너지원으로 삼고 있는 기계나 설비가 무척 많다. 자동차나 비행기 같은 교통수단은 물론이고, 가정이나 상업용 빌딩의 난방 · 온수 공급 시스템, 제철소의 용광로 같은 산업시설까지 많은 시설에서 화석연료를 에너지원으로 삼고 있다.

국제에너지기구IEA의 2019년 통계에 따르면, 전 세계 최종 에너지 소비량 중 전기가 차지하는 비중은 19.7%이다. 반면, 화석연료 비중*은 66.3%로 석유(40.4%), 천연가스(16.4%), 석탄(9.5%) 순서이다. 탄소중립을 실현하려면 화석연료 사용을 최대한 전기로 바꾸어야 한다.

전기화의 대표적 사례가 바로 전기차다. 2021년 국제청정교통위원회ICCT의 보고서에 따르면, 유럽처럼 이미 재생에너지 발전 비중이 높은 나라뿐만 아니라, 중국이나 인도처럼 석탄화력발전 비중이 높은 나라에서도 내연기관 자동차보다 전기차에서 나오는 온실가스 배출량이 월등히 적었다. 자동차의 생산 · 운행 · 폐기 등 자동차의 전 주기 평가LCA를 진행한 이 연구 결과, 배터리 전기차BEV는 동급 가솔린 자동차에 비해 유럽과 미국에서는 각각 66~69%, 60~68% 정도 온실가스 배출량이 적게 나왔고, 중국과 인도는 37~45%, 19~34% 정도 온실가스 배출량이 적었다. 중국과 인도의 석탄발전 비중이 높음을 고려하더라도 전기차가 내연기관 자동차에 비해 온실가스 배출량이 적게 나온 것이다.

내연 자동차의 경우, 엔진에서 열로 손실되는 에너지와

* 이는 최종 에너지 소비 비중이기 때문에 석탄화력발전소에서 사용된 석탄은 포함되지 않는다. 석탄화력발전소에서 소비된 석탄은 1차 에너지로 계산되며, 이 과정에서 만들어진 전기가 최종 에너지 소비 비중에 포함된다.

동력 전달 장치에서 손실되는 에너지가 많다. 반면, 전기차는 전기가 직접 모터를 구동시키기 때문에 동력 전달 장치가 간단하고, 브레이크를 사용하면 회생 제동* 기능이 있어서 내연기관 차에 비해 에너지 효율이 월등히 높다.

이처럼 기존 화석 에너지원을 전기로 바꾸는 작업이 다양한 부문에서 진행되고 있다. 2021년 국제에너지기구는 2025년부터 신규 화석연료 보일러 설치 금지를 권고했다. 석유 · 가스 보일러는 전기를 이용한 히트펌프 보일러**나 수소 난방 시설로 전환될 예정이다. 유럽히트펌프협회EHPA가 밝힌 자료에 따르면, 2021년 유럽의 히트펌프 누적 판매량은 1,698만 대로 전체 난방 시장의 14%를 차지하고 있다. 수소를 이용한 보일러의 경우, 향후 재생에너지를 이용한 그린 수소가 확대됨에 따라 점차 늘어날 것으로 전망된다.

이처럼 기존 화석연료 시스템을 전기 시스템으로 바꾸기 위해서는 적지 않은 비용과 노력이 필요하다. 전기차의 경우 충전시설이 필요하고, 전기 난방을 위한 히트펌프 교체도 필요하다. 늘어나는 전력 수요에 맞춰 송변전망을 보강하는 작업도 필요하다. 아울러 기존 전기설비의 효율을 높이기 위한 작업도 병행되어야 한다. 예컨

* 감속 시 발생하는 제동력을 발전기와 연결시켜 다시 전기를 생산하는 기능.

** 자연 상태에서 열은 고온에서 저온으로 이동한다. 물을 낮은 곳에서 높은 곳으로 퍼 올리는 물 펌프처럼, 열을 저온에서 고온으로 이동시키는 장치를 히트펌프라고 한다. 냉장고나 에어컨 같은 것들이 우리 주위에서 볼 수 있는 대표적인 히트펌프이다. 그동안 냉방장치에 많이 사용하던 히트펌프를 난방에도 사용할 수 있는데, 요즘은 단순히 공기를 데우는 용도를 벗어나 바닥난방을 위해 물을 데우는 보일러로도 활용되고 있다.

대, 백열전구는 LED 전구보다 전기를 10배나 많이 사용한다.

그러나 에너지 효율을 늘리는 것만큼 중요한 것이 있다. 내연기관 자동차를 전기차로 바꿔 에너지 효율과 온실가스 배출량이 줄어들더라도 자동차가 계속 늘어나게 되면 기후위기와 환경 문제는 더욱 악화될 수밖에 없다. 자동차의 재료가 되는 철을 생산하고 조립·운행·폐기하는 과정에서 에너지 소비와 유해화학물질 배출이 이뤄지기 때문이다. 소위 '**제번스의 역설**Jevon's Paradox'이라고 불리는 문제다. 19세기 경제학자 제번스는 기술 발전으로 석탄 에너지 효율이 높아지면 석탄 사용량이 일시적으로 줄어들지만, 석탄 가격 역시 떨어짐에 따라 결국 석탄 소비량은 증가한다고 지적했다. 따라서 수송 부문 온실가스를 줄이기 위해서는 전기차 전환과 자동차 사용을 줄이기 위한 녹색교통 시스템이 함께 만들어져야 한다. 다른 부문에서도 결국 전기화 추진과 소비를 줄이기 위한 노력이 함께 이뤄져야 할 것이다. 이헌석

- IEA Data and statistics https://www.iea.org/data-and-statistics
- Energy Institute, 《2023 Statistical Review of World Energy》, 2023
- 산업통상자원부·에너지경제연구원, 《2022 에너지통계연보》, 2022

재생에너지

재생에너지Renewable Energy란 자연적으로 보충되는 재생 가능한 에너지원으로부터 얻는 에너지를 말한다. 우리가 에너지원으로 많이 사용해 온 석유, 석탄, 천연가스 같은 화석연료 또는 우라늄 같은 광물은 지구상에서 구할 수 있는 자원의 총량이 정해져 있다. 따라서 한번 사용하고 나면 더 이상 해당 자원을 구할 수 없다. 반면, 햇볕, 바람, 수력, 지열, 조력潮力 등은 필요한 에너지를 생산하고 난 이후에도 거의 무궁히 에너지를 생산할 수 있다. 엄밀하게 보면 태양과 지구가 수명을 다하는 수십억 년 이후엔 이마저 불가능하겠지만, 이는 인간의 수명을 놓고 볼 때 사실상 무한한 시간에 가깝다.

재생에너지들은 에너지원에 따라 전혀 다른 특성이 있다.

먼저, 물의 위치에너지를 이용한 **수력발전**의 경우, 전기의 역사와 맥을 같이할 정도로 오랜 역사가 있다. 현재 우리가 사용하고 있는 교류* 시스템이 처음 만들어진 것도 1895년 미국 나이아가라 폭포 인근에 건설된 수력 발전소에서였다. 이런 오랜 역사에도

* 우리가 사용하고 있는 전력은 항상 일정한 방향으로 전류가 흐르는 직류와 시간에 따라 주기적으로 전류의 방향과 크기가 변하는 교류로 나뉜다. 생활 주변에서 흔히 볼 수 있는 건전지는 직류이며, 220V 콘센트에서 나오는 전기는 교류이다.

불구하고, 수력 발전은 많은 양의 물을 구해야 하는 지리적 요건으로 인해 확대가 제한적인 단점이 있다. 대규모 수력발전은 거대한 댐을 건설해야 해서 인근지역 수몰이나 안개 발생 등 추가적인 환경 문제가 발생하고 저수지 하부에 축적된 퇴적토에서 온실가스 중 하나인 메테인이 발생하는 문제점이 있다. 반면, 댐에 물을 가두지 않고 흘려 보내면서 전력을 생산하는 소수력 발전의 경우 이와 같은 단점을 극복할 수 있다. 하지만 어떤 경우라도 물의 흐름을 바꾸는 토목공사가 필요하므로 수생생태계에 적지 않은 영향을 준다.

오랫동안 유럽에서 널리 사용되었던 풍차에서 알 수 있듯, 바람의 힘을 이용하는 **풍력**은 수력과 함께 오래된 재생에너지원이다. 풍차는 펌프나 맷돌처럼 단순한 동력원으로만 사용되었다. 풍력을 이용해 전력을 생산하는 풍력 발전기는 20세기 후반에야 본격적으로 개발되었다. 풍력 발전량은 날개 면적에 비례하고 풍속의 세제곱에 비례하기 때문에 큰 풍력 발전기를 설치해야 많은 전력을 얻을 수 있고, 바람을 안정적으로 공급받을 수 있는 장소 역시 중요하다.

태양 에너지를 이용한 재생에너지는 크게 **태양광**과 **태양열 시스템**으로 구분된다. 광전효과를 이용해 태양 빛을 전기로 바꾸는 태양광 발전소(발전기)는 반도체 소자인 태양전지Solar Cell를 여러 개 연결해서 만든다. 하나의 태양전지는 크기가 작기 때문에 이를 넓은 판에 붙이는데, 그 판을 태양광 패널Solar Pannel이라고 부른다. 태양광 발전 설비는 그 크기를 다양하게 만들 수 있고, 소음이 발생하거나 냉각수가 필요하지 않기 때문에 대도시 건물의 지붕이나 주차장 등 햇볕이 들어오는 곳이면 어디나 설치할 수 있다는 장점이 있다. 최근 산림과 농지를 훼손한 태양광 시설 등이 환경파괴 논란을 겪고 있음을 생각할 때, 지붕 · 주차장 · 옥상 등 도시 내 유휴 공간을 이용한 태양광 발전 설비가 들어서는 것이 더 효과적이다.

한편, 햇볕의 열을 이용한 태양열 시스템은 한국에서는 흔히 물을 데우는 '온수기'의 형태로 많이 사용된다. 하지만 해외에서는 열을 한군데로 모아 그 열로 전력을 생산하는 집광형 태양열 발전 Concentrated Solar Power을 하기도 한다.

햇볕을 이용한 발전 시스템은 낮 시간에만 전력을 생산하는 단점이 있지만, 반대로 낮 시간에 전력소비가 많기 때문에 전력피크를 줄여주는 장점도 있다.

재생에너지 발전은 기존 발전소와 달리 **소규모, 분산형 에너지원**이라는 특성이 있다. 최근 한국에서 건설된 석탄화력발전소는 1,000MW급이다. 반면, 현재 한국에서 가장 큰 태양광 발전소는 100MW 정도이며, 1MW 이하가 95% 이상을 차지하고 있다. 풍력의 경우에도 현재 설치되고 있는 풍력 발전기가 대부분 5~8MW 급이고 세계에서 가장 큰 풍력 발전기도 20MW를 넘지 않는다. 과거에는 인구가 많지 않은 지역에 대용량 발전소를 짓고 송전선로를 통해 이를 전력 수요가 있는 지역에 연결하는 방식으로 전력을 공급했다. 하지만 재생에너지 발전소는 전력 수요지 인근에 건설하는 것이 바람직하다. 이를 위해서는 단순히 발전소를 바꾸는 것만이 아니라 전력망도 함께 바꾸는 계획이 필요하다.

태양광이나 풍력 발전은 기상 조건에 민감할 수밖에 없는 특성상 재생에너지 발전량이 계속 바뀌게 된다. 이런 특성이 있기에 재생에너지를 **변동성 재생에너지**(VRE, Variable Renewable Energy)라고 부른다. 이런 재생에너지 특성으로 인해 재생에너지로의 에너지 전환이 불가능하다고 주장하는 이들도 많이 있지만, 최근 기술적인 보완을 통해 이런 단점을 극복하고 있다. 2020년 기준 OECD 유럽 국가 전체의 재생에너지 전력 비중은 44%를 기록하고 있고, 독일 정부는 2035년까지 재생에너지 전력량을 100%로 늘리는 '재생에너지법'을 발의했다. 영국도 같은 내용의 행정계획을 발표한 바 있다. 반면, 한국은 재생에너지 발전량 비중을 2030년 30.2%까지 늘리는 국가기여목표[국가온실가스감축목표]NDC(→ UN기후변화협약과 파리 협정)를 2021년 발표했으나, 윤석열 정부 출범 직후 2030년 재생에너지 전력비중 목표를 21.6%로 낮추는 전력수급기본계획을 발표했다. 전 세계적인 재생에너지 확대 또는 에너지 전환 흐름에 역행하고 있는 셈이다. 이헌석

'재생에너지' 또는 '재생가능 에너지'란 'Renewable Energy'를 번역한 용어다. 하지만 대체에너지, 신·재생에너지 같은 용어를 혼용해서 사용하기도 하는데, 이는 명백히 잘못된 표현이다.

1970년대 몇 차례 석유 파동을 거치면서 많이 사용했던 **대체에너지**Alternative Energy란 표현은 석유를 대체한다는 의미를 내포한 개념이다. 따라서 태양광과 풍력 같은 재생에너지도 포

함되어 있지만, 석탄을 고온고압에서 액체나 기체로 바꿔 석유와 천연가스를 대체하는 석탄 액화 · 가스화 기술이나 핵발전 같은 것들 역시 포함한 개념이다. 이중 석탄 액화 · 가스화 기술은 석탄을 태우는 것과 마찬가지로 온실가스가 발생하기 때문에 최근 기후위기의 대안으로 언급되는 재생에너지와는 매우 거리가 멀다.

신재생에너지는 한국와 일본 정도에서만 통용되는 표현으로 **신에너지**New Energy와 재생에너지를 합한 개념이다. 따라서 가운뎃점을 찍어 2개의 에너지원임을 명시해야 하지만, 하나의 개념처럼 쓰는 경우가 많다. 신에너지는 수소에너지나 연료전지를 포함한 개념이지만, 이 역시 지속적인 재생과는 거리가 멀기 때문에 재생에너지로 분류되지 않는다. 현재 한국에서 사용되는 수소는 거의 모두 석유정제과정에서 나온 부산물이거나 천연가스를 개질reform한 '그레이 수소'다. 반면, 재생에너지를 이용해 생산한 수소를 '그린 수소'라고 부르는데, 그린 수소로 전환되기 이전까지 모든 수소에너지는 화석연료에 종속된 에너지원일 수밖에 없다.

이헌석

더 찾아보기

- 브루스 어셔, 홍준희 옮김, 《진격의 재생에너지》, 아모르문디, 2022
- 산업통상자원부·한국에너지공단 신·재생에너지센터, 《2022 신·재생에너지 백서》, 2021

핵발전

방사선은 1895년 독일 과학자 빌헬름 뢴트겐Wilhelm Röntgen이 엑스(X)선을 처음 발견함에 따라 세상에 알려졌다. 20세기에 접어들면서 방사선 연구는 원자의 구조를 밝히는 연구로 이어졌다. 조지프 톰슨Joseph Thomson, 어니스트 러더퍼드Ernest Rutherford, 닐스 보어Niels Bohr 등 많은 과학자에 의해 원자는 전자와 원자핵으로 구성되어 있고, 원자핵은 다시 양성자와 중성자로 구성되어 있다는 사실이 확인되었다.

대부분의 원자는 중성자와 양성자 사이에 강한 핵력이 작용하여 안정된 상태를 유지한다. 하지만 우라늄, 토륨, 라듐처럼 원자량이 큰 원자들은 중성자와 충돌할 경우, 원자핵이 2개로 쪼개진다. 1938년 독일 과학자 오토 한Otto Hahn과 프리츠 슈트라스만Fritz Straßmann은 우라늄-235에 에너지가 낮은 열중성자를 충돌시켜 우라늄을 바륨과 크립톤으로 분열시키는 실험에 성공했다. 핵분열 과정에서 2~3개 정도의 중성자와 에너지가 발생하는데, 이때 발생하는 중성자가 또다시 우라늄과 충돌하여 연쇄 반응을 일으킨다. 이를 '**핵분열 반응**'이라고 부른다.

오토 한의 핵분열 실험은 핵폭탄을 만들 가능성을 연 것이었다. 독일에 맞서기 위해 미국의 핵무기 개발을 촉구하기 위해 루즈벨트 대통령에게 전달된 '아인슈타인-실라르드 편지'가 작성된 것도 오토 한의 실험 직후였다. 이후 미국은 '**멘하튼 프로젝트**'를 통해 핵무기 개발에 나섰다. 1945년 미국 뉴멕시코 앨러모고도Alamogordo에서 세계 최초의 핵폭탄 '트리니티Trinity'가 실험에 성공했고, 이후 일본 히로시마와 나가사키에 '리틀 보이Little Boy'와 '팻맨Fat Man'이 투하되었다.

1945년 이후 세계 각국은 핵무기 개발 경쟁에 들어갔다. 1949년 소련이 핵무기 실험에 성공한 데 이어 미국은 1952년 핵무기보다 더 강력한 수소폭탄 실험에 성공했다. 같은 해 영국이 핵무기 실험에 성공했고, 이듬해에는 소련도 수소폭탄 실험에 성공했다.

상황이 이렇게 되자, 처음 핵무기 개발을 촉구했던 아인슈타인과 영국 철학자 버트런드 러셀 등 지식인들은 1955년 '러셀-아인슈타인 선언'을 발표한다. 서명자 11명 중 10명이 노벨상 수상자였던 이 선언은 핵무기 경쟁이 인류의 생존을 위협하고 있으니 평화적 해법 마련이 절실하다고 촉구하고 있다. 이 선언을 계기로 1957년 모든 핵무기와 전쟁의 근절을 촉구하는 과학자들의 회의인 '**퍼그워시 회의**Pugwash Conferences'가 창립되었는데, 이는 이후 핵무기에 반대하는 반핵운동의 모태가 되었다.

핵무기에 대한 국제사회의 우려가 커지자, UN 차원의 논의도 활발하게 이뤄졌다. 대표적인 것이 1953년 미국 아이젠하워 대통령의 '**원자력의 평화적 이용**(Atoms for Peace)' 연설과 1957년 **국제원자력기구**IAEA 창설이었다. 국제원자력기구는 국제 핵무기 확산을 감시하고 핵에너지의 평화적 이용을 촉진하기 위해 만들어진 기구이다. 무기가 아닌 평화적 이용 방안으로 전력을 생산하는 발전소나 의료·농업 등이 거론되었고, 자동차의 엔진이나 광산의 폭약으로 소규모 원자로나 핵폭탄이 사용되는 방안이 검토되기도 했다. 이중 대표적인 것이 **핵발전소**Nuclear Power Plant다.

핵에너지를 이용해 전력을 생산한 최초의 핵발전소는 1954년 건설된 구 소련의 오브닌스크Обнинск 발전소였다. 이후 영국과 미국 등에서도 핵발전소를 건설하고 핵에너지의 평화적 이용이라는 이름으로 핵발전소 보급 확대가 이뤄졌다. 그 결과 1970년대 초가 되면 전 세계에서 가동 중인 핵발전소가 100기를 돌파하게 된다. 한국 최초의 핵발전소인 고리 1호기가 착공된 것도 바로 이 즈음이었다. 이후 오일 쇼크를 거치면서 전 세계적인 핵발전소 건설 붐이 일었다. 1979년 미국 스리마일Three Mile Island 핵발전소 사고를 거치면서 미국은 핵발전소 건설을 중단했지만, 다른 나라에서는 핵발전소 건설이 계속 이어졌다. 한참 핵발전소 붐이 일던 1984년과 1985년에는 전 세계에서 매년 30기 이상의 핵발전소가 가동을 시작했다.

하지만 1986년 구 소련의 체르노빌Чорнобильська 사고를 계기로 핵발전소 건설 열풍은 급격히 식는다. 1990년대 중반 이후 20여년간 전 세계에서 신규로 가동된 핵발전소 숫자는 매년 5기 안팎이었다. 소위 '핵산업계의 암흑기'가 도래한 것이다. 이런 흐름을 극복하고자 핵산업계에서는 2000년대에 들어서 '원자력 르네상스'를 외치며 새로운 도약을 모색했다. 그러나 2011년 일본 후쿠시마 핵발전소 사고가 발생하면서 이들의 꿈은 이뤄지지 못했다.

2023년 7월 현재 전 세계에는 410기의 핵발전소가 32개 나라에서 운영 중이다. 미국(93기)이 가장 많은 핵발전소를 운영 중이며, 프랑스(56기), 중국(55기), 러시아(37기), 한국(25기) 순이다. 현재 핵발전소를 건설 중인 나라는 17개국으로, 중국이 21기를 건설하고 있어 선두에 서 있다. 인도(8기), 튀르키예(4기), 이집트 · 러시아 · 한국(각 3기) 순이다. 특히 중국은 2010년 이전까지는 운영 중인 핵발전소가 11기밖에 되지 않는 나라였으나, 이후 핵발전소 건설에 속도를 붙여 2010년대 10년 동안 37기의 신규 핵발전소 운영을 시작했다. 하지만 같은 기간 전 세계에서 운영된 핵발전소 숫자는 2010년 441기에서 2019년 443기로 단 2기만 늘었을 뿐이다. 후쿠시마 사고 이후 일본과 독일 등에서 핵발전소 폐쇄가 이어졌기 때문이다. 1970년대 준공되었던 핵발전소가 점차 폐쇄되는 추세와 중국 등의 핵발전소 건설 열풍이 양립하는 모양새인 셈이다.

현재 한국에는 부산 기장군, 전남 영광군, 경북 경주시와 울진군, 울산 울주군 등 5개 지역에 모두 25기의 핵발전소가 운영 중이다. 또한 수명이 만료된 고리 1호기와 월성 1호기가 현재 해체 작업을 앞두고 있다. 2023년 현재 새울 3, 4호기*와 신한울 2호기가 건설되고 있으며, 윤석열 대통령 공약이기도 했던 신한울 3, 4호기는 2024년경 착공될 예정이다.

* 한국수력원자력은 2022년 11월, 신고리 3, 4, 5, 6호기를 새울 1, 2, 3, 4호기로 이름을 바꾸었다. 한국수력원자력은 새울의 '울'자를 울주와 울산의 머리 글자에서 따왔다고 밝혔다. 이는 6기를 하나의 발전본부로 묶어서 관리했던 관례와 이들 발전소가 부산광역시 기장군에 위치한 고리·신고리 핵발전소와 달리 울산광역시 울주군에 위치하고 있음을 반영한 것이다.

윤석열 정부는 이들 5기 이외에도 추가 핵발전소 건설 계획을 밝히고 있다. 탄소중립 실현을 위한 수단으로 핵발전소를 선택한 것이다. 핵발전은 석탄화력발전소에 비해 온실가스 배출량이 적은 것은 사실이지만, 체르노빌과 후쿠시마 사고를 거치면서 안전성 문제가 끊임없이 제기되고 있다. 또한 10만 년 이상 관리해야 하는 고준위핵폐기물 문제, 핵오염수의 처분 문제, 가동 중에 발생하는 온배수와 송전선로 문제, 전력 수요에 따라 반응하기 힘든 핵발전소의 경직성 문제 등도 핵발전을 재고해야 하는 이유로 지적된다. 핵발전은 단순히 온실가스 배출량을 줄이는 것이 아니라, 생태위기와 지역공동체를 고려한 기후정의를 말할 때 흔히 지적되는 문제다. 설사 온실가스 배출량이 줄더라도 또다른 환경 문제가 생긴다면 이를 대안이라고 볼 수 없기 때문이다. 이런 의미에서 탄소중립과 핵발전을 둘러싼 사회적 논의는 앞으로 더욱 폭넓게 진행될 것으로 예상된다.

이헌석

- 제이콥 햄블린, 우동현 옮김, 《저주받은 원자》, 너머북스, 2022
- 요시오카 히토시, 오은정 옮김, 《원자력의 사회사:일본에서의 전개》, 두번째테제, 2022

그린 택소노미

택소노미Taxonomy의 사전적 의미는 '분류 체계'다. 도서관 분류 체계나 다양한 학문의 분류 체계를 이르는 일반 명사적 의미와 달리 'EU 그린딜'(→ 그린뉴딜)에서 다루는 택소노미는 탄소중립 목표 달성에 필요한 경제활동을 분류하는 체계를 뜻한다. EU 택소노미가 공식적인 명칭이지만, 그린딜 계획과 밀접히 연관되어 있어서 '그린 택소노미' 혹은 '녹색분류체계'라고 부른다.

탄소중립 목표를 달성하기 위해서는 다양한 민간 투자가 이뤄져야 한다. 그런데 민간 투자가 진행되는 과정에서 온실가스 감축이나 환경 목표에 부합하는지에 대한 기준이나 조건이 없다면 너도 나도 녹색 투자임을 주장하는 그린워싱Greenwashing이 발생하게 된다. 경제적 이윤을 목적으로 친환경적인 이미지만 내세우며 실제로는 오히려 지구환경에 악영향을 미치는 경우가 그간 너무 많았고 지금도 그렇다. 상품을 마케팅하면서 반환경적인 정보를 일부러 감추거나 충분한 근거 없이 친환경을 주장하는 경우도 있고, 아예 데이터를 조작해 소비자를 속이는 경우도 있다.

깨끗한 디젤(Clean Diesel)이라며 대대적인 홍보를 진행했지만, 환경에 해로운 질소 산화물 배출량을 조작한 것이 뒤늦게 밝혀져 비판받은 2015년 폭스바겐의 디젤 게이트가 대표적이다. 디젤 엔진은 휘발유 엔진에 비해 이산화탄소 배출량이 적지만, 질소 산화물 배출량은 더 많다. 그래서 디젤 엔진의 환경 규제는 질소 산화물을 줄이는 방향으로 강화됐는데, 폭스바겐은 주행시험이 진행될 때만 저감장치를 작동시키는 방식으로 배출량을 조작했다. 이 사건으로 각국 정부는 폭스바겐 차량 판매를 금지하고 리콜 명령과 과징금을 부과했다.

2019년 12월, 유럽의회와 이사회는 EU 분류 체계 규정(Taxonomy Regulation)을 채택했다. 이 규정은 EU의 지속가능금융 행동 계획의 일환으로 만들어진 것으로 6가지 환경 목표와 4가지 판단 조건을 모두 충족할 경우만 환경적으로 지속가능한 경제활동으로 인정함을 주요 골자로 하고 있다.

6가지 환경 목표는 △온실가스 감축(기후변화 완화) △기후변화 적응 △수자원과 해양자원의 지속가능한 이용·보호 △순환경제로의 전환 △오염방지·관리 △생물다양성과 생태계 보호·복원이다. 즉 기후위기 대응 이외에도 물, 순환경제, 환경오염이나 생물다양성 문제를 함께 충족시켜야 한다는 것이다.

4가지 판단 조건은 △앞선 6가지 환경 목표 중 하나 이상의 환경 목표 달성에 상당히 기여할 것 △다른 환경 목표에 중대한 피해를 주지 않을 것 △OECD 다국적기업 가이드라인이나 UN 인권과 기업의 책임에 대한 지침 등 최소한의 사회적 안전장치를 준수할 것 △기술 선별기준에 부합할 것이다.

예를 들어, 온실가스 감축에 큰 기여를 하는 사업이라도 아동 노동이나 강제 노동 등 인권이나 노동 보호 기준에 맞지 않으면 분류 체계 규정을 지킬 수 없다. 또 기후변화 적응에 크게 기여할 지라도 야생동물 보호 같은 생물다양성 규정과 충돌이 발생할 때도 지속가능한 경제 활동으로 인정받지 못한다.

4가지 판단 조건 중 다른 환경 목표 중 하나에 '중대한 피해를 주지 않을 것(Do No Significant Harm)'은 EU 분류 체계 논의에서 매우 큰 쟁점이었다. 천연가스 발전과 핵발전이 온실가스 감축이라는 환경 목표에 부합하지만, 다른 환경 목표에도 부합하는지는 쟁점이었다. 천연가스 발전의 경우, 석탄에 비해 온실가스 발생량이 적지만 여전히 온실가스를 배출하는 화석연료 발전원이고, 핵발전의 경우에는 핵폐기물 발생이나 사고 위험성 등이 지적되었기 때문이다.

수년에 걸친 논쟁 끝에 2022년 7월, 유럽의회는 EU 택소노미에 천연가스 발전과 핵발전을 제한적인 형태로 포함했다. 새로운 규정에 따르면, 천연가스 발전소 허가는 2030년까지만 가능하며, 천연가스 열병합 발전 건설을 위해서 동일 용량의 석탄 열병합 발전소를 폐쇄해야 한다. 또 천연가스 열병합 발전소의 이산화탄소 배출량에 대한 세부적인 규정도 꼼꼼하게 마련했다. 핵발전의 경우에는 신규 핵발전소의 경우 2045년까지 건설 허가를 받아야 하며, 핵폐기물 관리와 핵발전소 폐쇄 기금, 2050년까지 고준위 핵폐기물 처분시설 운영에 대한 세부적인 계획이 있는 경우로 한정했다. 또 기존 핵발전소의 수명 연장을 위해서는 2025년부터 중대사고에 더 오래 견딜 수 있는 사고 저항성 핵연료가 적용되어야 하며, 2040년까지만 한시적으로 적용되도록 했다.

EU 택소노미 규정은 국내 택소노미 규정에도 영향을 주었다. 2021년 제정된 '한국형 녹색분류체계 기준'에는 핵발전이 포함되지 않았으나, 윤석열 정부에서 개정한 2022년 기준에는 핵발전이 포함되었다. EU 택소노미보다 규정도 더 완화되었다. 노후핵발전소 수명 연장은 2045년까지 허가를 받아야 하며, 고준위 핵폐기물 처분시설 세부 계획에는 시한이 없고, 사고 저항성 핵연료 적용 시점도 2031년으로 늦춰지는 등 여러 면에서 더 느슨해진 것이다. 이헌석

- EU Taxonomy Navigator: https://ec.europa.eu/sustainable-finance-taxonomy
- 환경부, 《한국형 녹색분류체계 가이드라인》, 2022.

탄소가격제도

탄소는 돈을 주고 구매하는 상품이 아니라 대기에 떠 다니는 기체이고 따라서 일종의 비재화인데, 탄소에 가격이 붙는다는 말은 뭘까? **탄소가격제도**Carbon Pricing란 경제활동 과정에서 이산화탄소를 배출한 상품이나 서비스에 대해 배출에 비례해서 일정한 비용을 부과하는 제도이다.

기후위기는 기업들이 생산과정에서 발생시킨 사회적 비용(온실가스 배출로 인한 피해)을 생산가격에 반영하지 않는 대표적인 **부정적 외부성**Negative Externality의 사례다. 경제학에서 **외부성**이란 "생산활동 과정에서 일부 비용이나 이익이 시장 밖으로 흘러나가 시장가격이 포착하지 못하는 현상"을 말한다.* 이 가운데에는 새로운 지식이나 기술의 전파처럼 사회에 긍정적 영향을 주는 긍정적 외부성도 있지만, 온실가스 같은 오염물질 배출처럼 사회에 피해를 주는 부정적 외부성도 있다.

경제학 교과서는 온실가스 배출처럼 부정적인 외부성이

* Nordhaus, William, "Climate change: The Ultimate Challenge for Economics", Nobel Price Lecture, 2018.

발생하면 그 사회적 비용이 생산가격에 제대로 반영되지 않고, 그 결과 시장의 가격 메커니즘이 기대한 대로 작동하지 못하게 되는 '시장 실패'가 발생한다고 진단한다. 이 문제를 해결하려면 정부가 시장에 개입하여 생산가격에 사회적 비용을 반영시켜 주어야 한다. 그렇게 하면 어떤 일이 일어날까? 온실가스를 배출하며 생산된 제품은 가격이 올라 시장 경쟁력을 상실하거나 아니면 기업들은 온실가스 배출량 감축을 위해 기술혁신에 나서게 될 것이다. 이것이 바로 탄소가격제도의 기대효과다.

탄소가격제도는 두 가지 구현방식이 있다. 먼저, 온실가스 배출의 사회적 비용을 정부가 계산해서 세금의 형태로 부과하는 **탄소세**Carbon Tax가 있다. 이 방안을 제안한 경제학자 아서 피구Arthur Pigou의 이름을 따서 '피구세'라고도 부른다. 이 경우 "기업과 개인들은 석유를 살 때처럼 자신들의 탄소 배출에 대해 세금을 지불해야 한다."*

또 하나의 방식은 한 국가가 지구환경을 해치지 않고 배출할 수 있는 온실가스 총량 범위 내에서 배출할 권리를 시장에서 거래하도록 하는 **배출권거래제도**Emissions Trading System다. 이 제도 아래에서는 어떤 기업이 생산 과정에서 미리 할당된 양보다 더 많이 배출하고 싶다면 다른 기업들로부터 돈을 내고 배출허가권을 구매해야 한다.

탄소세는 1990년 핀란드가 세계 최초로 도입했고, 배출

* 김병권, 《기후를 위한 경제학》, 착한책가게, 2023.

권거래제도는 2005년 유럽연합이 본격 도입했다. 이처럼 현재 전 세계 80여개 국가나 지방정부에서 탄소가격제도를 시행하고 있다. 한국의 경우, 2015년부터 매우 제한된 방식의 배출권거래제도를 도입했다.

탄소가격제도는 시장 메커니즘을 이용해서 온실가스 배출을 줄이는 방법으로, 경제학자들이 가장 선호한다. 2018년 환경경제에 기여한 공로로 노벨경제학상을 받은 윌리엄 노드하우스William Nordhaus는 탄소가격제도의 장점을 이렇게 표현했다. 온실가스 "배출 감축에 대한 결정들은 골치 아프고 각양각색의 세상만사와 연결되어 있다. 다른 메커니즘이 아닌 탄소가격의 아름다운 점 중 하나는 이런 복잡한 탄소 관련 결정들을 단순화시킨다는 데 있다."*

그러나 현재 전 세계적으로 볼 때 가격이 매겨진 온실가스는 전체의 고작 20%로 집계되고 있다. 그조차도 톤당 20~30달러에 불과하다. 가격이 매겨지지 않은 온실가스를 포함한 전체 온실가스 가격으로 환산하면 톤당 2달러 내외다. 하지만 윌리엄 노드하우스는 지구온도 상승을 2°C 이하로 막기 위한 탄소가격을 200달러로 예상했다. 탄소가격제도가 경제학자들에게 가장 인기 있는 온실가스 감축 정책이라는 사실이 무색할 수준인 셈이다.

이유는 크게 두 가지다. 우선, 탄소 배출로 인한 광범위한 피해를 합의된 가격으로 계산하기가 쉽지 않다. 또 하나, 기존 화석연료 기업들이나 탄소집약적 산업 부문 기업들의 반발이 크기 때문

* 윌리엄 노드하우스, 성원 옮김, 《기후카지노》, 한길사, 2017.

이다. 더욱이 탄소가격제도가 실시되는 경우라고 해도 연 평균 탄소 배출 감축 효과가 0~2% 내외로 낮다는 연구도 있다. 때문에 재생에너지로의 전환 등에 비해 온실가스를 줄이는 데 탄소가격제도의 역할이 미미하다는 비판이 많다.

문제가 또 하나 있다. A라는 국가는 탄소 배출에 가격을 부과하고, B국가는 가격을 부과하지 않는다고 가정해보자. 그런데 B국가의 어떤 기업이 탄소 배출 비용을 지불하지 않은 제품 Xb를 A국가에 수출한다면 어떨까? 그렇다면 탄소 배출 비용을 지불한 A국가의 기업 제품 Xa는 제품 Xb보다 비싸게 될 것이고 그 기업은 경쟁력을 잃을 것이다. 기후위기 대응에 적극적인 A국가의 기업이 경쟁력을 잃는다는 역설이 발생하는 것이다.

이런 역설을 막기 위해 최근 유럽이 준비하는 제도가 바로 **탄소국경조정**Carbon Border Adjustment Mechanism이다. 유럽연합은 해외에서 탄소가격이 매겨지지 않은 채 생산된 제품을 수입할 경우 일종의 관세와 같은 성격으로 비용을 부과하는 탄소국경조정을 2023년 10월부터 시범 실시하고 2026년부터 본격 실시하기로 했다. 이 제도가 시행되면 유럽만큼 탄소 배출 비용을 지불하지 않았던 한국 기업들이 유럽으로 수출하는 철강, 석유화학 제품 등은 수출 과정에서 추가적인 비용을 지불해야 한다. 그리고 그 과정에서 경쟁력을 상실하거나 이윤이 줄어드는 충격을 받을 수 있다.

한편, 기업이 아니라 소비자들이 탄소 배출을 줄이는 행위를 할 경우 인센티브를 주는 **탄소포인트 제도**도 있다. 이전부터 서울시가 에코마일리지를 운영해온 것도 일종의 탄소포인트 제도다.

또한 전기와 도시가스 등 탄소 배출이 되는 소비를 줄이면 그 인센티브를 한국환경공단에서 그린카드 포인트로 지급받을 수 있다. 김병권

- 윌리엄 노드하우스, 성원 옮김, 《기후 카지노》, 한길사, 2017.

그린 리모델링/제로에너지 건축

그린 리모델링이란 에너지 성능을 높이고 효율을 개선하기 위해 기존 건축물을 수리하는 것을 말한다. 2022년 한국의 온실가스 배출량 가운데 건물 부문이 차지하는 비중은 7.4% 정도다. 비중으로만 보면 산업 부문(37.6%)이나 발전 부문(32.7%)에 비해 적지만, 한국 전체 자동차와 항공기, 철도 등 수송 부문 온실가스 배출 비중(14.9%)의 절반 정도이니 건물 부문에서도 적지 않은 온실가스가 배출된다고 볼 수 있다.

건물 부문 온실가스 배출을 줄이기 위해서는 열이 이동하지 못하도록 막는 '단열'과 내외부의 공기 흐름을 막는 '기밀氣密'이 중요하다. 같은 난방을 하더라도 단열이나 기밀이 유지되지 않으면 난방 효율이 떨어지기 때문에, 단열과 기밀 성능이 매우 중요하다.

국내 건축물의 단열재 기준은 1980년에야 만들어졌다. 건축물은 건축법에서 정한 기준에 맞춰 짓는 경우가 많아서 1980년 이전의 건물은 사실상 단열이 되어 있지 않는 경우가 많다. 1980년 이후에도 단열 기준이 점진적으로 강화되었기 때문에 건물의 준공 연도가 단열 정도를 의미하는 경우가 많다.

이점은 2019년 국토교통부가 주택 준공 시기별로 단위 면적당 난방에너지 사용량을 조사한 결과*에서도 잘 드러난다. 이 조사 결과에 따르면, 2013년 이후에 지은 아파트는 1979년 이전에 지은 아파트에 비해 단위 면적당 난방 에너지를 57.7%밖에 사용하지 않는다. 그만큼 에너지 효율이 높다는 뜻이다.

집 전체 단열 전체를 바꾸는 것은 비용이 너무 많이 들기 때문에 건물의 기밀도를 높이기 위해 창호를 개선하는 것도 방법이다. 과거에 많이 사용하던 나무·알루미늄 창호는 빈틈이 많고 재료 자체의 열전도도가 높아 기밀과 단열 성능이 높지 않다. 반면, 최근 설치되는 창호는 열전도도가 낮은 PVC를 사용하고 기밀도를 높이는 설계를 통해 내외부 공기 차단 정도가 우수하다. 또 낡은 저효율 보일러를 열교환기 성능을 높여 배출되는 열을 줄인 '콘덴싱 보일러'로 교체하는 것만으로도 큰 효과를 볼 수 있다.

저소득층 에너지복지 사업을 진행하고 있는 한국에너지재단의 자료**에 따르면, 창호와 보일러 교체만으로도 난방 에너지 소비량이 각각 22.9%와 28.3% 절감되었고, 창호와 보일러 모두를 교체하면 에너지 소비량이 44.7%까지 절감되는 것으로 나타났다. 보일러 교체에는 몇 시간도 소요되지 않고, 창호는 하루면 교체할 수 있다는 점을 고려하면 상대적으로 적은 비용과 시간으로 큰 효과를 볼 수 있는 것이다.

국제에너지기구IEA는 2050년 탄소중립 실현을 위해 2040

* 국토교통부 보도자료, 「단열기준 강화 등 녹색건축정책으로 에너지효율 높였다」, 2019.5.29.

** 한국에너지재단, 《저소득층 에너지효율개선사업 백서》, 2022

년까지 전체 건물의 절반을 탄소중립이 가능한 수준으로 수리할 것을 권고하고 있다. 또 2025년부터는 화석연료 보일러 판매 금지도 함께 권고하고 있어 도시가스 보일러를 퇴출하기 위한 논의도 본격적으로 진행되어야 한다. 건축물의 에너지 효율을 높이는 것뿐만 아니라, 건축물 에너지원을 바꾸는 노력도 함께 진행되어야 한다는 것이다.

한편, **제로에너지 건축**은 건축물의 에너지 사용량을 최소화하는 건축을 말한다. 대형 사무용 빌딩의 에너지 사용량을 모니터링하고 사용하지 않는 층의 냉난방이나 조명을 제어하는 건물에너지관리시스템(BEMS), 외부로 나가는 공기의 열을 회수하는 폐열 회수형 환기 장치, 지열을 이용한 냉난방장치, 건물 옥상 태양광 발전설비 등이 제로에너지 건축에 사용된다. 국내에서 제로에너지 건물은 건물의 에너지 자립률에 따라 5등급(20~40% 에너지 자립)에서 1등급(100% 이상 에너지 자립)으로 등급이 나뉜다. 2020년부터 총면적 1,000㎡ 이상 신축 공공건축물에 5등급 이상 적용이 의무화되었다. 이 의무는 단계적으로 확대되어 2050년 모든 신축 건물이 1등급 수준의 제로에너지 건물 인증을 받는 것을 목표로 하고 있다. 이헌석

- 한국에너지재단 https://www.koref.or.kr.
- 한국에너지관리공단 제로에너지빌딩 인증시스템 https://zeb.energy.or.kr.

자연기반해법 — 재자연화

경제의 관점에서 보면 자연에는 두 가지 종류가 있다. 하나는 "플랜테이션 조림 산림, 양식장, 특정한 형질을 얻기 위해 사육된 소떼 등 실제로는 인공적인 것이 아니지만 상당 부분 인간의 행위에 의해서 자연 상태로부터 변경된 것들"인데 이를 '**경작된 자연**' 또는 **제2자연**이라고 한다. 일종의 인위적인 생존환경인 것이다. 반면, 인간이 손대지 않은 야생의 자연 즉 제1자연도 존재한다. **재자연화** rewilding란 인간이 개입하여 교란시킨 자연 과정과 생태계를 복원하여 교란이 생기지 않았다면 존재했을, 생물들의 자립적이고 회복력 있는 생태계로 자연을 재건하는 과정을 말한다.

제2자연에 대해서 회복력과 재생력을 높인다는 것은 적극적인 투자를 통해서 경작된 자연의 생산능력과 재생능력을 높인다는 것을 의미한다. 반면 야생의 자연인 제1자연은 다르다. 생태경제학자 허먼 데일리는 제2자연과 달리 제1자연의 회복력과 재생력을 높이기 위해 우리가 해야 할 일을 이렇게 말한다. "우리가 얼마만큼 경작된 자연자본에 의존할 수 있을지는 아무도 모른다. 그러기 위해 요구되는 생태계에 대한 현재 우리의 지식이 턱없이 부족하다. 그렇기 때문에 대규모로 생태계 설계를 다시 한다는 생각은 배제해야 한다." 그러므로 "우리는 남아 있는 제1자연을 보존해야만 한다. 그리고 기다림이라는 수동적 투자를 통해 제1자연이 재생될 수 있도록 만들어야 한다. 그래서 자유방임이라는 말이 생태경제학에서 새로우면서도 심오한 뜻을 가지게 된다."* 다시 말해서 가능한 최대한 많은 시간을 들여서 야생의 자연을 보존하거나 야생으로 되돌리자는 것이다. 사실 국립공원에서 '자연휴식년제'를 실시하는 것도 이런 발상에 기반을 둔 것이다.

이미 진행된 기후변화로 인한 충격에 적응하기 위해서도 파괴된 야생을 되살리는 '제1자연'의 재생은 중요하다. 환경운동가이자 기업가인 폴 호컨Paul Hawken은 우리의 안전한 삶과 신비롭고 장엄하며 광대한 생물계의 안녕은 절대로 분리될 수 없다면서 다음과 같이 강조한다. "야생의 보호는 필수적이다. 몸에서 박테리아를 제거하면 당신은 죽을 것이다. 지구에서 미생물과 대형 생물을 없애면 우리가 아는 삶은 중단될 것이다. 우리는 항생제를 복용하거나 가공식품을 먹거나 생활환경을 지나치게 살균하면서 내면의 야생을 훼손시킨다. 또 습지를 개간하고 야생동물을 잡으려 덫을 놓고 토양에 제초제를 뿌리고 물고기를 남획하고 해양을 산성화시키고, 숲에 불을 내면서 외부의 야생을 파괴시킨다. 야생 서식지를 복원시키는 것은 회복력, 번식, 생존 능력, 진화를 복원시키는 일이다."**

폴 호컨도 허먼 데일리처럼 야생을 되살리는 방법 중 하나는 자연이 스스로 성숙하도록 놔두는 것, 즉 '기다림'이라고 강조한

* 허먼 데일리, 박형준 옮김, 《성장을 넘어서—지속가능한 발전의 경제학》, 열린책들, 2016.

** 폴 호컨, 박우정 옮김, 《한 세대 안에 기후위기 끝내기》, 글항아리사이언스, 2022, 145.

다. 그는 "기후위기를 끝내는 방법에 관해 생각할 때 우리는 야생을 좀처럼 필수적인 부분으로 생각하지 않는다"고 비판하면서, 특히 "숲은 지구에서 가장 이산화탄소를 많이 제거하는 곳이며 원시 상태의 성숙림이 이산화탄소 격리의 대부분을 담당"한다고 지적한다.* 환경학자 윌리엄 무모William R. Moomaw는 이를 '숲을 자연상태로 놔두기Proforestation'라고 불렀는데, 기존 숲을 자연 상태로 놔두면 새로 조성된 숲들보다 현재와 2100년 사이에 40배 더 큰 수준으로 이산화탄소를 흡수할 수 있다는 것이다.

생물다양성을 지키려는 것도 이런 관점에서 해석해볼 수 있다. 그런데 세계자연기금WWF과 런던동물학회Zoological Society of London가 공동 연구를 통해 2년마다 발간하는 〈지구생명보고서Living Planet Report 2022〉에 따르면, "1970년에서 2018년 사이에 모니터링된 야생동물 개체군의 상대적 풍부함 정도가 평균 69% 감소"했다.** 이 보고서는 2020년 대비 11,000 개 증가한 약 32,000 개의 생물종 개체군을 연구에 포함시켰는데, 아마존 등 열대지역으로 구분되는 라틴아메리카와 카리브해 연안은 야생동물 개체군의 규모가 평균 94% 감소한 것으로 나타났다. 감소의 주된 요인으로는 서식지 황폐화 · 감소, 과도한 자원 이용, 침임종 침입, 환경오염, 기후변화, 질병 등이 꼽혔다. 김병권

더 찾아보기

- 폴 호컨, 박우정 옮김, 《한 세대 안에 기후위기 끝내기》, 글항아리사이언스, 2022.

* 폴 호컨, 같은 책, 84.

** 세계자연기금 · 런던동물학회, 〈지구생명보고서 2022〉.

자연기반해법 — 조림과 블루카본

이미 대기권에 배출된 이산화탄소를 기술로 재흡수하는 것이 효과적일까, 아니면 사실 자연이 탄소 순환 시스템을 복원시켜 그 시스템이 흡수하게 하는 것 효과적일까? 최근에는 기술혁신에 의지해서 탄소를 포집하려는 다양한 시도들이 부각되고 있지만, 사실 가장 효율적이면서도 대규모적인 탄소 흡수 능력은 자연이 가지고 있다. 육지의 숲과 바다의 생태계는 인간이 배출하는 이산화탄소 가운데 상당한 규모를 흡수해줌으로써 기후위기 해소에 크게 기여할 수 있다. 이것이 자연기반해법이다.

우선 육지의 온실가스 흡수원인 숲을 보자. "숲에는 약 2조 2천억 톤의 탄소가 3개의 주요 산림 생물군계에 분산저장되어 있는 것으로 추정되는데, 약 54%는 열대림, 32%는 북방림, 14%는 온대림에 저장되어 있다."* 특히 원시림들은 지구에서 가장 크고 회복력이 강하며 탄소가 풍부한 숲이다.

하지만 과도한 벌목과 원시림 파괴 그리고 최근 기후변

* 폴 호컨, 박우정 옮김, 《한 세대 안에 기후위기 끝내기》, 글항아리사이언스, 2022. 79.

화와 연관된 '초대형 산불'로 인해 숲이 오히려 이산화탄소 배출원으로 작용하고 있다. IPCC는 6차보고서에서 산림벌채가 이산화탄소 배출 증가의 원인 중 하나라고 밝히고 있다. UN식량농업기구FAO에 따르면 지난 10년간 매년 1,000억 제곱미터의 산림이 벌채되었으며, 열대 산림 벌채가 전 세계 탄소 배출량의 8%를 차지한다. 2019년 말부터 약 6개월간 계속된 오스트레일리아 산불은 이 국가 온대림의 무려 21%를 불태워 7억 톤 이상의 이산화탄소를 배출한 세계 최악의 산불로 기록되었다. 2023년에 발생한 캐나다 산불 역시 그리스 면적 이상을 태우고 약 3억 톤의 이산화탄소를 배출하면서 초대형 산불에 이름을 올렸다.*

조림Afforestation이 지구의 장기적인 건강, 지속가능한 개발 기여, 기후위기 대응이라는 공동의 목표를 달성하는 데 필수라는 점을 인정한다면, 산림 벌채와 산림 황폐화에 대처하여 황폐해진 땅에 다시 숲을 조성하는 자연기반 해법에 주목해야 한다. UN환경계획UNEP은 "숲은 화석연료를 태워 연간 배출되는 이산화탄소의 약 1/3에 해당하는 양의 이산화탄소를 포집한다. 그러므로 산림 벌채를 중단하고 훼손된 산림을 복원하면 기후 문제를 해결하는 데 최대 30%까지 기여할 수 있다"고 확인한다.** 조림과 재조림Refforestation은 배출된 온실가스 흡수뿐 아니라 생물다양성 회복과 사막화 방지, 물의 저장을 위해서 그리고 특히 산림에 의존해서 살아가고 있는 선주민

* 2023년 8월 시점에서의 언급이며, 피해규모와 배출규모는 계속 증가하고 있다.

** https://www.unep.org/news-and-stories/story/forests-natural-solution-climate-change-crucial-sustainable-future

들의 인권을 보호하기 위해서 이뤄져야 한다.

육지에서 조림과 재조림을 통해 온실가스를 흡수하자는 방안에 비해 전 세계 광합성의 절반이 일어나는 바다의 온실가스 흡수 능력은 상대적으로 덜 주목받고 있다. 해양생태계는 염분 습지[소금 습지]와 해초, 산호, 갈조류 서식지, 맹그로브 숲 등을 통해 육지보다 헥타르당 최대 5배 많은 탄소를 저장할 수 있다.* 특히 육지의 숲이 흡수하는 탄소는 대부분 잎과 나무의 분배를 통해 결국은 다시 대기로 돌아가지만, 바다의 생물들이 흡수한 탄소는 깊은 바다로 내려가서 수세기 동안 대기로부터 차단될 수 있다. 지금도 매년 약 2억 톤의 이산화탄소가 이렇게 격리된다. "바다숲을 조성하면 수확된 갈조류에서 나온 탄소의 최대 90%를 의도적으로 심해로 가라앉힐 수 있고 이곳에서 탄소는 수세기에서 1천 년 동안 대기로부터 격리되어 갇혀 있을 것이다. 따라서 바다숲 조성은 대양만큼 광대한 잠재력을 가진 기후 해결책이다."**

이처럼 세계의 해안가의 해양생태계, 맹그로브 숲, 염분 습지, 해초류 그리고 해조류에 의해 흡수되는 탄소를 '블루카본Blue Carbon'이라고 한다. 블루카본은 숲과 같은 전통적인 육상생태계가 아닌 해안 해양생태계를 통해 고정되는 탄소인 것이다. 바다의 식생 서식지는 해저의 0.5% 미만을 차지하지만 해양 퇴적물에 있는 모든 탄소 저장량의 50% 이상, 잠재적으로 최대 70%를 차지한다.

* 그레타 툰베리. 이순희 옮김. 《기후 책》, 김영사, 2023. 438.

** 폴 호컨, 앞의 책, 54.

하지만 바다숲도 육지숲 못지않게 훼손되어 온실가스 흡수원으로서 기능을 점점 잃고 있다. 전 세계 해초 면적의 약 1/3이 이미 손실되었고 염분 습지로 덮여 있던 면적의 약 25%가 사라졌으며, 맹그로브 숲 역시 빠르게 훼손되었다. 그 결과 블루카본 흡수원 면적의 약 1/3은 더 이상 바다생태계에 존재하지 않게 되었다. 이는 생물다양성이나 연안 보호에 미치는 영향을 넘어 자연 탄소 흡수원의 손실을 의미하며, 인간이 배출한 온실가스를 제거하는 생물권의 능력이 약화되었음을 뜻한다. 바다숲을 다시 복원하기 위한 노력이 육지의 숲을 되살리기 위한 노력 이상으로 시급하고 중요한 과제가 되었다.*

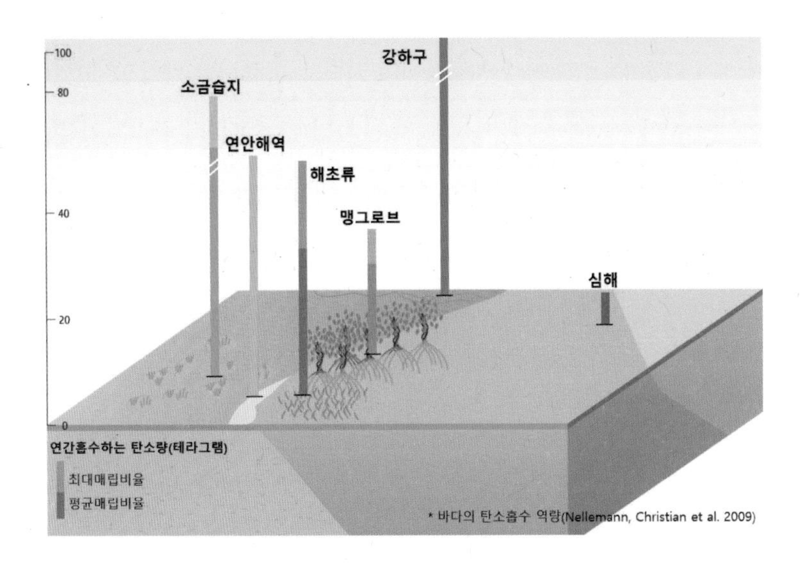

바다의 연안습지에서 흡수되는 이산화탄소
[출처] Nelleman, C. et al., <Blue Carbon: the role of healthy oceans in binding

* Nelleman, C. et al., 〈Blue Carbon: the role of healthy oceans in binding carbon〉, 2009.

carbon>(2009)

종합적으로 볼 때, 자연을 통한 탄소의 흡수라는 해결책은 **재자연화[재야생화, Rewilding]**로 귀결될 수 있다. "재자연화는 지구 생태계를 과거의 특정한 상태로 되돌리려는 것이 아니라, 가능한 풍부하고 다양하며 역동적이고 건강한 상태를 이룰 수 있도록 그냥 놓아두려는 것"이다. 그리하여 이를 통해 온실가스를 흡수할 수 있는 자연의 역량을 복원시킴은 물론, 물순환체계의 복원, 생물다양성의 복원 등 인류가 그동안 망쳐버린 복잡한 자연생태계의 자생력을 회복하는 길이 될 것이다.* **김병권**

더 찾아보기

- 폴 호컨, 박우정 옮김, 《한 세대 안에 기후위기 끝내기》, 글항아리사이언스, 2022.
- 그레타 툰베리, 이순희 옮김. 《기후 책》, 김영사, 2023.
- Nelleman, C. et al., <Blue Carbon: the role of healthy oceans in binding carbon>, 2009.
- https://www.unep.org.

* 그레타 툰베리, 이순희 옮김, 《기후 책》, 김영사, 2023, 444.

식량위기 대응 농업 정책

UN은 2022년 7월 <세계 인구 전망 2022> 보고서를 공표했다. 이 보고서에 의하면 2022년 7월 기준 세계 인구는 79억 7천만 명으로, 1970년에 비해 2.2배 증가했고, 향후 2070년에는 103억 명에 이를 전망이다. 한국만 보면, 2022년 5,200만 명에서 2070년 3,800만 명으로 감소할 것으로 보인다. 세계 인구는 2070년 100억 명을 살짝 넘는 수준에서 정점을 찍고 차츰 감소할 것으로 예상되지만 상황에 따라서는 2070년 전에 정점을 지날지도 모른다. 이 예상을 받아들인다면, 인류는 100억 명이 먹을 수 있는 양만큼의 식량을 생산해야 한다.

식량을 생산하는 방식은 지구환경 변화와 밀접하게 관련되어 있다. 지구의 안전 한계선(→ 지구 안전 한계선)에서 볼 수 있듯, 담수와 토지의 사용, 기후변화와 자원의 순환 등이 식량 생산의 중요 변수로 작용하기 때문이다. 인류가 당면한 과제는 토지 사용량을 줄이면서도 생산성이 높은 식량을 개발하여 100억 명의 사람들이 부족하지 않게 먹고 살 수 있게 하는 것이다. 또한 질소의 순환 과정을 개선하기 위해 합성비료의 사용은 최소화해야 한다.

세계 최고의 의학 저널인 <더 란셋The Lancet>은 이 문제의 심각성을 초기에 인지한 그룹이다. 식량 확보와 환경보호라는 두 방향으로 달리는 토끼를 잡기 위해 이들은 'EAT-Lancet'이라는 위원회를 발족시켜 지속가능한 푸드 시스템과 건강한 식단에 대한 연구를 장려하고 있다. 이 위원회는 초기의 연구를 종합해 2019년 〈지구를 위한 건강 식단The Planetary Health Diet〉이라는 보고서를 발간했다.

이 보고서는 몇 가지를 제안했다. 그중 하나가 '**플렉시테리언**Flexitarian'인데, 채식 위주의 식사를 권고하는 내용이다. 근래에는 채식주의자를 뜻하는 베지테리언Vegetarian 혹은 비건Vegan이 주목받고 있지만, 플렉시테리언은 낮은 단계의 채식주의를 의미한다고 볼 수 있다.(→ 기후밥상/기후미식) 보고서는 플렉시테리언이 되고자 하는 사람이 있다면, 매주 한 끼 정도는 돼지고기나 소고기, 두 끼는 어류 그리고 나머지 두 끼는 닭고기 정도의 식단을 구성하고 나머지는 철저하게 채식 위주로 섭취할 것을 제안한다.

EAT-Lancet 위원회는 식단 외에 두 가지 실천 방법을 같이 제안했다. 첫째는 폐기되는 음식물을 줄이는 것이다. 위원회의 분석에 의하면, 인류는 매년 우리가 생산하는 먹거리의 30%를 폐기물로 배출하고 있다. 이 폐기물을 줄이는 것은 원생산물부터 최종 소비에 이르기까지 식량 공급의 효율성을 향상시킨다는 것을 뜻하고, 이것만으로도 최대 6%의 온실가스 배출을 감축할 수 있다.

둘째는 지속가능한 식량 생산 방법을 개발하는 것이다. 더 많은 탄소를 흡수하고 수자원을 보호하며 비료와 영양분의 과다 사용을 제한하는 새로운 농법이 개발되어야 한다. 보고서는 2013년에 발표된 EU의 '**공통농업정책**(Common Agricultural Policy, CAP)'을 참고하고 있다. 이 정책은 수익성 높은 농업 생산을 주장하는 농민단체와 환경보호를 주장하는 환경단체가 모여 2년간의 회의 끝에 극적으로 만들었다는 점에서 높이 평가받는다.

CAP는 세 가지 의무 사항을 적시했다. 하나는 영구초지Permanent Grassland를 개발하지 않고 보전한다는 것이다. 토지 사용이 지구 시스템의 안전 한계선을 넘어섰다는 점을 생각할 때 매우 적절한 조치일 것이다. 또 하나는 농지에 다양한 작물을 재배하는 것이다. 10ha가 넘는 농지라면 최소 둘 이상의 작물을 재배하고, 30ha를 넘으면 최소 셋 이상의 작물을 재배해야 한다. 땅의 활력을 유지하고 먹거리의 다양성을 확보하기 위함이다. 어떤 경우에도 단일 작물의 재배 면적은 전체 면적의 75%를 넘지 못하게 해 편법으로 재배작물 가지수만 늘리는 것을 방지했다.(→ 기후밥상/기후미식) 마지막으로, 영구초지를 제외하고 15ha 이상의 농지 면적의 5% 이상을 2015년부터 **생태보호구역**Ecological Focus Area으로 정하는 것이다. 공유지를 계속 확보해 토지 사용의 한계선을 지키기 위함이다.

100억 명을 위한 식량을 확보하고 지속가능한 농업을 실행하는 것은 매우 어려운 과제다. 새로운 경작법과 농작물에 대한 혁신이 일어나야 하고, 지난 만년 동안 반복되었던 새로운 농경지 개간은 즉시 중단해야 한다.

이러한 혁신적 사례는 세계 곳곳에서 볼 수 있다. '더 랜드 연구소The Land Institute'는 지속가능한 농업을 연구하는 대표적인 기관으로, 매년 땅을 갈거나 제초제를 사용하지 않아도 되는 다년생 작물을 개발하는 것이 주요 목적이다. 연구소는 밀보다 영양가가 높고,

글루텐은 적으며, 기존의 밀과 달리 땅속에서 겨울을 나는 다년생 작물을 개발해 '컨자Kernza'라는 브랜드명을 붙였다. 컨자는 뿌리가 3m까지 자라 토양을 고정해서 침식을 막아주며 가뭄에 강한 특성을 보인다. 아직까지는 생산성을 높여야 하는 과제가 남아 있지만, 컨자를 이용한 시리얼과 맥주 생산이 이미 상용화되었다.* 컨자의 사례는 기후위기 시대에 식량 안보를 추구하는 것이 불가능한 목표는 아니라는 희망을 보여준다. 현재 관련 연구가 활발한 만큼 앞으로 더 많은 사례가 등장해 새로운 해법을 보여줄 것으로 기대된다. **전병옥**

더 찾아보기

- 허북구, 《탄소 농업》, 중앙생활사, 2022.
- 전성률, 「ESG랑 맥주요?!」, EBS 비즈니스 리뷰. https://youtu.be/QQH6_V8-drQ

* 아웃도어 패션 브랜드로 유명한 파타고니아가 2012년 설립한 식품 브랜드 '파타고니아 프로비전'이 기후위기에 대응하는 식품으로 컨자 필스너 맥주를 출시했다.

기후적응

이미 지구의 평균온도가 산업화 이전 대비 1.1℃ 상승을 넘어 기후위기가 점점 한계선을 향해 가고 있는 지금, 우리는 어떤 행동을 해야 할까? 크게 두가지, 즉 완화Mitigation와 적응Adaptation이라는 행동 방식이 있다.

기후변화 완화 Climate Change Mitigation는 온실가스 배출량 감축처럼 기후변화를 일으킨 원인을 제거함으로써 기후변화 속도를 늦추거나 줄이는 것을 말한다. 기후대응을 위해 가장 먼저 관심을 기울여야 하는 대책이다. 반면, **기후적응**Climate Adaptation은 이미 발생했거나 예상되는 기후변화로 인한 충격이나 재난에 대응하여 자연과 인간이 입을 충격과 피해를 줄이기 위해 취하는 모든 행동을 말한다.

IPCC 6차 보고서에서는 기후적응을 "인간 시스템에서 기후변화의 피해를 줄이거나 그로부터 이득을 얻을 기회를 활용하기 위해, 실제 발생했거나 향후 예상되는 기후와 그 영향에 적응하는 과정"으로 다소 건조하게 정의하고 있다. 구체적으로는 "기상이변과 자연재해, 해수면 상승, 생물다양성 손실, 식량·물 부족 같은 기후변화의 현재적 또는 예상되는 영향에 대한 취약성을 줄이는 데 도움이 되는 조치"라고 할 수 있다. 특히 기후적응은 기후변화로 인한 각종 위험을 최소화시키기 위한 정책적 대응을 포함해야 하고, 기후변화로 인한 위험에 대응할 수단이 가장 적은 취약계층을 보호하는 것까지를 생각해야 한다.* (→ 기후재난 돌봄)

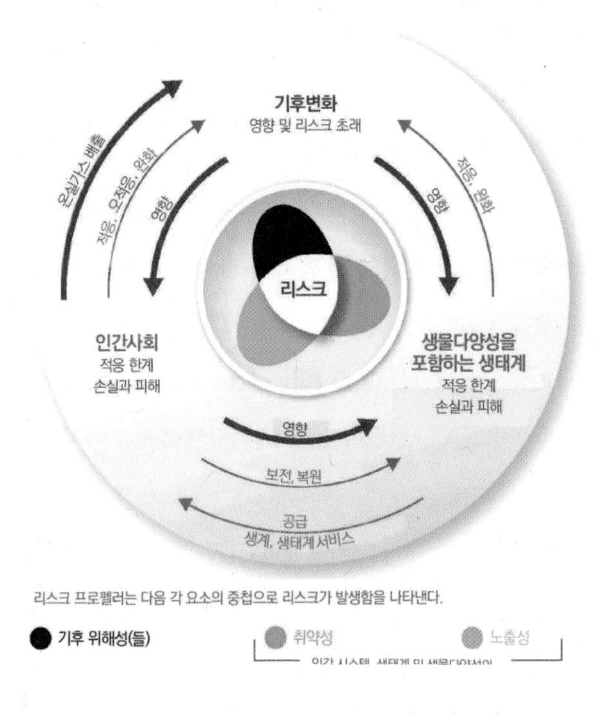

기후변화로 인한 상호작용 · 추세
[출처] IPCC 6차 보고서

최근 기후위기에 대한 대응이 점점 더 지연되면서 획기적인 온실가스 감축을 통한 기후완화 대책과 동시에, 불가피하게 직면할 기후변화에 어떻게 적응할 것인지에 대한 논의가 점점 더 중요해

* UN개발계획 웹사이트. https://climatepromise.undp.org/

지고 있다. 이러한 경향에는 또 다른 이유도 있다. 기후위기로 인한 충격을 최소화할 수 있는 일종의 한계선인 지구평균온도 추가상승 '1.5℃ 한계선'을 넘어갈 가능성이 점점 더 확실해지고 있는 것이다.

런던유니버시티 칼리지의 기후과학자 빌 맥과이어Bill Mc-guire는 인류가 기후위기를 넘어 **기후붕괴**Climate Breakdown 상황에 도달했다고 강조하면서 1.5℃ 가드레일이 무너지고 있다고 주장했다. 또한 영국의 〈이코노미스트〉지도 2022년 11월 13일자 기사에서 "이미 배출된 온실가스의 지속적 영향 그리고 하룻밤 사이에 배출을 중단하는 것이 불가능하다는 점을 고려할 때, 이제 지구가 1.5°C 이상의 온도 상승을 피할 수 있는 방법은 없다. 1.5℃ 초과 수준이 너무 크지 않고 초과 기간이 일시적일 수 있다는 희망은 여전히 있지만, 이러한 위로의 가능성조차 점점 줄어들고 있다"면서 냉정하게 1.5℃ 사망선고를 내렸다.*

1.5℃ 초과 상승에는 한번 무너지면 되돌아오기 어려운 티핑 포인트를 지나버릴 위험이 숨어 있다. 그런 위험이 실제로 어떻게 나타날 수 있는지 인류는 2022년 8월, 3천만 명 이상의 이재민을 내고 국가 경제의 10% 이상을 파괴한 파키스탄 대홍수 참사 사례에서 생생하게 목격했다. 그렇다면 기후변화를 막기 위한 획기적인 온실가스 감축 대책뿐 아니라 재난과 붕괴의 위험에 대한 대비, 즉 적응 대책이 동시에 필요하다는 목소리는 커질 수밖에 없다.

기후위기 심화로 인한 돌이킬 수 없는 사회적 붕괴에 대

* "Say goodbye to 1.5°C", https://www.economist.com/weeklyedition/2022-11-05

응하는 전략으로 '**심층적응**Deep Adaptation'이라는 개념이 사용되기도 한다. 사회붕괴까지 갈 수 있는 최악의 결과를 주시하고 대비하기 위해 "지체 없이 사전예방의 원칙을 적용"하자는 것이다. 이를 위해 점점 더 심각해지는 기후위기에 대응하는 "효과적인 조기 경보시스템이 되려면 낮은 확률이지만 의심할 여지 없이 큰 영향을 미치는 사건이나 급격한 변화에 내재된 위험을 최대한 빨리 경고할 수 있도록 만드는 데" 초점을 두어야 한다는 것이다.*

기후재난은 이제 세계 곳곳에서 이미 현재형이 되고 있다. 한국 중부지방의 유래 없는 물폭탄, 이탈리아와 스페인에서의 45도가 넘는 폭염, 서울 면적의 180배를 태워버린 북미 지역의 산불, 그리스의 산불 등은 2023년 7월 현재 인류가 겪고 있는 기후재난의 일부에 불과하다. UN은 2023년 7월 초가 역사상 가장 더운 시기였다고 선언했는데, 이를 인용한 〈가디언〉지는 기후위기로 인해 인류가 '미지의 영역uncharted territory'으로 들어가기 시작했다고 선언했다.**

이런 상황에서는 기존의 재난 방재시스템이 무력화될 수도 있다. 가뭄과 홍수 등은 예기치 않은 식량난을 몰고 올 수도 있다. 심각한 폭서나 혹한 등은 취약자들의 건강에 심각한 위험을 초래할 수 있다. 그 결과 물리적인 방재시스템뿐 아니라 주거, 보건 등 기존 복지시스템에 구멍이 나는 상황이 올 수도 있다.

* 젬 벤델 · 루퍼트 리드, 김현우 외 옮김, 《심층적응》, 착한책가게, 2022.

** "'Uncharted territory': UN declares first week of July world's hottest ever recorded. www.theguardian.com/environment/2023/jul/11/uncharted-territory-un-declares-first-week-of-july-worlds-hottest-ever-recorded

구 분	지표명	'20		'25
홍수	돌발홍수 예보시스템	-		구축
	하수도정비 중점관리지역 지정	114 개소	↗	180 개소
가뭄	국가가뭄정보포털 이용자(연간)	11 만	↗	40 만
	상수도 스마트관리체계 구축 (개소)	-		209 곳
생물대발생	생물대발생 발생종·가능종 DB 구축	-		구축
	친환경 방제 가이드라인			제정
산림재해	산사태 예측시스템 고도화	(1시간 전 예측)	↗	단기예보
	기후변화 산불위험지도	-		구축
식량안보	기후적응형 품종 개발(종)	288 종	↗	363 종
	농장맞춤형 조기경보시스템 정보제공 (지자체수)	29 곳	↗	110 곳
건강보호	기후변화에 따른 건강관리 플랫폼(앱)	-		운영
	취약계층 이용시설 행동요령 설명회 (대상)	-		1,000 곳
취약계층 보호	기후 위험 중점관리지역(Hot Spot) 선정방안 마련	-		마련
	적응인프라 구축(지자체)	-		매년 10곳

기후적응대책 국민체감 지표(출처:제3차 기후변화적응대책)

이제 미지의 영역으로 들어선 기후재난에 대한 적응을 위해서는 기존의 물리적인 재난 대응 시스템의 안전 수준을 재점검하는 것은 물론이고, 기존의 복지 시스템이 기후재난에 충분히 대응할 수 있는지에 대한 전반적 재검토 역시 필요하다. 기후위기가 더 심각해지면 물, 음식, 주택, 의복, 에너지 등 인간의 삶에 기본적으로 필요한 것들조차 시민들이 제대로 공급받지 못하는 상황에 빠질 수도 있는 '파국적 붕괴'의 상황까지 대비해야 하기 때문이다. 물론 붕괴의 위험에 직면해서 "재난에 대비한다는 것은 무엇보다도 먼저 자신의 주변과 유대를 형성한다는 것"이라고(→ 기후재난 돌봄) 전문가들은 강조한다.* **김병권**

더 찾아보기

- 관계부처합동, <제3차 국가 기후변화 적응대책:2021-2025>, 2021.
- 젬 벤델 · 루퍼트 리드 지음, 김현우 외 옮김, 《심층적응》, 착한책가게, 2022.
- 파블로 세르비뉴 · 라파엘 스테방스, 강현주 옮김, 《붕괴의 사회정치학》, 에코리브르, 2022
- IPCC. limate Change 2022 Impacts, Adaptation and Vulnerability: Working Group II Contribution to the Sixth Assessment Report of the Intergovernmental Panel on Climate Change.

* 파블로 세르비뉴 · 라파엘 스테방스, 강현주 옮김, 《붕괴의 사회정치학》, 에코리브르, 2022.

회복력

회복력 또는 회복탄력성의 사전적인 의미는 "눌리거나 늘린 뒤 본래 모양이나 위치 등으로 다시 튀어 오르거나 돌아가는 능력, 탄성력, 힘이나 정신, 좋은 기분 등을 신속히 회복하는 능력"이다. 회복력의 반대는 사물이 경직되어 있거나 외부압력에 반응해서 파괴되는 것이다. 회복력은 특히 지구와 같은 시스템에서 중요한데, 변수가 많은 환경을 견디고 살아남는 능력을 재는 척도가 되기 때문이다.*

놀라운 회복력을 보여주는 대표적인 시스템이 있다면 바로 "우리 인간의 몸이다. 우리의 몸은 무수한 침입자를 막아내고, 기후와 음식이 크게 바뀌어도 견디며, 공급된 혈액을 재분배하고, 찢어진 상처를 재생하고, 신진대사 속도를 조절하고, 신체 일부에 어떤 문제가 생기거나 일부가 없어져도 감당할 수 있다."** 회복력을 지닌 시스템은 매우 역동적인데, 단기적 진동이나 주기적 돌발, 연속과 절정, 붕괴의 장기 순환이 생겨도 회복력을 통해 원래대로 되돌리는 과

* 도넬라 H. 메도즈, 김희주 옮김, 《ESG와 세상을 읽는 시스템 법칙》, 세종서적, 2022.

** 도넬라 H. 메도즈, 같은 책.

정을 반복하기 때문이다.

문제는 우리 경제나 사회가 생산성이나 효율성 등을 과도하게 추구하면서 시스템이 유지해야 할 회복력을 제대로 관리하지 못한다는 것이다. 예를 들어보자. 한때 재고를 줄이고 효율성을 극대화한다면서 적시생산(Just-in-time) 시스템을 도입하는 것이 유행이었다. 그 결과 재고 부담이 줄고 비용 절감에 도움이 된 것도 사실이다. 하지만 적시생산 시스템은 일상적인 원료 공급에 변동이 오거나 무역흐름이 일시 정지하거나, 정보 시스템의 교란이나 인력수급의 예기치 못한 변동 등 여러 가지 잠재적 문제들이 불거지면 대처가 안되고 시스템이 붕괴상태에 빠진다.

극단적 효율성 추구가 예기치 못한 상황을 맞아 심각한 교란 상태에 빠진 대표적인 사례가 바로 2020년의 코로나19 팬데믹 사건이었다. 당시에 선진국들인 미국이나 유럽 국가들은 마스크를 포함한 전염병 대응 비상의료비품을 구할 수 없어 초기에 큰 혼란을 겪어야 했다. 효율성을 추구한다고 자국 안에 비상의료 필수품 등을 모두 해외에 아웃소싱했는데, 코로나19 발발로 갑자기 글로벌 공급망이 중단되었기 때문이다.

기후변화 대응도 마찬가지다. 목재생산을 최대한 효율적으로 하기 위해 하나의 종으로만 조림을 한 숲은 회복력을 잃어서 병충해나 기후변화에 취약하다. 숲뿐만 아니라 종다양성을 잃은 초원과 해안 생태계 등은 대체로 회복력을 갖지 못해 외부 변화에 적응하지 못하고 붕괴되기 쉽다.

그러면 우리의 경제 시스템과 지구 시스템의 회복력을 유지하려면 무엇이 필요할까? 저명한 미래학자 제리미 리프킨Jeremy Rifkin은 가차없는 효율성 추구가 우리 경제를 충격에 취약하게 만들었다고 비판하면서 회복력을 유지하기 위한 핵심이 바로 '중복성'과 '다양성'이라고 강조한다. 그는 생물학적 시스템을 예로 들면서 "효율성보다는 적응성이 생물학적 시스템의 시간적 특징이며 생산성보다는 재생성이 성능의 척도"라고 말한다.* 지구 생태계와 경제 시스템의 다양성을 존중하고 과도한 효율성 추구를 위해 회복력이 손상되지 않도록 하자는 것이다. 특히 시스템이 회복력의 한계 범위를 벗어나는 티핑 포인트를 넘어서 다시는 이전으로 되돌아가지 못하는 상황을 만들지 말아야 한다.

《성장의 한계》라는 책의 공저자인 도넬라 메도즈는 회복력을 "시스템이 뛰어놀며 정상적인 기능을 안전하게 수행하는 대지라고 생각한다. 회복력을 지닌 시스템은 큰 대지에서 뛰어논다. 그 시스템이 뛰어노는 커다란 공간은 벽이 부드럽고 탄력적이어서 시스템이 위험한 가장자리에 접근해도 그 벽에 부딪혀 다시 튕겨나온다"고 적절하게 지적한다. 이런 뜻에서 기후위기에 대한 가장 적절한 대응는 지구가 다시는 회복되지 못하는 티핑 포인트로 넘어가는 것을 막고, 회복력을 유지하도록 조력하는 것이다. **김병권**

더 찾아보기

- 제러미 리프킨, 안진환 옮김, 《회복력 시대》, 민음사, 2022.
- 도넬라 H. 메도즈, 김희주 옮김, 《ESG와 세상을 읽는 시스템 법칙》, 세종서적, 2022.

* 제러미 리프킨, 안진환 옮김, 《회복력 시대》, 민음사, 2022.

업사이클링

우리는 기후위기를 비롯한 현재의 다중 생태위기가 (화석 연료 과다사용을 수반하는) **과생산**에 의해 초래된 위기라는 점을 정확히 인식할 필요가 있다. 해양 플라스틱 오염, 해양 질소 오염, 전 지구적 온실가스 오염과 그 결과물인 지구온난화와 해양온난화, 대규모의 생물종 감소, 코로나 팬데믹…이것들은 각기 다른 층위의 문제이지만, 과생산이 빚어낸 결과물이라는 점에서는 동일한 문제라고 할 수 있다.

하지만 정확히 말해 누가 과생산을 야기해온 것일까? 이윤확대라는 자동화된, 단기적 목적으로 움직이는 기업들은 분명 과생산의 주체일 것이다. 하지만 그 기업들의 과생산을 아래에서 떠받치고 있는 이들은 기업 밖에 따로 있다. 과소비가 자동화된 라이프스타일이 되고 만 평범한 소비자들, 욕망하고 소비하고 사용하는 (20세기 후반기형) 생활인들이 바로 그들이다. 소비자들의 수요가 선작동해야만 생산은 지속될 수 있다. 과생산을 일으킨 자를 찾는 여정에서 우리는 욕망에 들끓고 욕망에 따라 살아가는 소비자들을 만나게 된다.

그러나 이것 역시 전체의 그림은 아니다. 우선, 이 욕망은 사실 소비자들 스스로 창조한 것이 아니다. 주변인들의, 과소비를 통한 자존감 현시, 과생산하려는 기업들의 광고가 은근히 유발하고 촉발한 것이라고 봐야 한다. 과수요(과다욕망), 과소비, 과생산은 서로의 꼬리를 물고 있다.

이 사이클은 과다폐기물이라는 항목이 추가되어야 비로소 완성된다. 과다욕망을 당연한 욕망으로 여기게 된 자는 자연스럽게 과소비하게 되지만, 최종적으로는 과다폐기물 생산의 주체가 된다. 그러니까 지구 위에서 누군가가 과다 생산과 유통으로 제 지갑과 금고를 불린 결과, 지구 위에서 누군가가 과생산된 상품들을 과소비하며 제 욕망을 마음껏 충족한 결과—그 최종적 결과는 그 누군가들의 만족과 복리福利이기도 하지만, 동시에 지구 어딘가에 과집적된 폐기물들이기도 하다.

그래서 니콜라스 로겐은 일찍이 자본주의는 폐기물 증대 그리고 엔트로피 증대를 야기하는 시스템이라고 했다. 폐기물, 엔트로피 증대가 자본주의의 의도치 않은, 우연한 결과물이 아니라 처음부터 그렇게 될 수밖에 없는 필연의 결과물이라는 것이다.*

리사이클링, 업사이클링 등 폐기물 관련 운동은 바로 이런 맥락에서 생각되고 논의되어야 한다. 개인-소비자의 소소하지만 확실한 실천이라는 맥락에서가 아니라, 지구의 모든 공장들에서 생산되는 상품들과 그 최종물질의 효율적인/이성적인 처리라는 맥락에서.

* Mauro Bonaiuti ed., *From Bioeconomics to Degrowth*, Routledge, 2011.

업사이클링Upcycling이란 수요-생산-유통-소비-폐기로 이어지는 상품 순환궤도를 돌다가 결국 폐기되고 마는 물질을 새롭게 살려내 다시 그 순환궤도에 오르게 하는 행동을 뜻한다. 하지만 여기서 '새롭게 살려내는 것'의 수준이 중요하다. 만일 어떤 지구의 물질이 폐기처리되지 않게 하면서, 상품 순환궤도에 다시 오르게만 한다면 그것은 그저 **리사이클링**Recycling이라고 불러야 할 것이다.

그런데 니나 슈랭크Nina Schrank에 따르면, 현재 리사이클링 공장에 들어간다고 측정되는 세계의 플라스틱 가운데 오직 9%만이 도어매트나 원뿔모양 교통표지판 같은 상품으로 재탄생되고 있다. 그리고 이런 상품은 아마도 1~2회 변신을 한 후에는 다른 플라스틱처럼 매립지나 소각장 등으로 가게 된다.* 이처럼 원물질보다 그 기능과 퀄리티가 떨어지는 수준으로의 리사이클링은 **다운사이클링**Downcycling이라고 불린다. 그렇다면 자명하다. 원물질보다 그 기능과 퀄리티가 높은 수준으로의 리사이클링—이것이 바로 업사이클링이다.

그러니까 사용가치가 소진된 어떤 물질, 즉 사용가치의 측면에서 노화의 시간대에 놓인 어떤 물질을 변화시켜, 그 사용가치를 원래의 그것보다 높이는 것이 업사이클링이다. 이런 면에서 업사이클링은 어떤 물질의 가치를 '새롭게 높이는' 행동이라고 부를 수 있다.

이처럼 업사이클링은 어떤 물질의 사용가치를 새롭게 높

* Greta Thunberg et al, *The Climate Book*, Allen Lane, 2022, 296.

여 경세의 순환궤도에 올리는 일이므로, 순환 경제와 관련이 깊다. 폐기물을 대량 양산하는 현행 **선형 경제**Linear Economy를 **순환 경제**Circular Economy로 바꾸려면, 업사이클링이 극대화 · 전면화되어야만 할 것이다.(→ 순환경제)

이것이 되려면, 지금처럼 기업들이 업사이클링 제품을 시범적으로 개발하고 이를 자사 홍보 수단으로 삼는 식의 소극적인 방식이어서는 안 된다. 오히려 기업들은 시장에 출시하기 전에 자사의 모든 제품들을 또는 그 제품의 대부분을 업사이클링이 가능한 형태로 재디자인할 필요가 있다. 최초 디자인 단계부터 최종 물질의 업사이클링을 염두에 두어야 한다는 것이다. 원물질의 성격, 원물질을 가공 · 결합하는 방식, 해체하고 재구성하는 방식 등을 디자인 단계에서 새롭게 논의하며 상품을 제작해야 한다.

이것이 가능하려면, 기업들이 이러한 대전환을 하는 데서 오는 비용적 충격을 정부가 보조금 형식으로 완화할 필요가 있다. 예컨대, 업사이클링 제품이 전체 시판 제품의 *%를 넘는 기업에게 보조금을 지급하는 방식도 생각해볼 수 있다.

또한 현재 가정에서, 기업과 관공서에서 배출되는 폐기물들을 지역(예컨대 동) 단위에서 최대치로 업사이클링할 수 있도록, 지역 단위 업사이클링 센터가 지역 정부(지자체) 주도로 (즉 공공자금으로) 설립되고 운영되어야 비로소 의미 있는 수준의 업사이클링이 진행될 수 있다. 이 센터에서는 아마도 다음과 같은 일이 가능할 것이다.

(1) 업사이클링 기술을 보유한 기업들이 입주하여 정부 보조금을 지원받으며 비즈니스 운영하기

(2) 더 작은 단위들(예컨대 **아파트 단지)에서 수거된 폐기물들 가운데 업사이클링이 가능한 일부 물질을 센터 내 업사이클 기업들이 수령하여 업사이클링 수행하기

(3) 지자체가 고용한 물질(소재)별 업사이클링 기술진이 업사이클링 기술을 지역민에게 공유하기 (목공/금속공예/섬유분야/악기분야 등의 분야별 기술교육)

(4) 물질(소재)별 폐기물 현황과 실정, 물질(소재)별 특성에 대한 지식을 공유하기 (폐기물 교육+물질 관련 시민 교육)

(5) 새롭게 제작된 업사이클링 제품들을 무료로 나누어주기

(6) 새롭게 제작된 업사이클링 제품들을 판매하기

(7) 지역 업사이클링 축제: 지역주민이 만든 업사이클링 제품 콘테스트와 이를 기반으로 한 예술 축제 개최하기

물론 위에서 열거한 것들은 지금으로서는 한낱 상상물에 불과하다. 업사이클링은커녕 다운사이클링 수준의 리사이클링조차도 제대로 안 되고 있는 것이 우리의 현실이기도 하다. 하지만 인간의 모든 위대한 작품은 상상하기 그리고 밑그림 그리기에서 시작되었다는 사실을 상기하자. 지금 우리는 새로운 꿈이 호출되는 시대에 살고 있다. 우석영

- Mauro Bonaiuti ed., *From Bioeconomics to Degrowth: Georgescu-Roegen's 'New Economics' in Eight Essays*, Routledge, 2011.
- Greta Thunberg et al., *The Climate Book*, Allen Lane, 2022.

폐기물 처리

인간이 사용하는 물질은 언젠가는 폐물廢物이 된다. 폐물이란 쓸모가 다 된 물질/물건이다. 쓸모가 다 된 그 물질/물건을 만일 유기遺棄하면[내버리면] 어떻게 될까? 그렇게 사용자가 유기한 물질을 우리는 '**폐기물**廢棄物waste'*이라고 부른다.

폐기물은 버림받은, 내쳐진, 외면당한, 쓸쓸한 물질/물건이다. 우리가 우리의 안온하고 정다운 세계에서 내버린, 내친, 우리의 세계로부터 외면당한 물질/물건. 그래서 폐기물은, 본질적으로, 어둡다. 이 물질은 세계의 어두운 구석에 쌓인 채로 우리의 시야에 잡히지 않아야만 한다. 이 특별한 존재자들의 다발은, 우리가 한때 사랑했다가 차버린 물질이므로, 한때 사랑했다가 차버린 옛 연인, 한때 같이 살다가 유기한 반려동물-가족과 비슷한 느낌을 우리에게 준다. 한마디로, 이 물질은 이제 더는 안 보았으면, 더는 우리 자신과 인연이 없었으면 하고 우리가 마음으로 바라는 것들이다. 바로 그렇기

* 가장 흔히 사용되는 단어는 '쓰레기'인데, 이 단어는 '인간 쓰레기', '개쓰레기' 같은 용어에서 확인할 수 있듯, '나쁜 것', '최악의 것', '경멸과 외면의 대상' 등 부정적인 뉘앙스가 강한 단어이다. 따라서 폐기물을, 폐기되기 전의 폐물을 새롭게 바라보고 존중하고 공경하기라는 새로운 마음의 태도가 필요한 오늘의 시대에는 경멸시되는 물질을 환기할 수밖에는 없게 된 단어인 '쓰레기'보다는 다른 단어를 사용할 필요가 있다.

에 그것을 떠올리는 것만으로도 우리의 마음은 거부감이나 염증厭症과 비슷한 감정에 빠지게 된다.

이런 이유로 폐기물은 어두운 물질이다.

그러나 이제 이 어두움을 거두어야만 한다. 기후격변의 시대는 우리에게 폐기물에서 어두움을 거두라고, 폐기물을 암흑의 영역에서 밝음의 영역으로 옮겨와 생각하고 행동하라고 요구한다.

우선 우리는 폐기물 처리 과정이 그 자체로 온실가스를 배출한다는 사실을 놓고 공공연히 이야기해야 한다. 고체 폐기물 처리 부문의 경우, 전체 이산화탄소 배출량의 약 5%, 메테인 배출량의 약 20%를 차지할 정도로 그 비중이 높다.* 폐기물을 마구잡이로 소각하고 유기물을 잘못 관리·분해하는 과정에서 배출되는 온실가스들이다. 잘못 방치된 폐기물은 강물 같은 유수를 막아 홍수를 유발할 수도 있다는 사실도, 물길을 따라 최종적으로 바다로 흘러들어가서는 수생 생태계를 오염시키는가 하면, 소각으로 대기를 오염시키기도 한다는 사실도 드러내놓고 이야기해야 한다.

밝혀져야 하는 것은 급격한 증가세를 보이는 폐기물 생산량이기도 하다. 2020년 기준 세계 폐기물 연간 생산량 추정치는 22억 4천만 톤이었다. 2050년에는 73% 증가된 양인 38억 8천만 톤이 생산될 것으로 추정된다.

물론, 플라스틱 폐기물 배출량도 계속해서 증가하고 있다. 현재 1억 5천만 톤의 플라스틱 폐기물이 지구의 바다를 떠돌고

* Greta Thunberg et al, *The Climate Book*, Allen Lane, 2022, 290.

있는 것으로 추정되는데, 만일 이 속도로 간다면 2040년엔 약 6억 5천만 톤이 바다에 쌓일 것으로 계산되고 있다. 한편, 2016년 한 해만 1,100만 톤의 플라스틱이 바다로 들어갔는데, 만일 동일 속도의 폐기가 지속된다면, 2040년 즈음이면 연간 2,900만 톤의 플라스틱이 바다로 들어갈 것으로 예상된다.*

폐기물이 발생해도 리사이클링되고 있지 않냐고? 세계적으로 폐기물 발생량의 약 2/3는 소각되거나 내버려지지[방치되지] 않는다는 추정치가 있다. 즉, 75% 정도는 리사이클링의 궤도에 오른다는 추정이다. 하지만 실제로는 25%보다 훨씬 더 많은 양이 소각되거나 내버려지고 있을 것으로 예상된다. 일부 국가의 경우 리사이클링 시설이 높은 수준에서 운영되고 있지만, 그렇지 않은 국가들도 많기 때문이다.**

무엇을 해야 할까? 두 가지를 생각해볼 수 있다. 첫째, 폐기물 생산량 자체를 감축해야만 한다. 둘째, 보다 높은 효율을 갖춘 폐기물 관리 시설을 완비해가면서, 이미 배출된/배출되고 있는 폐기물을 최대한 효율도 높게 관리해야 한다.

이 두 과제를 나누어 하나씩 햇빛 아래 펼쳐놓고 생각해보자. 첫째, 어떻게 폐기물 생산량을 줄일 수 있을까? 우선, 폐기물 생산량 감축이라는 사안은 단순히 폐기물 분야라는 생산 외 분야의 사안이 아님을 분명히 알아야 한다. 현행 세계 경제 시스템 하에서

* Greta Thunberg et al, ibid., 291; 293.

** Greta Thunberg et al, ibid., 292.

상품 생산량 증대는 필연적으로 상품 폐기물 발생량 증대로 이어지고 있다.(→ 업사이클링) 지구의 폐기물 문제를 해결하려면 전 세계적, 일국적 차원의 상품 생산량을 단계적으로, 계획적으로 감축하는 식의 새로운 경제 시스템을 고안해야 한다. 이러한 시스템이 작동하려면, 소비자들 전체가 상품 수요를 줄여나가는 문화혁명 역시 당연히 요청된다. (→ 탈성장) 물론, 업사이클링되는 상품의 비율을 대폭 증대하는 정책의 고안과 실행 역시 긴요하다. (→ 업사이클링)

이와 더불어, 각국 정부가 기업의 플라스틱 포장재의 사용 자체를 규제하거나 생분해 포장재의 개발과 생산, 유통을 지원하는 일도 필요하다. 이런 식으로 지구에 재흡수될 수 없는 비유기적 포장재 생산량 자체를 감축해야 한다.

둘째, 어떻게 하면 최대한 효율도 높은 폐기물 관리가 가능할까? 다음의 실천들이 요청된다.

- 개인들의 실천: 폐물을 재사용하기, 업사이클링하기 (가정 단위에서의 외부 배출 최소화)
- 정부/지자체의 실천: 마을별/동별 업사이클링 센터 설립하기 (마을/동 단위에서의 외부 배출 최소화)
- 정부/지자체의 실천: 폐기물 관리 설비 효율화와 확충에 자금 집행하기
- 정부의 실천: 생태적으로 건전한 폐기물 관리 기준/법령을 새롭게 정비하기

사실 이 두 갈래의 해법보다 더 중요한 것은 따로 있다. 폐물이 되어버린 물질/물건을 어떻게 대하는 것이 자신에게 이로울지를 우리 각자가 진지하게 생각해보는 것이다. 만일 폐물과 나 자신이 지금 공동운명체임을 깨달을 수 있다면, 이 깨달음이 모두의 깨달음이 될 수 있다면, 모두가 폐물을 다르게 대하기 시작할 것이다. 그리고 그렇게 되면 위의 두 갈래 해법이 암흑의 영역에서 나와 처음으로 의미 있게 조명되기 시작할 것이다. 우석영

- Greta Thunberg et al, *The Climate Book*, Allen Lane, 2022.

탈탄소 기술혁신

MIT의 물리학 교수인 맥스 테그마크Max Tegmark는 저서 《Life 3.0》(번역본은 맥스 테그마크, 백우진 옮김, 《맥스 테그마크의 라이프 3.0》, 동아시아, 2017)에서 다음과 같이 말했다.

"우리는 불을 발견했다. 그러나 화재 사고가 빈번해지자 소화기를 발명했다. 여기에 더해 비상 대피로와 화재경보기 등이 추가되었고, 화재를 전담하는 소방서를 설치했다. 자동차도 그렇다. 사고가 빈번하게 일어나자 안전벨트와 에어백 등이 개발되었고, 지금은 자율주행차 개발이 진행 중이다. 최소한 지금까지만 보면, 우리가 개발한 기술은 통제 불가능한 사고를 일으키지는 않았다."

증기기관과 내연기관도 처음 200년간은 눈부시게 발전했다. 재생가능하지 않은 화석연료를 사용하고, 이산화탄소를 거침없이 내뿜는 것만 제외하면 내연기관은 갈수록 정밀해졌고 놀라울 정도로 발전했다. 그렇다면 이산화탄소 배출과 관련되는 기술도 지구에 도움이 되는 방향으로 길들일 수 있지 않을까? 기술혁신을 불신하면서 반기계주의Anti-machinism를 주장하는 사람들도 있지만, 여전히 기술낙관주의에 근거해 기후위기를 극복하려는 연구도 다양하게 진행되고 있다.

한국과학기술기획평가원KISTEP은 탄소중립 로드맵의 달성에 실질적인 해법이 될 10가지 핵심 기술을 발표했다. 이 기술을 정리해보면 다음과 같다.

(1) 이산화탄소 포집 · 전환 기술

(2) 바이오 기반 원료와 제품 생산 기술

(3) 탄소저감형 고로-전로 공정기술*

(4) 고용량과 장수명 2차전지 기술

(5) 청정수소 생산기술

(6) 암모니아 발전기술

(7) 전력망 계통연계 시스템 기술

(8) 고효율 태양전지 기술

(9) 초대형 해상풍력 시스템 기술

(10) 유용자원(희토류) 회수 기술

이 기술들은 하나하나가 나름의 경제적 효과와 사회적 가치를 지닌다. 하지만 이들은 상호보완적이어서 동시에 개발된다면 탄소중립 로드맵에 크게 기여할 것으로 전망된다. 그러나 이 가운데에서도 가장 중요한 기술을 하나면 꼽으라면, 그건 아마도 '이산화탄소 포집 · 전환 기술'일 것이다.

* 철강기업에서 쇳물을 생산하는 기술. 내연기관과 전기를 혼합한 방식으로 기존 생산방식 대비 이산화탄소 배출량을 1/4 수준으로 줄일 수 있다.

기후변화의 근본 원인이 대기 중 이산화탄소 농도 급증에 있으므로, 이에 대한 과학기술적 대응책은 크게 두 가지로 분류된다. 하나는 배출량을 지속적으로 감소시켜 궁극적으로 자연이 감당할 수준까지 줄이는 것이다. 또 다른 하나는 대기 중에 있는 이산화탄소를 포집해 별도의 공간에 저장하거나 유용한 물질로 전환시키는 것이다.

말 그대로 탄소를 포집Capture, 활용Utilization 또는 저장/격리Storage/Sequestration하는 기술이 상용화되면 이산화탄소의 농도를 줄이면서 동시에 탄소 순환에 대한 새로운 해법을 찾을 수 있는 궁극의 기술혁신이 될 수 있다. **탄소포집・활용・저장기술(CCUS)**은 1972년 미국의 발베르데 천연가스 발전소Val Verde Natural Gas Power Plant에서 처음 활용되기 시작했고, 이후 50년간 꾸준히 발전해왔다.

이 기술의 첫 단계는 이산화탄소를 '포집'하는 것이다. 석탄・천연가스 화력발전소, 제철소, 시멘트 또는 정유공장 같은 대규모 산업 공정 시설은 에너지 집약도가 높은 산업으로 그만큼 이산화탄소 배출량이 많다. 이런 시설에서 생성된 온갖 불순물 중 이산화탄소만을 따로 분리해야 한다. 이산화탄소는 공기 중에 분산되는 성질이 있으므로 배출 시설에 '흡수제' 혹은 '흡착제'를 설치하여 이산화탄소만을 걸러낸다.

공기 중에 있는 이산화탄소를 직접 포집하는 기술(Direct Air Capture, DAC)도 중요하다. DAC 기술은 크게 두 갈래 방향으로 전개되고 있다. (1)흡착제가 있는 필터를 사용해 대기에서 이산화탄소만 걸러내는 방법(필터흡착) 그리고 (2)거대한 팬을 돌려 공기를 빨아들이고, 공기 중에 수산화용액을 뿌려서 이산화탄소와의 화학적 결합을 유도하는 방법(화학흡수)이다. 국제에너지기구IEA가 2020년 발표한 자료에 따르면, 전 세계에서 총 15개의 DAC 프로젝트가 추진 중이고 연간 9천톤 이상의 탄소를 포집하고 있다. 탄소중립에 실질적으로 기여하려면 아직도 갈 길이 멀다는 것을 알 수 있다.

탄소를 포집했다면, 이를 압축하여 원하는 장소로 이동시켜야 한다. 고온의 스팀 가열기를 활용하면 80~100기압의 압력으로 이산화탄소를 액화시킬 수 있다. 이 과정에서 에너지를 많이 사용하므로 효율성을 높이는 방법에 대한 연구가 활발하게 진행 중이다. 액화된 이산화탄소는 트럭, 선박 같은 이동수단을 활용하거나 파이프를 연결해 직접 수송할 수도 있다.

수송된 이산화탄소는 지하 깊숙한 곳에 매립(저장)할 수 있다. 에너지를 덜 사용하면서 안전하게 매립할 수 있다면, 추후에 새로운 형태의 자원 활용 계획에 사용할 수 있을 것이다.

그러나 매립하는 것보다 더 바람직한 대책은 이산화탄소를 변형해 우리가 필요한 곳에 활용하는 것이다. 현재는 세 갈래 방향이 제시되고 있다. 첫 번째는 화학적 전환 기술로, 이산화탄소에 촉매 반응을 일으켜 메테인올, 요소, 우레탄 등의 화학제품 원료로 전환하는 것이다. 두 번째는 생물학적 전환 기술로 광합성률이 상대적으로 높은 미세조류(플랑크톤 등)를 이용하여 이산화탄소를 화학물질로 전환하여 바이오 자원화를 지원하는 것이다. 다만, 화학적 방법에 비해 대단히 느리기 때문에 효율성 제고를 위한 개선이 필요하다. 세 번째는 광물학적 전환 방법으로 칼슘염 같은 광물질 등과 반응시켜 단단한 물질로 가공하는 것이다. 경도만 적당하다면, 벽돌처럼 만들어 건축자재로 활용할 가능성이 높다.

이 외에도 다양한 응용 방법이 현재 제기되고 있고, 일부는 상용화 가능성이 매우 높을 것으로 전망된다. 또한 이 분야에 진출한 기업들의 향후 기업 가치도 상당히 높게 예측되고 있기도 하다. 다만, 탄소중립에 실질적으로 기여하려면 넘어야 할 난관도 많고, 기술혁신에만 의존해 기후변화를 극복하려는 접근법도 바람직하지는 않다. 기후위기 극복의 해법은 더 종합적이고 체계적이어야만 실효성이 있을 것이다. 그럼에도 향후 30년간 가장 눈여겨봐야 할 기술혁신이 있다면 탄소포집·저장응용 기술이 될 것이다. 전병옥

- 김용환 외, 《탄소중립: 지구와 화해하는 기술》, 씨아이알, 2021
- 한국과학기술연구원, 《탄소중립》, 문학과지성사, 2022.

3장

기후시민으로 살아가기

문명 전환과 생태시민

오늘의 기후위기, 즉 지구 안에서의 거주 불가능성이라는 절대적 위기를 극복하기 위해선 문명적 수준의 전환이 요청된다. 하지만 왜 사회 전환, 경제 전환 같은 표현이 아니라 '문명 전환'이라는 표현이 필요한 것일까? 문명이란 무엇이고, 문명 전환이라는 게 가능하다면 어떻게 가능할까?

'문명文明'이라는 한국어는 일본의 에이가쿠(英學, 영어를 통해 서양을 연구하는 학문) 학자들이 만든 '文明(분메이)'이라는 신조어에 뿌리를 두고 있다. 이들은 영어 단어 'civilization'의 번역어를 고심하다 끝내 '文明'이라는 한자어를 선택한다.

하지만 civilization의 본뜻에는 文이나 明 같은 의미가 분명하게 표현되어 있지는 않다. 영어 단어 civilization의 기원은 라틴어 형용사 civilis, 명사 civilitas이다. 이 라틴어 단어들의 뿌리에는 '시민'을 뜻하는 'civis'라는 라틴어 명사가 있다. civilis는 '시민과 관련된/시민적인' '공적 생활과 관련된/공적인'이라는 뜻이며, civilitas는 '예의바름, 시민다움, 배려 깊은 행동, 절제, 정치'를 뜻한다. 여기서 후자, 즉 시민의 특정한 자질을 뜻하는 civilitas는 '배워서 특정한 자질을 선보이는'을 뜻하는 '문文'과 일정하게 관련 있다고 볼 수 있다.

여기서 우리는 두 가지를 확인할 수 있다. (1)civilization이라는 단어는 '시민에게 요구되는 인간적 자질/품격'과 관련 있는 개념어이다. (2)로마 시대에 '시민'은 그런 자질/품격뿐만 아니라 시민의 공적 삶, 공적 행동인 '정치'와 분리할 수 없었던 개념이다. 이와 같은 이해를 기초로 **civilization**이라는 단어의 본뜻을 이렇게 정리해볼 수 있을 것이다.

> (1) '시민'이라는 이름에 걸맞는 특정한 인간적 자질이 개인들에게서 충분히 발현되며 (2) 시민에게 기대되는 (공동체를 위한) 공적 행동(즉, 정치적 행동)이 적절히 실천되는 상태나 과정

이 구절에서 내가 '개인'이라고 쓰지 않고 '개인들'이라고 쓴 것에 주목해주었음 한다. civilization과 관련해서는 개인의 집합만이 유의미하기 때문이다. 즉, civilization은 어느 개인의 시민다움이라기보다는 특정 사회 내 각 개인의 시민다움의 총체를 뜻한다. 바꿔 말해, 사회 내 다수가 시민다움의 성질을 보일 때 비로소 그 사회에 civilization이라는 개념은 적용 가능하다.

이렇게 볼 때, civilization은 특정 공동체 내 개인들 전체의 자기수행 과정, 교양화 과정, 교육과 관련이 깊다. '시민'은 무엇보다도 교육의 산물이며, 잘 교육받은 시민들이 주류가 된 특정 사회에 비로소 'civilization' 또는 '문명'이라는 이름을 붙일 만하다.

교육이라는 측면에서 civilization이라는 단어를 규정하는 사례는 세계 최초의 백과사전으로 인정받는 독일 백과사전인 《브로

크하우스Brockhaus 백과사전》 제8판(1833)에서 찾아볼 수 있다. 이 책의 편찬자는 civilization을 이렇게 정의 내리고 있다.

> civilization이란 친교를 기반으로 하는 개인이나 민족의 좀 더 높은 자기수행으로서, 지금은 종종 '훌륭한 품성Gesittung'이라는 이름으로도 지칭된다. civilization은 자연 상태의 거칠고 본능적인 삶과 대립하며, 교양 함양을 위해 이미 제도로 정착된 수단을 전제로 한다. 이런 수단으로는 국가 교육기관 그리고 종교와 예술을 꼽을 수 있다.*

1830년대 초반 독일에서 civilization이란 공적 교육기관, 종교, 예술 같은 제도화된 수단을 통해서 함양된 교양이나 인품(동학의 용어로는 인간격)의 상태를 뜻했다. 동시에 교양과 인품을 높이려는 자기수행 그 자체를 뜻하기도 했다. 그리고 이 교양이나 인품의 주체는 개인이기도 하지만 민족이기도 했다.

하지만 이 사전편찬자가 말한 '훌륭한 (인간의) 품성'이란 정확히 무엇을 뜻하는 걸까? 교육받은 이의 자질, '시민다운 자질'로 무엇을 꼽아야 할까? 분명한 한가지는, 시민다움을 보이는 개인이라면 사적 이익/행복 같은 '폭 좁은' 목적을 인생의 목적으로 삼지는 않을 것이라는 점이다. 동시에 시민다움은 예의범절, 의례에 능통함etiquette, 친절함 같은 가치를 포함하지만 결코 여기에 국한되지 않는

* 외르크 피쉬, 안삼환 옮김, 《코젤렉의 개념사 사전 1-문명과 문화》, 푸른역사, 2010, 143에서 재인용. 번역문은 인용자가 부분 수정.

다. 시민다운 시민이 보이는 예의나 친절은 자기 이익을 도모하는 상인이 처세술로서 몸에 익힌 예의나 친절이 아니다. 시민의 예의나 친절은 '폭 넓게' 살아가는 태도에서 우러나온, 일관된 대인對人 태도의 한가지일 뿐이다. 더 분명히 말해, 자기의 사적 삶의 영역을 넘어 자기가 속한 공동체의 영역에 시선을 둔 채로, 필요한 경우 공적 상황에 적극 개입하는 자, 공동체 전체의 이익(공공선/공동선)을 위해 힘쓰려는 자를 우리는 '시민'이라고 할 수 있을 것이다. 스피노자가 말한 "고독 속에서보다 … 국가 안에서 더 자유로운", "이성에 의해 인도되는 사람"이 바로 이런 자유민으로서의 시민일 것이다.*

그러나 이처럼 공적 상황에 관여한 채로 '국가 안에서' 또는 '폭 넓게' 살아가는 데는 여러 기술과 역량이 긴요하다. 논리적으로 의견을 제시하고, 이견의 목소리를 진지하게 듣고, 이견을 지닌 자를 설득하는 등 유연하게 토론하고 말하는 기술이 필요하다. 나아가 타인과 교제하고 공감하는 역량도 요구된다. 그런 점에서 시민은 오직 자기수행을 통해서만 자기의 근본적 욕구, 즉 공공선/공동선의 증진에 기여하려는 욕구를 해결할 수 있다.

'문명'이라는 개념어를 탐구한 여정의 끝에서 우리는 이처럼 '시민다운 시민 되기', '시민다운 시민의 교육'이라는 주제와 만나게 된다. 문명이란 무엇인가? 문명이란 시민다운 시민들이 행하는 가치 있는 행위들과 그 결과물들, 그 총체에 다름 아니다. 문명 전환이 가능하다면, 그것은 새 문명을 이끌어낼 새로운 자질과 품격을 갖춘

* 베네딕트 데 스피노자, 《에티카》, 4부, 정리 73.

시민들에 의해서만 가능하다.

기후위기를 극복하는 과정에서 태동해야 하는 **생태문명 전환**Ecological Civilization Transformation 역시 마찬가지다. 만일 생태문명이라는 것이 실제로 구현되려면, 그 문명의 주체인 생태시민이 먼저 나타나야만 한다. 생태적 교양ecological literacy 또는 생태적 지혜ecosophy를 갖춘 생태시민들, 즉 비인간 존재물을 새로운 태도로 대하고, 지구공동체에 소속감을 가지며, 지구 시스템 위기 또는 기후위기에 책임감 있는 태도를 보이는 (새로운 인간 품격을 추구하는) 생태시민들이 이 세계에 먼저 있어야만 한다. 이 새로운 시민들이 자기를 알아보고, 서로를 알아보고, 일어나고, 하나의 물결을 이루고 나중에는 그 누구도 도저히 막을 수 없는 주류를 이루는 과정—생태문명화 과정은 아마도 이런 과정일 것이다. 우석영

- 외르크 피쉬, 안삼환 옮김, 《코젤렉의 개념사 사전 1-문명과 문화》, 푸른역사, 2010.

기후시민/녹색 계급

기후위기. 기후위기. 기후위기. 네이버에서, 다음에서, 구글에서, 유튜브에서, 온갖 미디어에서 이 단어는 충분히 언급되고 있다. 언급될 뿐만 아니라 우리가 일상에서 그 실재를 (사람마다 저마다 그 정도는 다르겠지만) 체감하고 있기도 하다. (한국은 다른 국가들에 비해 상대적으로 더 늦게, 더 적게, 더 간헐적으로 기후충격을 겪었고 겪고 있기에, 이 체감의 정도가 상대적으로 낮다는 문제가 있다.) 인류가 늦지 않게 적절히 대응하지 않는 한, 기후위기는 점점 더 빠른 속도로 인류 전체를, 한국 전체를 압박해오리라는 전망 역시 너무도 자명하다. 요컨대, 비상사태인 것은 확실하다. 그러나 행동은 어디에 있나? 행동의 주체는 지금 어디에 있나?

바로 이런 이유로 **기후시민**은 지금 우리 사회에선 도깨비 같은 존재라고 할 수 있다. 필요한 것으로 생각되는 집단, 하지만 과연 지금 그 실체가 있는가에 관한 질문에 누구도 확실히 답변하기 어려운 집단. 2022년 9월 24일 기후위기비상행동과 2023년 4월 14일 기후정의파업에 수많은 시민들이 참여한 것은 확실한 사실이다. 그러나 그 시민들은 지금 어디에서 어떤 활동을 하고 있는 것일까? 있는 것 같기도 하고, 없는 것 같기도 하고, 잠깐 나타났다가는 사라져버리고, 또 언제 나타날는지는 도무지 알 수 없는 도깨비 같은 존재.

브뤼노 라투르Bruno Latour와 니콜라이 슐츠Nikolaj Schultz는 《녹색 계급》에서 도깨비 같은 존재인 **녹색 계급**을 이야기한다. 이들에 따르면, 지금 녹색 계급은 오리무중이다. 이 계급은 탄생하고 있지만, 확실히 주도적 계급으로 사회에 자리매김할지는 전혀 알 수가 없다. 위기가 확실하더라도 그것이 늘 위기 타개 행동으로, 위기를 극복해가는 시민과 계급의 대대적 결집으로 이어지지는 않는다는 게 저자들의 판단이다. "다가오는 파국이 사람들을 변화시키리라고 기대해서도 안 된다"는 것이다.* 변화된 이들의 결집으로서 녹색 계급이 역사의 전면에 등장할지는 미지수라는 진단이다. 하지만 그 결집의 씨앗이 전혀 보이지 않았다면, 녹색 계급이라는 당돌한 개념은 처음부터 제시되지도 못했을 것이다. 라투르와 슐츠가 보기에, 지금 형성되고 있는 이 계급은 새로운 제3신분의 처지에 있다. 하지만 이 계급은 다른 계급들이 포기/배반한 문명화 과정(→ 문명 전환과 생태시민)을 다시 시작하려는 집단이기에, 충분히 결집의 명분이 있는 정치적 세력이다.**

어떤 이유로, 라투르와 슐츠는 다른 계급들이 문명화 과정을 포기/배반했다고 말하는 걸까? 다른 계급들이 무엇에 실패했다는 말일까? 저자들이 보기에, 자유주의와 사회주의를 옹호한 계급들은 한결같이 생산/생산주의와 국민국가라는 차원[지평]에 사로잡힌

* 브뤼노 라투르 · 니콜라이 슐츠, 이규현 옮김, 《녹색 계급》, 이음, 2022, 58.

** 브뤼노 라투르 · 니콜라이 슐츠, 같은 책, 38; 73.

채, 그것을 둘러싼[감싼] 생성의 지구적 차원이 얼마나 중요한지 인식하고 인정하는 데 실패했다. 또한 이 계급들은 지구 시스템을 파괴하는 것만이 아니라 동시에 사회를 희생시키면서 생산과 경제에 자율 권력을 부여했기에 실패한 집단이다. 한마디로, 생산성에의 근시안적 집착을 그 내용으로 하는 생산주의가 엔진이 된 생산체계에 매몰되었다는 것이 문제의 핵심이다. "지구와 기후의 체계를 불안정하게" 하는 이 생산체계는 오늘날 "파괴 체계와 동의어가 되었다."* 이 생산체계는 오늘날 지구에서의 거주가능성 자체를 파괴하고 있기에 통제되거나 극복되어야 한다.

그렇다면, 구체적으로 어떤 행동이 필요할까? 이와 관련해 라투르와 슐츠가 구별하는 두 세계를 이해할 필요가 있다—하나는 우리가 사는 세계/우리가 살아가는 수단으로서의 세계이고, 다른 하나는 우리를 먹여 살리는 세계/**우리가 살아가는 장소로서의 세계**이다. 전자가 생산이 발생하는 인간세계, 국민국가들로 이루어진 생산관계의 세계라면, 후자는 일차적으로는 지구이고, 보다 정확하게는 생성의 실제가 작동하는 세계이다. 여기서 오늘의 문제 두 가지가 명시되어야 한다. 첫째, 후자가 전자를 가능케 하는 기반이며, 후자가 전자를 늘 감싸고 있다는 것. 둘째, 자유주의와 사회주의는 전자에 갇힌 채, 후자를 배경 취급하며, 전자와 후자의 조화를 파괴했다는 것.

이런 생각의 토대 위에서 라투르와 슐츠는 녹색 계급의

* 브뤼노 라투르 · 니콜라이 슐츠, 같은 책, 26.

책무를 논한다. 그 책무는 새로운 경제학과 경제를 요구하고 창출하는 것이다. 그런데 그 경제는 사실상 생태경제 또는 생명경제와 다른 것이 아니다. 나아가야 할 방향은 거주가능한 지구환경 유지를 우선시하는 것, 생산주의를 제한하는 것, 생산과 번영이 언제나 생성의 실제 세계에 의존해 있음을 인식하는 것, 인간들 간의 관계, 인간과 만물의 관계를 생산이라는 프레임으로만 분석하는 것이 아니라 다르게 생각하는 것이다.* 그리하여 녹색 계급의 책무는 인간세계/인간의 생산관계와 그것을 감싸고 있는 더 큰 생성의 세계를 접합하는 것, 그 둘을 "동일한 법, 정서, 도덕, 제도, 물질의 총체 안에서" 중첩시키는 것이 된다.**

도깨비 같다고 했지만, 녹색 계급으로 결집할 사회집단은 결코 적지 않다는 게 저자들의 생각이다. 다음과 같은 사회집단들이 녹색 계급의 구성원들이 될 것이다—지구 시스템 과학 분야에 참여한 과학자들, 생산의 협소한 속박에 구속되어 있는 창의적인 기술자들과 발명가들, 기후난민/기후변화 피해자, 기후활동가, 선량한 사람, 평범한 시민, 농민, 텃밭 가꾸는 사람, 기업인과 투자자, 그리고 종교인.*** 그런데 저자들은, 이들 각 집단이 단일대오를 형성하기는 어려울 것이라고 말한다. 왜냐하면 "무수한 지점에서 우리 자신이 희생자인 동시에 공범"****이기 때문이다. 하지만 위에서 열거한 집단

* 브뤼노 라투르 · 니콜라이 슐츠, 같은 책, 32-33.

** 브뤼노 라투르 · 니콜라이 슐츠, 같은 책, 59; 43.

*** 브뤼노 라투르 · 니콜라이 슐츠, 같은 책, 70-72.

**** 브뤼노 라투르 · 니콜라이 슐츠, 같은 책, 14.

중 어떤 집단이 자신이 사실상 공범임을 인정하고, 공범이 아닌 길을 찾아나선다면 어떨까? 동시에 자신과 이웃과 모두가 잠재적 피해자/희생자임을 몸으로 깨닫게 된다면 어떨까? 각자가 살아가는 각각의 세계들을 기후충격, 기후시위, 기후행동 토론 같은, 공통감각을 깨우는 사건들이 가로지르고 뒤흔든다면, 도깨비 같은 집단의 정치적 부상은 결코 신기루만은 아닐 것이다. 우석영

- 브뤼노 라투르 · 니콜라이 슐츠, 이규현 옮김, 《녹색 계급》, 이음, 2022.

사상의 대전환 — 포스트휴먼 지구철학

기후위기 대응 담론-진영은 크게 두 갈래로 구별 가능하다. 첫 번째 담론-진영은 **에코 모더니즘**이라 통칭할 수 있는 진영이다. 이 진영은 기후변화를 야기한 자본주의 체제 자체를 그 어떤 보고서나 토론회에서도 일체 논하지 않는다. 이 진영은 현행 자본주의 체제를 그대로 둔 채로도 기후위기 극복이 가능할 것이라는 대전제에서 출발한다. 현재의 자본주의를 녹색 자본주의로 바꾸면 된다는 담론, 어떻게 해서든 과학기술이 기후위기도 극복할 것이라는 근거 없는 낙관론도 여기에 속한다.

한편, 또 다른 담론-진영은 **자본주의 체제 변화 또는 전환**을 요구한다. 지구온난화를 비롯한 지구적 생태재앙의 출현이 성장주의적 자본주의의 가속화로 인해 비롯되었으므로, 파국을 막는 유일한 방도는 자본주의 자체, 특히 신자유주의 자체의 변형/전환이라고 이들은 본다.

물론 이 두 번째 진영 안에도 다양한 갈래의 흐름이 있다. 한가지 구획선은 사상적 전환에 대한 요구를 하느냐의 여부이다. 인간과 비인간 존재의 존재론적 위상, 인간의 번영 등에 관한 종래의 근대적/인간중심적 사유를 극복하는 **사상적 전환**을 강력히 요구하는 쪽이 있는가 하면, 이 문제에 둔감한 쪽도 있다는 말이다.

사상 전환을 요구하는 이들은, 기후위기 문제의 뿌리에는 서구 모더니티, 존재론적 이원론[이분법], 인간중심주의가 자리잡고 있다는 통찰을 내놓고 있다. 그리고 이들 가운데 많은 이들은 대안적 사상적 프레임으로 **포스트휴머니즘**posthumanism을 제시한다.

그러나 포스트휴머니즘 역시 한 갈래는 아니다. 같은 말을 사용하면서도 서로 다르게 의미짓기 때문이다. 프란체스카 페란도Francesca Ferrando는 포스트휴머니즘이라는 말이 7개의 의미로 사용된다고 정리한 바 있다. 열거하자면, (1)안티휴머니즘(휴머니즘에 대한 전면적 부정) (2)문화적 포스트휴머니즘(문화이론) (3)**철학적 포스트휴머니즘**(인간중심주의적 철학 전통의 해체) (4)포스트휴먼 조건(AI, 기후위기 등에 의해 인간 조건이 해체되는 새로운 상황) (5)트랜스휴머니즘(AI 등 새로운 테크놀로지의 힘으로 인간을 완벽하게 하려는 지향) (6)인공지능의 인간지배상황 (7)의지적 인간 멸종을 지향하는 이념이 바로 그 7개의 의미이다.*

기후위기 극복을 위한 사상적 전환과 관련해 유의미한 포스트휴머니즘은 (3)의 그것, 즉 철학적 포스트휴머니즘이다. 이 진영의 사상가들은 근대 철학의 존재론을 해체하고 다른 존재론으로 이동하는 **존재론적 전회**Ontonogical Turn에 참여하고 있다. **사변적 실재론, 객체지향존재론**(Object Oriented Ontology, 사변적 실재론 진영의 철학자들이 이 진영을 구성했다), **신유물론**을 제출해온 이들이 바로 그 주

* Francesca Ferrando, *Philosophical Posthumanism*, Bloomsbury Academic, 2020.

인공들이다.

철학적 포스트휴머니즘의 한가지 핵심 주장은 인간/비인간이라는 종래의 이분법적 구별이 극히 부적절하고 문제적이라는 것이다. 어떤 근거에서 이렇게 말하는 걸까? 무엇보다도 인간만의 것이라고 생각되는 이성적 사고 활동, 고도의 언어 활동 또는 그것과 관련된 뇌의 신경 활동이라는 것은 인간 안의, 인간을 둘러싼 여러 비인간 요소 없이는 아예 가능하지 않다. 예컨대 장내 박테리아의 활동이 없거나 적당량의 동식물영양분, 산소 같은 비인간 물질이 체내로 공급되지 않는다면 이성적 사고는 불가능하다. 그렇다면 인간은 다양한 물질들-행위성들 사이에서 일어나는 **내적 관계작용**intra-action* 의 결과물이다. 그리고 그 결과물들이 나타나는 과정이다. 바로 이런 의미에서 캐리 울프Cary Wolfe 같은 이들은 인간을 **보철적 존재**prosthetic beings라고 말한다. 인공장치, 즉 보철과 함께하면서만 살아가는 존재가 인간이라는 것이다. 물론, 여기서 보철은 어디까지나 상징이어서 인체/인간의 삶에 통합되어 있는 비인간 존재, 비유기체 존재 전체를 함의한다.

비인간 생물에 관한 새로운 과학적 연구결과들, 사물thing에 관한 철학 역시 인간/비인간 구분선 흐리기가 정당하다고 말해준

* A와 B 사이에 어떤 행위/작용이 일어날 때 보통 A와 B 사이의 상호작용interaction이라고 부른다. 이 개념은 이처럼 그 행위/작용 이전에 A와 B가 먼저 존재한다고 가정한다. 이와는 다르게, intra-action은 (행위/작용 이전에 존재하는 A나 B라는 존재자가 아니라) A라는 행위성과 B라는 행위성 사이에서 일어나는 관계작용/관계활동을 뜻한다. 카렌 바라드에 따르면, 어떤 물질이나 행위는 바로 이런 의미의 intra-action의 결과물이다. intra-action의 번역어는 여럿이지만, 이 책에서는 '내적 관계작용'이라는 용어를 채택했다.

다. 비인간 생물들의 정신적 역량, 이를테면 소통/교감 능력, 판단 능력, 우정과 돌봄, 느끼는 능력을 그리고 그들이 어떤 경험을 하면서 살아가는지를 알려주는 새로운 연구 결과들이 발표되고 있다. 뿐만 아니라 많은 포스트휴먼 사상가들은 바위나 강, 인공적 구조물 같은 비유기체 사물들도 자기 존속을 지향하는 운동과정이라는 점에서, 진동[생동]하는 상태로 생성과 소멸의 과정을 경험하는 일종의 행위자라는 점에서(행위성을 보인다는 점에서), 경험하는 자라는 점에서 인간과 별반 다르지 않다고 생각한다. 이처럼 철학적 포스트휴머니즘은 인간/비인간, 문화/자연, 생물[유기체]/무생물[비유기체], 생물적/인공적, 살아있어 움직이는animate/죽어서 움직이지 않는inanimate 같은 항목의 대비를 전제하는 근대적 이원론을 해체한다. 존재론적 위계구조를 허물어 평평한 구조로 만든다는 의미에서, 포스트휴머니즘의 일원론적 존재론은 '**평평한 존재론**Flat Ontology'이라 불리기도 한다.

인간이 비인간/인간 요소로 구성된 혼성체라는 진리, 인간/비인간 구별선은 인공적 허구에 불과하다는 진리. 이러한 진리는 기후위기 대응 행동과 어떻게 연결되는 걸까? 포스트휴머니즘의 일원론적 존재론은 새로운 인간관(이 우주에서의 인간의 지위에 관한 새로운 관점)을 정립할 뿐만 아니라 새로운 비인간/사물 윤리, 지구 윤리와 연결되고, 또 그런 윤리를 요청한다.

이 윤리는 크게 두 갈래 방향으로 제 힘을 발휘할 수 있을 것이다. 한 방향은 현 경제의 지구적 생명[생태] 경제로의 이동을 추동하는 힘으로 작용하기라는 방향이다.(→ 생태경제) 다른 하나는 개인-시민들의 삶을 이끄는 삶의 윤리로서 작동하기라는 방향이다. 그 삶의 윤리는 아마도 궁극적으로는 '만물을 공경하자'는 동학의 '경물敬物' 윤리로 이어져야 하겠지만, 그 이전에 비인간 물질을 친족kin으로, 친구로 여기고 나아가 그것을 돌보는(비인간 물질을 돌봄으로써 자기 자신을 돌보는) 태도의 윤리가 먼저 우리의 삶에 물들어야 할 것이다. 그리고 현 시대 상황에서 이 물질 돌봄의 윤리는 사실상 상품 돌봄, 폐기물 돌봄 윤리를 중심으로 하는 윤리일 수밖에는 없다.(→ 물질 돌봄, 상품 돌봄) 아울러 탈소비주의(→ 탈소비주의)와 1.5℃ 라이프스타일(→ 1.5℃ 라이프스타일) 실천이라는 기후행동과 이어질 수밖에는 없다. 우석영

- Francesca Ferrando, *Philosophical Posthumanism*, Bloomsbury Academic, 2020.

사상의 대전환 — 수막 카우사이

에콰도르는 전 세계에서 토착문화를 가장 잘 고수하고 있는 국가에 속한다. 에콰도르에서는 자동차나 냉장고, 컴퓨터 같은 것을 생산하지 않는다. 농수산물도 대부분은 자국 내에서 소비되고, 일부만 국경 밖으로 나가고 있다. 사실 이 나라는 잉카 제국에 복속되기 이전부터 고유한 건축 양식, 도자기 양식 등을 성숙시키며 독자적인 문명을 유지했다. 특히, 케추아족Quechua people이 특유의 페인팅 양식으로 만든 제품들은 지금도 세계 각지에서 널리 인기를 누리고 있다. 감자 품종을 무려 350종이나 보존하고 있는 세계 유일의 국가라는 점도 특기할 만하다. 또 하나, 만약 당신이 생물 공부에 심취해져 갈라파고스 제도를 탐사하고자 한다면, 에콰도르에 입국해야만 한다. 그 섬들은 에콰도르의 영토이기 때문이다.

하지만 이 모든 것보다 더 중요한 것이 있다. 바로 2008년에 있었던, 전 세계를 놀라게 한 국가 헌법 개정이다. 이 해 에콰도르는 '**수막 카우사이**Sumak Kawsay'를 국가의 궁극적 번영 목적으로 삼고, 세계 최초로 **파차마마**Pachamama의 권리를 보장하는 헌법을 제정한다. 제국주의 질서 하에서 서구 근대 사상과 문명적 가치를 수용한 국가들이 국가 번영 비전이자 가치로 삼았던 '근대화' 그리고 (2차 세계대전 이후에 '근대화'를 대체한) '발전Development'의 자리에, 이들은 '충만한 삶'이라는 가치를 넣었던 것이다. 2008년 당시 새 헌법을 추진한 정당은 'PAIS 동맹Alliance'으로 이 정당의 정치적 색깔은 민주적 사회주의 계열에 속한다.

케추아어로 **수막**Sumak은 '충만한, 온전한, 좋은'을, **카우사이**Kawsay는 '삶, 삶의 방식'을 뜻한다. 따라서 '수막 카우사이'를 한국어로 간단히 표현하면 '충만한 삶' 정도가 된다. 그러나 수막 카이사이는 이런 기표로는 붙잡을 수 없는 훨씬 더 풍요로운 의미 장을 거느린다.

수막 카우사이는 케추아족의 전통적 우주관에서 나온 개념이다. NGO인 파차마마 동맹Pachamama Alliance 웹사이트 설명에 따르면, '수막 카우사이'는 "우리 자신, 다른 공동체들, 그리고 자연과 조화로로운 삶"이다(www.pachamama.org/sumak-kawsay). 즉, 수막 카우사이는 나 자신, 내가 속한 공동체 그리고 파차마마Pachamama와 조화로움을 유지하는 삶만이, 그 삶의 주체의 영혼이 충분히 충족되는 삶이라는 사상이다.

수막 카우사이라는 단어는 케추아어이지만, 에콰도르의 여러 다른 토착민들도 수막 카우사이라는 삶의 방식을 고집해왔다. 예컨대 "아추아Achuar족, 키츠와Kichwa족은 되살림과 재성장을 진흥하는 방식으로 [자연의] 자원을 사용"해왔다. 이들은 수막 카우사이라는 대원칙을 고수하며 "고유한 문화와 정체성을 보존하는가 하면"

미래 세대에게도 중요할 "자연환경을 보호"하고 있다.*

수막 카우사이는 이들의 파차Pacha관을 이해해야 비로소 그 전모가 드러나는 개념이다. 먼저, 이들이 생각하는 파차는 단순히 지구가 아니다. 파차는 '전체'인데, 변이라는 운동을 지속하는 우주로서의 전체이다. 또한 파차는 현재의 지상계와 천상계와 (죽은 자의영혼이 머무는) 지하계 모두를 포괄하고, 살아 움직이는 것과 죽은 듯 움직이지 않는 것, 죽은 것 모두를 포괄한다. 현재와 과거와 미래라는 세 차원의 시간도 포괄한다. 미래는 과거를 재탄생시키고, 과거는 언제나 현존한다. 파차란 각기 다른 공간에 놓인 것들도, 산 자와 죽은 자도, 각 시간 단위도 서로 연결되어 서로 영향을 주면서만 존재하는, 인간 각자와 그 공동체들이 놓인 거대한 전체로서의 우주인 것이다.**

수막 카우사이란 바로 이런 파차를 (온 몸에) 안은 채 사는 삶이자 파차가 현시하는 우주의 조화로움을 보존하며 사는 삶이다. 그런 삶을 사는 자라면 현세의 자기 이익 확보에 매몰될 수는 없을 것이다. 자기 아닌 타자, 자기가 속한 공동체와 자기와의 진정한 연결, 관계의 충만이 중요한 삶의 덕목일 수밖에는 없을 것이다. 그렇기에 파차를 안고 사는 삶은 "온화함과 존중과 자기이해와 타인에 대한 공감으로" 사는 삶이다.***

* www.pachamama.org/sumak-kawsay

** 파블로 솔론, 크리스토프 아기똥 외, 김신양 외 옮김, 《다른 세상을 위한 7가지 대안》, 착한책가게, 2018, 24-25.

*** 파블로 솔론, 크리스토프 아기똥 외, 같은 책, 27.

그러나 에콰도르인들의 이러한 우주관과 국가 번영관은 현대 자본주의와 소비주의의 가치와, 그 가치에 지배되는 삶에 뼛속까지 물든 우리에게 퍽 낯설게 들리는 것도 사실이다. '자연 보호야 물론 바람직한 것이지만, 어디까지나 인간의 이익이 자연의 이익보다 우선'이라는 인간중심주의적 생각에 경도된 이들이라면 수막 카우사이 같은 번영 가치를 한가한 이상주의로 폄훼할지도 모른다. 인간의 번영을 자연의 번영보다 우선시하는 식의 생각은 정작 이 헌법이 제정된 에콰도르에서조차 문제가 되었다. 2008년 신헌법 제정 과정에서 선주민들과 정부 사이에는 문구를 둘러싼 심각한 갈등이 있었고, 헌법 개정 이후에도 에콰도르 정부는 새 헌법과 모순되는 경제개발 정책을 추진해서 갈등을 키우기도 했다.

그러나 2008년 마련된 에콰도르 헌법과 그 정신은 에콰도르 외 모든 국가들에 (에콰도르와 유사한 법체계를 정비한 볼리비아는 예외가 될 것이다.) 선도적인 법 혁명의 사례로 인식되어야 마땅하다. 에콰도르 정부가 보인 오류는 반면교사로 삼으면 그뿐이다. 그뿐만 아니라 '파차'를 안고 사는 삶, '관계가 온전하고 충만한 삶'이라는 공동체 번영의 대원칙은 인간이 살 수 있는 복된 삶, 가치 있는 삶이 무엇인지를 다시금 생각해야 하는 오늘의 시대를 사는 우리 모두에게 영감과 가르침을 준다. 우석영

더 찾아보기

- 파블로 솔론, 크리스토프 아기똥 외, 김신양 외 옮김, 《다른 세상을 위한 7가지 대안》, 착한책가게, 2018.

탈소비주의

소비(자)가 문제다. 소비(자)야말로 문제다. 왜냐하면 과다 욕망에 휘둘리는 소비자들의 과다 소비행위가 없었다면, 지구의 기후안정성을 훼손할 정도의 대량 생산·유통 자체가 처음부터 성립 불가능했을 것이기 때문이다. 현재 지구에서 "퍼올려지는 것, 건설되는 것, 도살되는 것, 채굴되는 것, 직조되는 것, 절단되는 것, 가공되는 것, 수송되는 것의 대다수의 궁극적 소비자는 다름 아닌 개인들"* 이지 않던가. 또한 생산-유통-소비라는 삼각축에서 소비가 변화하면 그에 따라 생산-유통이 변할 수밖에 없기 때문이고, 소비가 변하지 않는 한 생산-유통도 그에 따라 변치 않으려는 관성을 유지할 것이기 때문이다.

그렇다고 전 지구적 기후위기와 생태위기를 해결할 모든 해법과 권력이 소비자들의 손아귀에 있다는 말은 아니다. 하지만 각 가정에서 에너지를 사용하고 먹고 입고 자고 각종 상품을 향유하며 생활하는 현대의 개인-소비자들의 개별적 변화와 실천이 전체적(전 지구적, 전 인류사회적) 변화에 긴요한 출발점인 것만은 확실하다. 개

* Greta Thunberg et al., *The Climate Book*, Allen Lane, 2022, 282.

인은 80억 분의 1에 불과하나(2022년 11월 세계 인구는 80억에 도달했다), 누군가의 새로운 실천은 반드시 또 다른 누군가에게 영향을 미쳐 파급효과를 거느리기에 귀중하다. 하나하나의 변화가 전체의 변화라는 물결을 일으킨다.

그렇다면 **지구를 생각하는 소비**란 어떤 소비여야 할까? 지구를 생각하는 소비라고? 그런 것이 가능하기는 할까? 지구를 생각하는 소비를 생각해야 할까, 소비 자체를 다시 생각해야 할까? 만일 소비를 다르게 생각한다면, 그 다른 생각이란 무엇일까? 소비에 대한 다른 생각은, 단순히 소비에 대한 생각이 아니라 삶, 좋은 삶, 풍요[번영], 부富에 대한 새로운 생각이 아닐까?

이러한 질문들에 대한 대답을 찾아가는 여정에서, 가장 먼저는 소비주의가 무엇인지부터 살펴보면 좋을 듯하다. **소비주의**란 소비야말로 나를, 나의 친구와 가족을, 우리를 행복하게 하는 절대적 행위라는 이데올로기이자, 더 많은 물건을 소비할수록 더 행복하고 풍요롭다는 이데올로기이다. 알프레도 마샬Alfred Marshall은 1890년에 이렇게 썼다. "문명화되지 않은 인간은 실제로 야만적 동물보다 더 많은 것을 가지고 있지 않다. 하지만 위를 향한 그의 진보의 발걸음 하나마다 그의 필요의 다양성을 증대한다…그는 물건에 대한 더 많은 선택지를 욕망하게 된다."* 마샬에 의하면, 더 많은 선택지를 욕망하게 되는 상태가 곧 문명화된 상태인 셈이다. 즉, 선택지가 많을수록 문명이다.

* Greta Thunberg et al., ibid., 331에서 재인용.

선택지가 많으려면, 많은 선택지를 누구나 누리려면, 먼저 다양한 선택 대상물이 대량 생산되어 있어야 한다. 하지만 대량 생산이 가능하려면 대량 수요(욕망)가 먼저 있어야 한다. 1928년 에드워드 버네이스Edward Bernays는 이렇게 썼다. "대량 생산은 오직 그 리듬이 유지될 때만 이윤을 낼 수 있다." 여기서 '그 리듬'이란 '충분한 수요의 발생'을 뜻한다. 버네이스에 따르면, 기업은 "대중이 그 생산물을 요구할 때까지 기다릴 여유가 없다. 기업은 비용이 많이 드는 그 공장을 유일하게 이윤낼 수 있게 할 지속적인 수요를 보장하기 위해서…광고와 프로파간다를 통해 지속적인 터치를 유지해야만 한다."* 수요가 지속적으로 창출되지 않는 한, 기업의 생존과 성장은 어렵다는 생각이 이미 1920년대에 등장했다는 것에 주목해볼 필요가 있다. 기업의 생존과 성장에 가장 중요한 것은, 상품을 구매하고 싶은 마음, 즉 상품구매욕의 생산이다. 기업의 생존투쟁은 생산의 투쟁이라기보다는 어떻게 해서든 소비자의 마음을 얻으려는 심리의 투쟁이다. 따라서 '많을수록 풍요롭다'는 소비주의 이데올로기는 20세기 자본주의의 부산물이 아니라 그 굳건한 기초로서 작동한다.

선택지가 많을수록 문명이다, 많을수록 풍요롭다는 생각은 엄밀히 말해서 그 자체로 나쁜 생각은 아닐 것이다. 그것은 심지어 다음 네 가지 경우에는 옳다. 첫째, 지독히 가난한 사회에선 옳다. 1953년 정전협정을 맺을 당시 한국(남한/북한)은 세계 최빈국 상태에 있었는데, 이런 처지에 있는 사회에서 저 소비주의 만트라는 지극히

* Greta Thunberg et al., ibid., 332.

옳다. 둘째, 이 세상에 빈부격차가 적다면 옳다. 대체로 모두가 같은 수준에서 많음을 누리고 그 결과 풍요를 누린다면, 그래서 상대적 박탈감을 느끼는 이가 이 지구에서 극소하다면, 저 만트라는 옳다. 셋째, 지구의 생태적 부양능력이 무한하다면 옳다. 그러나 오늘날 소비주의의 단기적 결과물은 대량생산 체제의 존속이지만, 장기적 결과물은 지구의 생태적 부양능력을 넘어서는, 넘쳐나는 폐기물과 오염물이다. 넷째, 만일 인간의 정신적 풍요를 가로막지 않는다면, 소비주의는 옳다. 만일 우리가 물질에 아귀처럼 집착하면서도 호수의 수면처럼 마음을 평안히 할 수 있다면, 그것은 옳다. 물질적 풍요를 애지중지하는 생활을 하면서도 간탐慳貪한 자, 즉 인색하고 탐욕적인 인간형으로 변질되고 마는 함정을 피할 수 있다면, 그것은 옳다.

물론, 이 네 가지 경우에서 유일하게 의미 있는 것은 첫 번째일 것이다. 1950년대만이 아니라 지금도 가난에 허덕이는 국가의 경우라면 많을수록 풍요롭다는 이데올로기가 존중되어야 한다. 그 국가에서 탈소비주의란 아무런 가치도 없을 것이다.

그렇기는 하나 탈가난이 절대선이었기에 소비주의 역시 자연스럽게 절대선이 되었던 시대를 살아온 우리가, 소비주의적 삶에 이토록 매몰된 채 살고 있는 우리가 소비주의라는 구명선을 내버리고도 행복하게 살 수 있을까? 숱한 연구들은, 어느 개인이 특정 중산층에 도달할 때, 물건에 돈쓰는 일은 그 사람의 웰빙을 강화하지는 않는다는 결론을 제출하고 있다. 경험에 돈쓰는 일은 웰빙을 강화하지만 말이다.* 심리분석가 애덤 필립스Adam Phillips는 우리 자신의 가난을 보여주는 최고의 단서는 다름 아닌 과잉이라고 말한다. 그리고 그 과잉은 우리의 가난을 우리 자신으로부터 숨기는 최고의 수단이기도 하다는 것이다.** 또한 이미 10세기에 일본의 승려 겐신源信은 이렇게 썼다. "족함을 알면 가난하더라도 '부'라 이름할 수 있으며, 재산이 있는데도 탐욕을 부린다면 이를 '빈'이라 이름하는 것이 마땅하다."*** 충분함을 넘어선 과잉된 상태가 실은 가난이라는 것을 직시해야 하지 않을까. 번영과 부, 자본주의, 지구, 사랑에 관한 명상인 최근의 저서에서 경제학자 팀 잭슨Tim Jackson은 노자를 호출한다. ""만족을 만족으로 알면, 언제나 넉넉함을 누린다." 중국 철학자 노자는 2,500년 전에 이렇게 말했다. 이것을 이해하지 못함이야말로 자본주의의 치명적 자만이었고, 여전히 그러하다."**** 팀 잭슨이 오늘의 시대에 새삼 환기하는, 만족함 그 자체가 부富임을 깨닫자는 노자의 가르침이 실로 귀하다.

그러나 탈소비주의적인 삶이 2023년을 살아가는 지구상의 모든 개인에게 똑같이, 똑같은 수준으로 요청되는 것은 아니다. 지금껏 그것이 유일한 행복의 길인 양 소비주의적인 삶을 맹목적으로 살아온 간탐한 자들이야말로, 그들처럼 살고자 했던 이들이야말로 지구온난화와 다른 생태적 균형 파괴에 막중한 책임이 있기 때문이다. 가령, 미국의 최상위층 1%는 평균적인 미국인보다 온실가스

* Greta Thunberg et al., ibid., 282.

** Greta Thunberg et al., ibid., 334.

*** 나카노 고지, 김소영 옮김, 《청빈의 사상》, 바다출판사, 2019, 45.

**** 팀 잭슨, 우석영·장석준 옮김, 《포스트 성장 시대는 이렇게 온다》, 산현재, 2022, 313.

배출량에서 10배 더 책임이 있고, 평균적인 미국인은 평범한 프랑스인보다 3배 더 책임이 있으며, 평범한 프랑스인은 전형적인 방글라데시인보다 10배 더 책임이 있다.* 이제껏 탄소쾌락적인 삶에 더 깊이, 더 오래 물들었던 개인일수록 더 적극적으로 탈소비주의적인 삶으로 전환해야 한다는 요구에 직면해 있다. 반대로, 이제껏 더 가난하게 살았던 개인일수록 그런 요구에 덜 직면해 있다. 바로 이런 이유로 옥스팜은, 지구온난화 수준을 1.5℃ 선 안쪽으로 하기 위해선 2030년까지 세계 최상위 부유층 10%가 소비로 인한 (탄소) 배출량을 2015년 수준의 1/10로 줄여야 한다고 말한다.** 우석영

더 찾아보기

- Greta Thunberg et al., The Climate Book, Allen Lane, 2022.
- 나카노 고지, 김소영 옮김, 《청빈의 사상》, 바다출판사, 2019.
- 팀 잭슨, 우석영 · 장석준 옮김, 《포스트 성장 시대는 이렇게 온다》, 산현재, 2022.

* Greta Thunberg et al., ibid., 282.

** Greta Thunberg et al., ibid., 331.

제국적 생활양식

독일어 '임페리알레 레벤스바이저Imperiale lebensweise'의 번역어. 영어로 번역하면 Imperial mode(way) of living 또는 Imperial lifeways, 한국어로 옮기면 '**제국적 생활양식**'이 된다.

제국적 생활양식이라는 개념은 독일 프리드리히 실러 예나 대학 내 연구단인 '성장 이후 사회에 관한 연구집단'의 두 학자 울리히 브란트Ulrieh Brand와 마르쿠스 비센Markus Wissen이 2017년에 독일에서 출간한 《Imperiale lebensweise》에서 제시한 개념이다. 저자들에 따르면, 자본주의 중심부에서 살아가는 개인의 일상생활은 그가 자본주의 주변부의 노동, 자연 자원에 무제한으로 접근할 수 있기에 비로소 가능하다. 즉, '남반구로부터의 노동과 자연의 이전'이 북반구 주민들의 삶의 양식의 근본 조건이다.

"남반구의 노동과 자연"이 무엇인지 명확히 하고자 저자들은 식품을 예로 든다. "겨울에 독일의 학교 급식실에서 제공하는 중국산 딸기, 불법 이주자들이 안달루시아에서 북유럽 시장을 위해 생산하는 토마토, 그리고 북반구 소비자를 위해 태국이나 에콰도르의 맹그로브 숲을 파괴해가며 양식하는 새우" 같은 것들.* 즉, 중국이나 태국, 에콰도르, 안달루시아 같은 주변부 국가에서의 노동, 그리고 그 노동 과정에서의 자연 약탈이 아니면, 중심부 국가 거주자들의 웰빙은 지탱되지 않는다는 것이다.

이처럼 제국적 생활양식 개념은 현 세계 경제의 중심부 거주자들의 일상생활이 "어떻게 사회적·생태적으로 파괴적인 결과를 외부화함으로써 성공적"**인가를 드러내는 '폭로'의 효용이 큰 개념이다.

하지만 제국적 생활양식을 제국적 '라이프스타일'이라고 하지 않고 굳이 제국적 '생활양식'이라고 부른 이유는 무엇일까? 브란트와 비센은, 레벤스바이저가 **라이프스타일**[**레벤스틸**Lebensstil]이 아니라고 강조한다. 라이프스타일은 개인의 취향, 선택의 자유와 연관되는 기념이기 때문이다. 예컨대, 신형 SUV '울리히'를 구매하는 개인의 경우를 생각해보자. 이 사람의 이름을 '브란트'라고 해보자. 브란트 씨는 '울리히'의 유연한 곡선미, 무소음에 가까운 고요한 분위기 창출에 이끌려 이 차를 구매한다. 평소 쇼팽과 존 필드의 녹턴을 즐겨 듣고 요가도 즐기는 중년 신사 브란트가 아니던가. 더욱이 그의 가계 경제를 볼 때, '울리히'의 구매는 불합리한 충동구매가 전혀 아니다. 브란트 씨의 라이프스타일에는 '울리히'가 딱이다. 라이프스타일 개념은 이렇듯 개인의 취향과 그에 따른 자유로운 선택에 관심을

* 울리히 브란트, 마르쿠스 비센, 이신철 옮김, 《제국적 생활양식을 넘어서》, 에코리브르, 2020, 69.

** 울리히 브란트, 마르쿠스 비센, 같은 책, 71.

둘 때 의미 있다. 달리 말해, 이 개념을 통해서 우리는 브란트 씨가 어떻게 이 SUV(또는 SUV 일반)에 관한 사회적 이상을 내면화하게 되었는지, 이 SUV 구매와 운행이 어떤 제국적 지배관계로써 가능한지 전혀 이해할 수 없다. 즉, 라이프스타일 개념은 일정하게 실상을 가리는 효과가 있다.

그렇다면 정확히 '**제국적 생활양식**'이란 무엇일까? 브란트와 비센의 정의를 들어보자.

> 북반구 주민의 정치적, 경제적, 문화적 일상 구조와 실천에 깊이 자리하고 있고, 점차적으로는 남반구의 신흥 경제국에도 유입되고 있는 **생산과 유통과 소비의 규범**.*

현 경제체제의 생산과 유통과 소비에 관한 문화규범인 바로 이것이 매일같이 북반구 주민들의 '좋은 삶'에 관한 상식과 윤리감성(선호감성)을 재생산한다. "그들에게 규범을 제공하는 동시에 행위할 수 있는 능력을 부여"**하는 것이다. 다른 한편으로, 이 규범은 "담론과 세계관에 근거해 세워지고, 실천과 제도 안에서 공고화"한다. 즉, 특정한 담론과 사회적 실천이 이 문화규범-생활양식을 생산해내고 강화한다. 아울러 이 문화규범-생활양식은 자본주의 질서의 "불평등과 권력 및 지배에, 때로는 폭력에" 기반하며, "동시에 이런 것을 산

* 울리히 브란트, 마르쿠스 비센, 같은 책, 69.
** 울리히 브란트, 마르쿠스 비센, 같은 책, 70.

출한다."*

이러한 이유로 저자들은 제국적 생활양식이 현 자본주의 체제 재생산의 본질적 요소라고 말한다. 즉, 현 자본주의는 단순히 소비자들의 소비 행위가 아니라, 바로 그것을 움직이게 하는 동력원인 특정한 문화규범-생활양식을 핵심 매질로 삼아 재생산된다는 것이다.

요컨대, 이 제국적 생활양식은 특정 이데올로기나 세계관 또는 윤리감성, 상식 같은 것이 아니다. 동시에 이것은 생산과 분배와 소비 같은 자본주의의 경제적 실천 과정 그 자체(또는 이 과정에서 작동하는 제국주의적 지배행위나 폭력 그 자체)도 아니다. 즉, 이것은 통상적 의미의 상부구조도, 하부구조도 아니다. 이 생활양식은 그 둘 사이에서 작동하며, 이 둘을 연결하고 매개하며 그 둘을 강화한다. 즉, 인간, 자연, 세계에 관한 상식을 재생산하면서, 제국적 지배를 기반으로 하며 지구 시스템 침탈적인 생산-소비라는 시스템을 부드럽게 작동케 한다.

저자들은 경제체제의 전환에 선요건이 되는 생활양식의 전환을 염두에 둔 듯하다. 경제에 관한 문화규범인 생활양식은 고정적인 것이 아니라 유동적이고 가변적인 것이기 때문이다. 저자들에 따르면, "생활양식에는 언제나 대안적이고 전복적인 해석과 실천이 유입"**된다. 생활양식은 가능성의 마당인 셈이다.

* 울리히 브란트, 마르쿠스 비센, 같은 책, 69.

** 울리히 브란트, 마르쿠스 비센, 같은 책, 70.

탈탄소 경제, 탈성장 경제, 생태경제 같은 대안적 경제체제가 출현하고 성숙하려면, 단순히 그런 대안 경제에 관한 긍정적인 생각이나 윤리감성이, 경제에 관한 새로운 상식이 사회에 확산되는 것만으로는 부족하다. 어쩌면 북반구 고소득국가 내 제국적 생활양식의 자연파괴적이고 문명파괴적인 성격에 관한 문제의식과 성찰이 모든 변화의 시작점일지도 모른다. 우석영

- 울리히 브란트, 마르쿠스 비센, 이신철 옮김, 《제국적 생활양식을 넘어서》, 에코리브르, 2020.

1.5℃ 라이프스타일

우리는 모두 라이프스타일이 무엇인지 알고 있다. 그것을 봤거나 가지고 있기 때문이다. 우리는 모두 각자의 취향과 가치관에 따라 조금씩 다른 생활상의, 행위상의 선택을 해나가는데, 그 선택들 하나 하나를 전부 그러모아 보면 거기에는 특정한 디자인 형태/이미지 같은 것이 발견된다. 디자인 형태/이미지의 다른 말이 바로 '스타일style'이니, 라이프스타일을 정의하면 이렇게 된다.

개인이 자기의 **취향과 가치관**에 따라 **자유롭게** 생활상의 행동을 **선택**함으로써 빚어지는 **개성적**인 생활방식 또는 그 방식에 관한 이미지

그렇다면 라이프스타일은 개인과 취향, 관점, 개성이 중시되는 근대 자본주의 세계와 관련이 깊다. 오늘의 모던한[근대적] 세계에서 라이프스타일은 개인이 자기의 개성을 차별화하여 (사회세계에) 드러내는 중요한 기제다.

앞서 보았듯, 라이프스타일을 만들어내려면 크게 네 요소가 필요하다—(1)취향 (2)가치관 (3)선택할 자유 (4)선택 능력. 그

런데 여기서 '선택'이란 대체로는, 적어도 우리가 살고 있는 자본주의 질서에서는, 상품/서비스 소비상의 선택이기 쉽다. 상품/서비스 소비 없이 의식주 차원의 개인의 스타일, 즉 라이프스타일을 만들어내기란 거의 불가능하기 때문이다. 그렇다면 저 '(3)선택할 자유'의 자유란 주로 자본주의가 보장하는 자유, 그 중에서도 상품/서비스를 원하는 만큼 소비할 자유이거나 그런 자유를 기초로 한 선택의 자유일 뿐이다.

이것은 곧, 소비 행태의 변화가 라이프스타일의 변화로, 라이프스타일 변화가 소비 행태의 변화로 직결될 수 있음을 뜻한다. 이 둘은 동일한 것은 아니되, 현재 우리의 삶의 마당에서는 긴밀히 얽혀 있다.

그런데 어느 개인의 소비는 생산-유통 시스템, 즉 현 자본주의 시스템과 직결되어 있고, 현 자본주의 시스템은 지구온난화/기후변화와 직결되어 있다. 그렇다면 지구온도 상승을 산업화 이전 대비 1.5℃ 상승 수준에서 멈추게 하는 중요한 한가지 행동 전략으로 우리는 세계 시민들의 **1.5℃ 라이프스타일**을 생각해볼 수 있을 것이다.

1.5℃ 라이프스타일 운동—구체적으로 무엇을 제시할 수 있을까? 풀뿌리시민운동 프로젝트인 '테이크 더 점프Take The Jump'는 '물건은 더 적게, 기쁨은 더 많게Less Stuff, More Joy'를 모토로 한다. 이 프로젝트가 제시하는 다음의 6대 원칙은 1.5℃ 라이프스타일이 무엇일지, 그 구체적인 상을 잘 그려준다.

- 클러터* 없애기—전자제품 최소 7년 사용하기
- 새롭게 이동하기—가능하다면, 개인 차량 사용하지 않기
- 녹색 밥상 차리기—채식 위주 식사, 폐기물 남기지 않기
- 레트로 감성으로 입기—1년에 최대 3벌로 새옷 구매량 제한하기
- 지역에서 휴가 보내기—3년에 1번 비행기 타기 (왕복 1500km 이하로 제한하기)
- 체제 변화시키기—체제 전환/변화를 위한 행동을 하나 이상하기 (예: 그린에너지[재생에너지] 회사에서 에너지 공급받기. 에너지효율성 증대설비 설치하기. 공동행동/평화시위 등에 참여하기.)**

이 프로젝트의 제안에서도 확인되듯, 라이프스타일 변화는 크게 의, 식, 주(에너지), 이동, 상품, 총 5개 분야 삶의 마당에서 가능할 것이다. 물론 의복, 식품, 에너지 상품, 비행기티켓 역시 전자제품과 같은 상품들이기에, 상품 분야를 따로 생각한다는 것은 원론적으론 비합리적이다. 그러나 일상생활이 이루어지는 의, 식, 주, 이동이라는 분야에 포괄될 수 없는 상품 전체를 따로 상품 분야로 묶어, 특히 플라스틱 포장재와 폐기물 처리와 함께 묶어, 생각해볼 수는 있을 것이다.

* Clutter. 질서를 어지럽히는 쓸데없는 물질.

** https://takethejump.org

테이크 더 점프의 제안은 탈성장 운동(→ 탈성장)의 제안과도 연결된다. 탈성장 운동이 물질 · 에너지 소비량을 줄이고, 그와 관련된 우리의 욕망을 줄여나가야 한다는 당위를 강조한다는 점에서 그러하다.

하지만 1년에 최대 3벌로 의복 구매를, 3년에 1회로 비행기 이용횟수를 제한하자는 제안은 과연 얼마나 설득력 있을까? 가능하다면 개인 차량 사용하지 않기는 얼마나 많은 이들에게 호소력 있을까? 혹여 너무 과다한 것은 아닐까? 아니, 누구나에게 일률적으로 적용 가능한 이러한 제한선 자체가 개인의 자유를 짓누르는 일종의 전체주의적 발상 아닌가?

그러나 테이크 더 점프의 제안은 하나의 가능한 제안, 권유일 뿐이라는 사실을 상기하자. 그러면 우리의 마음은 한결 편안해진다. 중요한 것은 1년에 최대 3벌이든 7벌이든, 3년에 1회 비행이든 2년에 1회 비행이든, 또는 다른 자기만의 기준이든, 일단 자기에 맞는 목표를 세우고 시작해보는 것이 중요하다는 것이다!

가정에 공급되는 에너지를 그린[재생] 에너지로 바꾸기, 에너지고효율성 설비 설치하기는 녹색 밥상 차리기(지구 밥상 차리기)(→ 기후밥상/기후미식)보다는 훨씬 더 실천하기 쉬운 일이다. 밥상[식탁]은 원초적인, 심미적인 즐거움의 자리이자, 다자간 친교의 자리이기 때문이고, 그만큼 식문화는 우리의 신체와 기억에 진득히 붙어 있기 때문이다. 하지만 더 즐거운, 더 미적인 밥상으로 이동하기 자체가 불가능한 프로젝트라는 생각에 나는 동의할 수 없다.

테이크 더 점프가 간과한 두 가지를 추가로 이야기해보면 이렇다. 우선, 그 삶과 최대한 오래 함께해야 좋은 상품이 전자제품에 국한되어선 안 된다. 오히려 우리는 우리가 구매로써 인연을 맺게 되는 상품 전부를, 그 상품이 '입고 온' 플라스틱 포장재 전부를, 그 상품들의 일생을, 그 삶이 마감된 후의 상품을 모두 돌봐주어야 한다.

(→ 물질 돌봄/상품 돌봄 → 업사이클링)

또 하나, 1.5℃ 라이프스타일 운동에서 중요한 한가지가 있다—이 운동에 참여하는 참여자들이 서로 만나고 이야기하고 서로에게 영감을 주고 서로 마음을 돌봐주고 실천을 서로 격려하는 행동에 나서야만, 그리하여 이런 행동이 모종의 사회적 물결을 이뤄야만 이 운동이 효과적일 것이라는 사실이다. 이렇게 되려면, 가까운 곳에 있는 이들이 서로 만나 '우리 이렇게 살아보자'고 함께 발심하는 것이 중요하다. 그리하여 이 방향으로 단 한걸음이라도 전진하는 것이 중요하다. 즉, 한 사람의 열보보다 열 사람의 한 보가 더 중요하다.

우석영

- Greta Thunberg et al., *The Climate Book*, Allen Lane, 2022.
- https://takethejump.org

기후재난 돌봄

이런 상상을 해본다. 역동적 민주주의의 현장인 한국에서 머지 않은 미래에, 2020년대의 어느 해에, '기후 정부'가 수립되는 기적이 일어난다. 극심한 기후 스트레스, 서민층만이 아니라 대다수 가정의 경제를 짓눌러온 고 에너지 · 식량가격 부담과 고물가의 부담, 정부의 무능력에 대한 시민들의 반감의 누적, 기후 문제가 가장 중요하다는 인식의 급속한 확산, 기후 대중운동의 폭발적인 발전…이 모든 다양한 갈래의 흐름들이 한곳에 모여 마침내 기후 정부의 탄생으로 이어진다.

그런데 더 놀라운 일이 일어난다. 그와 비슷한 시점에 세계 도처에서 한국 못지 않게 강력한 기후 정부들이 우후죽순처럼 동시다발로 수립된다. 그리고 약 20개국으로 구성된 이들 신기후 정부들은, 각국 정부 수립 이후 얼마 되지 않은 시점에 '기후국가연합'을 구성해서는 국가연합 차원의 공동 행동 플랜을 만들어내고 이 플랜을 적극 실천에 옮기기 시작한다….

그야말로 소설 같은 이야기이다. 그러나, 이런 상상과 더불어, 나는 또 그해의 풍경을 머릿속으로 그려본다. 저 '기후국가연합'이 결성된 그해 겨울은, 올 겨울(2022-2023 겨울)보다 덜 추울까? 이들 20여 국의 대대적인 공동 행동이 시행된 지 3년이 지난 후의 겨울은, 여름은 어떨까?

우리는 희망적인 대답을 제출하기 어렵다. 크게 두 가지 이유에서이다. 첫째, 온실가스가 배출되는 사건과 기후충격이 인간에게 느껴지는 사건 사이의 시간적 간극, 즉 '기후 지체climate lag'가 존재한다. 온실가스 누적으로 인해 대기에 집적된 열은 90% 이상이 바다로 흡수되는데, 바다의 특성은 천천히 뜨거워졌다가 천천히 식는다는 것이다.(→ 지구온난화와 해양온난화) 이는 곧 지구상에 과다한 열이 발생하는 사건과 그것이 해소되는 사건 사이에 일정한 시간이 걸린다는 것을 의미한다. 기후 과학자들은 이 시간적 간극이 어림잡아 40년이라고 믿고 있다. 약 40년이라는 '기후 지체' 시간이 있다는 것이다.* 둘째, 특정한 온실가스는 무척 긴 시간에 걸쳐 대기권에 머무르면서 지구온난화 효과를 일으키는 속성이 있다. 예컨대 대기 중의 이산화탄소가 지상으로 다시 환원되기까지는 수백만 년이라는 세월이 걸린다.

이러한 사실은 우리가 지금 당장 얼마나 효과적인 기후변화 대응 행동을 하든 그것과 무관하게, 현재까지 누적된 온실가스가 향후 최소 약 40년간은 파괴적 위력을 발휘할 것임을 뜻한다. 그리고 이것은 곧 온실가스 배출량 감축을 목표로 하는 예방적 대응 즉 '**기후변화 완화**Climate Change Mitigation'도 중요하지만, 그보다 크고 작은 기

* Rob Verchick, *The Octopus In The Parking Garage*, Columbia University Press, 2023, 8.

후재난 사태가 발생하는 상황에 대한 대비와 대처, 즉 **기후변화 적응** Climate Change Adapation(→ 기후적응)이 더 중요해진 시대에 우리가 이미 진입했음을 의미한다. 그러나 발생할 것이 거의 자명한 기후재난 상황에 적응한다는 것은 그것에 익숙해지면서 무덤덤해진다는 것이 아니라 그 사건에 효과적으로 대비하고, 사건 발생 시 효과적으로 대처하고, 사건 발생 후 효과적으로 피해를 복구한다는 것을 뜻한다. 그리고 이것의 실질적 함의는 그러한 상황과 연루된 사람들이 서로의 안전과 복리를 함께 돌본다는 것이다.

따라서 우리에게는 크게 두 가지의 행동 방향이 동시에 요청된다. 하나가 기후변화 완화라는 방향이라면, 다른 하나는 기후변화 적응의 적극적 방식으로서의 돌봄사회, 돌봄모델의 구축이라는 방향이다.

기후재난 돌봄은 잠재적/실질적 기후재난 피해자들의 복리를 위해서, 기후재난 피해 복구를 위해서, 아울러 기후재난 피해를 (사전에) 예방·최소화하기 위해서 행하는 모든 조력 활동을 뜻한다. 여기서 '기후재난 피해자들'이란 흔히 인간으로 여겨지지만, 인간에 국한되어 이해되어서는 안 될 것이다.

또한 기후위기와 같은 막대한 생태위기는 인간이 흔히 최종적으로는 상품의 형식으로 유통되게 되는 지구 안의 비인간 물질을 자원으로, 소유물로, 도구로 대하고 처리하는 방식(비인간 물질을 저차원의 물질이자 자기실현의 지향과 속성이 없는, 세계 내 비주체로 대하는 방식)과 깊은 관련이 있다. 온실가스를 과다 배출하는 현행 추출 자본주의의 기반에는 특정한 물질관/물체관, 물질태도가 단단히 자리잡고 있다. 그렇다면 기후위기를 극복하기 위한 사회의 대전환은 이들 물질/물체에 대한 태도의 전환을 대동하면서만 가능할 것이다. 즉, 새로운 사회에는 비인간 물질을 아끼고 돌보는 새로운 태도가 요청된다.

이러한 이유로, (기후재난이 발생하기 전이라는 의미에서의) 사전 돌봄이든 (발생한 후라는 의미에서의) 사후 돌봄이든, 기후재난 돌봄의 대상은 단지 인간동료일 수만은 없다.

이런 뜻에서 기후재난 돌봄은 더 케어 컬렉티브The Care Collective가 《돌봄 선언The Care Manifesto》에서 제안한 **난잡**亂雜**한 돌봄**promiscuous caring이 되어야 한다. '난잡한 돌봄'은 대상을 차별하지 않는, 우선순위를 두는 시선이 없는 돌봄을 뜻한다. 더 케어 컬렉티브에 따르면, 난잡한 돌봄은 "인간, 비인간을 막론하고 모든 생명체 간에 이루어지는 모든 형태의 돌봄"*이다. 달리 말하면, 난잡한 돌봄은 돌봄 대상을 실험적으로 확장해가는 돌봄, 즉 "가장 가까운 관계부터 가장 먼 관계에 이르기까지 돌봄의 관계를 재정립하며 증식해가는 윤리 원칙"이다.** 즉, 돌봄 대상을 존재론적 감각에서, 동시에 친화적 감각에서 볼 때 '가까운 곳'에서 '먼 곳'으로 확장하는 방식의 돌봄이다. 그러나 이 돌봄은 어디에서든 낯선 자들을 스치듯 가볍게 돌보는 활동은 아니다. 그것은 가족이라는 느낌의 영역을 확장해서 그 영

* 더 케어 컬렉티브, 정소영 옮김, 《돌봄 선언》, 니케북스, 2021, 79.

** 더 케어 컬렉티브, 같은 책, 81.

역 안에 있다고 느껴지는 가족을 돌보는 행위를 뜻한다.*

그러나 나는 이러한 '확장된 가족'의 범위에 생물만을 포함시키는 것에는 반대한다. 일체의 생물중심적 사고에서 자유로워진 자의 돌봄을 나는 생각해본다.

난잡한 기후재난 돌봄—어떤 것이 가능하고 어떤 것이 필요할까? 사후 돌봄 못지 않게, 재난 최소화와 재난 시 효과적 대응을 위한 사전 돌봄(예방 돌봄, 미래 돌봄)이 긴요하다. 사전 돌봄의 활동으로 다음과 같은 활동이 포함될 수 있을 것이다.

- 개인/가정의 온실가스배출량 저감 활동(의/식/주/이동/상품구매 등에서의 1.5℃ 라이프스타일로의 이동) (➔ 1.5℃ 라이프스타일)
- 개인/가정의 상품 소비량/에너지 소비량/폐기물 배출량 절감 (➔ 탈소비주의 ➔ 물질 돌봄과 상품 돌봄)
- 제방, 도로, 댐, 배수시설물 등 인프라의 재정비 그리고 재난 감지 시 도로통제, 산림지대통제, 이동명령 등 재난 대응 체제의 재정비 (➔ 기후적응 ➔ 회복력)
- 기후돌봄 결사체로서 기후조합을 결성하여 공동으로 재난에 대비하는 활동

* 더 케어 컬렉티브, 같은 책, 83-84.

마지막 항목, 즉 **기후조합**Climate Union의 돌봄 활동으로는 다음과 같은 것을 생각해볼 수 있을 것이다.

- 기후계 운영

  - 기후재난 발생시 피해자 조합원에게 복구지원금[재난지원금] 지급
  - 기후재난 발생시 피해자 조합원에게 기후소송에 필요한 자금 지급

- 결사체 차원의 공동 기후행동

  - 구성원의 태양광패널 설치/그린에너지 공급/그린리모델링
  - 결사체 공동시설의 태양광패널 설치/그린에너지 공급/그린리모델링
  - 1.5℃ 라이프스타일 경험 공유와 상호 독려
  - 함께 나무 심기
  - 가로수/도시숲/마을숲/산림 돌봄 참여
  - 지역/전국 단위 시민행동 참여
  - 업사이클링 기술/경험 배움[공유]
    (→ 업사이클링 → 물질 돌봄과 상품 돌봄)
  - 기후위기+행동 관련 교육

우석영

- 더 케어 컬렉티브, 정소영 옮김, 《돌봄 선언The Care Manifesto》, 니케북스, 2021.
- Rob Verchick, *The Octopus In The Parking Garage*, Columbia University Press, 2023.

물질 돌봄과 상품 돌봄

돌봄은 이제껏 대체로 인간사의 일로 생각돼왔다. 돌본다는 것은 누군가를, 자기 아닌 타인을 돌본다는 것으로 생각돼온 것이다. 《돌봄과 인권》의 저자들에 따르면, (어느 개인이 타인에게 행하는) 돌봄의 필요와 당위는 인간의 연결성과 관계성과 상호의존성에서 자연스럽게 나온다. "한 사람이 존재한다는 것은 다른 존재들과의 연결과 관계 속에서만 가능하다." 또는 "인간…누구나 의존 속에서 살아간다." 그렇다면 이러한 현실적 여건 속에서 살아가고, 그렇다는 것을 자각하는 사람에게는 "타자의 필요와 고통의 호소에 반응을 보이는 것, 그런 상호반응을 통해 사회를 지속시키고 재생산하기 위해 인간이 행하는 모든 활동"인 "돌봄"*을 실천한다는 것은 당연지사가 될 것이다. 하지만 이 인용문에서의 "타자"는 어디까지나 타인만을 지칭한다는 점을 생각해볼 필요가 있다. 이 책의 저자들이 논하는 돌봄은 기본적으로 인간 사이의 사안이다.

이러한 좁은 인식은 사실 우리 사회에 너무도 널리 퍼져 있다. 돌봄을 인간사회 너머의 지평으로 확대해서 생각하는 것 자체

* 김영옥 · 류은숙, 《돌봄과 인권》, 코난북스, 2022, 12-14.

가 아직은 우리 사회에서 낯선 까닭이다.

《돌봄과 인권》의 저자들은 인간이 관계망 속에서 살아가는 한 돌봄은 필수적인 인간 활동이라고 말한다. 나아가 관계망 속에서 살아가면서도 "관계를 돌보지 않는 삶은…연결성과 책임성을 망각한 것"*이라고 말한다. 그런데 한가지 주의할 점이 있다. (인간이 그 안에서 사는) "관계망"의 "관계"는 인간이 타인과 맺는 관계에 결코 한정될 수 없다는 점이다. 돌봐야 하는 관계는 타인과의 관계만이 아니라 타물他物과의 관계이기도 하다.

타물, 즉 비인간 물질과의 관계의 돌봄 또는 그 물질에 대한 돌봄이 왜 필요할까? 그건 지구적 규모의 기후변화의 근본 원인이 화석연료, 산림과 농토, 바다, 가축 등 비인간 물질에 대한 착취를 토대로 한 생산주의적 경제에 있기 때문이다. 달리 말해, 이러한 비인간 물질을 함부로 대했던 역사가 오늘날의 전 지구적 기후위기의 근본 원인으로 지목되어야 마땅하다. 그렇다는 건 곧, 비인간 물질을 (그리고 지구를) 사려깊게 대하고 돌보려는 태도와 행동이, 돌봄이라는 원칙이 새롭게 요청되고 있음을 뜻한다. 비인간 물질과 지구를 돌보는 방식의 삶으로 전환하지 않으면 인류의 생존 자체가 위태로울지도 모를 비상 상황에 지금 우리는 있다.

그렇다면 기후위기 대응 행동으로서의 비인간 물질 돌봄이란 구체적으로 무엇이고, 그 돌봄은 누가 수행해야 할까? 국가, 기업, 학교, 시민-소비자, 이 모두가 그 수행 주체가 되어야 할 것이고,

* 김영옥 · 류은숙, 같은 책, 30.

각 단위의 돌봄 행동의 초점과 내용은 단위별로 상이할 수밖에는 없을 것이다.

그러나 돌봄이라는 가치는 특히 소비와 관련해 재발견, 재인식되어야 한다. 애니 라우리Annie Lowery가 지적한 그대로 오늘날 "너무 많은 이들이 너무 많이 사용하고 있다. 너무 많이 폐기하고 있고, 너무 많이 소유하고 있다. 그리고 너무 적게 돌보고 있다."* 이제는 사용, 폐기, 소유가 아닌 돌봄이 소비자가 소비 대상물과 맺는 관계방식이어야 한다. 그것이 생존과 문명의 방식으로 요청되고 있다.

소비자는 어떤 식으로 물질 돌봄을 실천할 수 있을까? 소비자의 물질 돌봄은, 지금의 현실에서는, 반드시 **상품 돌봄**이어야만 한다고 나는 생각한다. 상품 돌봄이라는 단어는 물질 돌봄이라는 단어보다도 낯설다. 대체 뭐가 상품 돌봄일까? 상품은 그 자체가 각기 취약해질 수 있는 지구의 변형된 물질들이므로 돌봄 대상이 될 수 있다. 만일 우리가 이렇게 생각할 수 있다면, 다음과 같은 상품 돌봄 행동도 가능할 것이다.

(1) 상품을 구매할 때, 바로 그 구매행위로써 특정한 지구의 물질과 인연을 맺는다고 생각하기

(2) 지구의 자연질서를 최대한 덜 훼손하는 방식으로 (그것을 덜 취약하게 하는 방식으로) 생산된 상품과 인연 맺기 (그런 상품만을 얻거나 구매하기)

* Greta Thunberg et al, *The Climate Book*, Allen Lane, 2022, 282.

(3) 쓸모가 다한 상품을 폐기할지 말지, 신중하게 결정하기. 폐기할 경우, 그 물질을 업사이클링하는 방법을 찾아 업사이클링하려고 노력하기 (그 물질과 잘 작별하기. 상품폐기로써 지구의 자연질서를 취약하게 만들지 않기)

(4) 모든 상품포장물질을 업사이클링해주기 (그 물질과 잘 작별하기. 상품포장물질 폐기로써 지구의 자연질서를 취약하게 만들지 않기)

(5) '좋은 상품'과만 오래 인연 맺기. 즉, 상품 구매 시, 지구의 물질과 좋은 인연을 맺는 것인지 살펴보고 신중을 기하는 동시에, 상품 구매량 자체를 줄이기. (모든 구매행위는 종국에는 폐기/재사용/리사이클링의 필요로 이어진다는 사실을 염두에 두고 구매하기)

우석영

- 김영옥 · 류은숙, 《돌봄과 인권》, 코난북스, 2022.
- Greta Thunberg et al., *The Climate Book*, Allen Lane, 2022.

제로 웨이스트

심플 라이프, 미니멀 라이프, 제로 웨이스트는 언제부턴가 하나의 만트라가 되었다. 그러나 이 새로운 종교의 신도들의 성향은 한결같지 않고 그 실천 방식이나 태도도 각양각색이다.

심플 라이프, 미니멀 라이프 같은 단어가 유행한 것은 21세기 들어서이지만, 사실 **'소박한 삶'**은 **'청빈한 삶'**이라는 이름으로 오랜 세월에 걸쳐 예찬되어 왔다. 19세기 말 프랑스 신부 샤를 와그너는 **'단순한 삶**La vie simple'을 제창하며 검박한 삶이 인간이 살 수 있는 최고의 삶이라는 지혜를 이야기했다. 그러나 그는 단순함이 검소하고 소박한 삶의 외양이 아니라 인간의 높은 정신 상태라고 강조했다. "진정한 삶의 아름다움과 위대함"을 추구하는 정신은 단순함을 추구한다는 것이다. 또한 와그너 신부는 존재는 일종의 원료와 같아서 "존재에서 무엇을 끌어내는지가 더 중요하다"고 했다.* 가장 좋은 삶은 단순한 삶이라는 결론이다.

한국에서도 물질적 부의 정도로만 보면 오늘의 1/10 수준도 안 되었던 1970년대 중반에 청빈의 가치를 외친 사람이 나왔다.

* 샤를 와그너, 문신원 옮김, 《단순한 삶》, 판미동, 2016, 29-34.

승려 법정은 대량생산과 대량소비의 산업구조가 인간의 덕성을 망치고 있다며 "새삼스럽게 가난의 덕을 배우고 익힐 때"가 되었다고 외쳤다. "행복의 비결은 필요한 것을 얼마나 많이 가지고 있느냐가 아니라 내가 불필요한 것으로부터 얼마만큼 자유로운가에 달려 있다"고 했다.* 과생산과 과소비, 과욕망이 문제가 되는 우리 시대에는 바로 이 '불필요한 것'을 선별해내는 마음의 능력이 절요하다.

세계 시민들의 자발적 생활운동인 **제로 웨이스트** 운동은 바로 '필요/불필요'의 사안을 붙들고 늘어지며, 집 밖으로 나가는 폐기물을 최소화/제로화하는 데 초점을 둔다. '제로웨이스트홈'이라는 사이트를 운영하는 제로 웨이스트 활동가 베아 존슨Bea Johnson은 제로 웨이스트 실천을 위한 5R 지침을 제시한 바 있다. 5R은 다음과 같다.

(1) **Refuse** 필요하지 않은 것은 거절하기

(2) **Reduce** 필요하며 거절할 수 없는 것은 줄이기

(3) **Reuse** 소비하면서 거절하거나 줄일 수 없는 것은 재사용하기

(4) **Recycle** 거절하거나 줄이거나 재사용할 수 없는 것은 리사이클링하기

(5) **Rot** 나머지는 썩히기/퇴비로 만들기.

* 법정, 《시작할 때 그 마음으로》, 책읽는섬, 2017, 17 ; 24.

베아 존슨의 5R 원칙에서 가장 눈에 띄는 원칙은 첫 번째 R과 두 번째 R, 즉 Refuse와 Reduce이다. 사실 이 두 원칙이야말로 법정이 말한 '불필요한 것으로부터의 자유'와 관련 있다. 불필요하다고 판단하는 것들의 범위를 최대한 넓히고, 필요하다고 판단하는 것들의 범위를 최대한 줄이는 삶, 불필요하다고 판단한 것들은 단호히 거절하는 삶, 바로 이것이 샤를 와그너와 법정이 강조한 단순한 삶일 것이다.

하지만 이러한 삶은 오늘의 현실에서 너무도 실천하기 어려운 삶이다. 크게 두 가지 이유에서이다. 첫째, '이것은 필요한 것'이라고 우리에게 속삭이는 상품 광고의 유혹이 너무도 강렬하기 때문이다. 둘째, 우리는 언제나 삶의 동료peer와 함께, 동료들과 시선을 주고 받으며 살아갈 수밖에는 없기 때문이다. 예컨대, 동료 중 99%가 신형 스마트폰을, 무선 이어폰을 향유하고 사는 모습에 둘러싸인 1%가 그 두 물건을 불필요 목록에 넣기란 쉽지 않다. 그러니 우리에겐 다음 몇 가지가 동시에 요구된다.

- 필요/불필요라는 문제를 진지하게 고민해보기
- 자기만의 기준으로 (눈치보지 않고) 필요목록을 작성하기
- 필요목록 줄이기를 친구들/동료들과 함께 이야기하고 실행하기 (필요목록 줄이기를 문화적 물결로 만들어내기. 친구들/동료들/가족들 사이에서 필요목록 줄이기를 이야기하고 독려하고 전파하기)

어느 하나 쉽지 않은 것들이다. 그러나 물질 자체에 대한 관심과 태도의 전환이 하나의 계기가 될 수 있지 않을까? 만일 생활에 필요한 사물들을 달리 생각할 수 있다면, 그것들을 존중하고 돌볼 수 있다면 다른 길이 열리기 시작하지 않을까? 오스트리아의 제로 웨이스트 운동가이자 녹색당 의원인 크라우트바슐S. Krautwaschl은 이렇게 고백하고 있다. "내가 나 자신의 어린 시절을 비롯해 내 아이들을 통해 배운 것은 음식과 옷, 집, 가구, 기기들에 대한 존중이었다. (…) 이런 존중은 내가 무언가에 대해 '충분하다'고 느끼거나, 무엇이 너무 많은 것 같다고 판단하는 데 큰 도움이 되어 주었다. 충분하다는 감정에 이어지는 가벼움은 정말 형언할 수 없이 좋다."* 크라우트바슐의 고백이 말해주듯, 지금 우리의 삶을 윤택하게 해주는 사물들에 대한 자각과 존중과 애정은 불필요물과 과잉에 대한 감각을 키워줄 것이다.

베아 존슨이 말한 Reuse, Recycle, Rot도 중요하기는 마찬가지다. 일단 소비한 것은 폐기물로 내놓는 대신 다시 사용하는 법은 없는지를 고민해보자. 나아가 업사이클링할 수 있는 방법은 없는지(→ 업사이클링), 썩히고 퇴비로 만들 수 있는 방법은 없는지 찾아보고 공부해보자.

사실, 노하우는 부족하지 않다. 부족한 것은 배우고 실행하겠다는 우리의 실천의지일 뿐이다. 개인적 실천과 실험 역시 크게 부족하다고 보긴 어렵다. 정작 크게 부족한 것은 각자의 지식과 기술

* 산드라 크라우트바슐, 박종대 옮김, 《쓰레기 거절하기》, 양철북, 2020, 8.

을, 실천과 경험을 교류하고, 그로써 서로 연대하고 그리하여 새로운 문화를 창출하겠다는 우리의 의지, 그럴 수 있다는 자신감일 뿐이다.

우석영

- 비 존슨, 박미영 옮김, 《나는 쓰레기 없이 살기로 했다》, 청림life, 2019.
- 산드라 크라우트바슐, 박종대 옮김, 《쓰레기 거절하기》, 양철북, 2020.
- https://zerowastehome.com

기후밥상/기후미식

"내가 먹는 것이 나다." 나의 실체는 곧 내가 먹는 것으로 구성된다는 이야기를 압축적으로 표현한 문장이다. 이 문장은 얼마 전 출간된 어떤 책에서 이렇게 리트윗되었다. "우리가 먹는 것이 지구의 미래다." 매일 우리가 무엇을 먹느냐에 따라 지구의 미래가 달라진다는 말이다.

지구화된 오늘의 세계에서 먹기 또는 밥상 차리기라는 사안은 이곳 저곳에 다리를 걸치고 있다. 가장 눈에 띄는 곳은 바다인데, 지금 지구의 바다는 온난화, 산성화(이산화탄소 배출량 증가에 따른 결과), 저산소화라는 삼중고를 겪고 있다.(→ 지구온난화와 해양온난화) 그리고 그로 인해 어떤 해양 생물들은 병에 걸리거나 죽어가고 있다. 문제는 이들이 겪는 곤란이 어업의 교란으로 그대로 이어진다는 것, 즉 수산물 생산량에 타격을 준다는 것이다. 과다 온실가스 배출이라는 활동이 지구의 여러 곳을 돌고 돌아 우리의 밥상 자체를 위협하고 있는 것이다. (미세플라스틱 오염으로 인한 밥상과 인체의 교란은 또 다른 사안이다.)

화학비료를 과다 사용하고, 농기계를 과다 사용하며, 단작·대규모 생산이 주된 생산방식이고, 생산지와 소비지의 거리가 막대하게 된 오늘의 공장식 농축수산업-세계 푸드 시스템이 야기한 문제는 실로 심각하다. 열대우림을 비롯하여 산림 면적이 줄어들고 있고, 활력 있는 토양이 사라지고 있는가 하면, 하천과 바다가 오염되고 있고, 생물종들이 멸종되고 있다. 대규모 축수산업으로 인해 육상과 해양의 동물들이 겪는 고통과 피착취는 어떤가. 게다가, 이산화탄소와 아산화질소, 메테인을 두루 배출하는 이 푸드 시스템의 가동으로 지구는 계속해서 가열되고 있다. (2021년 기준, 푸드 시스템으로 인한 탄소 배출량은 179억 톤으로, 전체 탄소 배출량의 약 34%이다. 대지 사용, 농업 생산, 가공, 수송, 포장, 판매, 요리, 폐기물 처리가 각 부문으로 포함되어 계산된다.) 정반대로, 지구가 뜨거워질수록 세계의 농업과 축산업은, 그리고 우리의 밥상 전체가 그에 따라 타격을 입게 될 것이 자명하다. 아니, 가뭄과 홍수로 인한 농작물 피해, 그리고 인한 농작물 가격 상승은 우리가 이미 절절하게 체험하고 있는 현실이 아니던가. (→ 식량위기 → 식량위기 대응 농업 정책)

밥상의 문제는 이처럼 전 지구적으로 뒤엉켜 있는 문제여서, 개인들이 식단을 바꿔야 한다기보다 현행 농축수산업에 관계되는 세계 각국의 정책이 동시다발적으로 변화되어야 한다. 이를테면, (지구의 생물을 풍요롭게 되살리고 기후를 안정화하는 효과를 생각해볼 때) 50만 명이 각 가정의 밥상을 일시에 기후밥상으로 바꿀 때의 효과보다 특정 농경지 단위당 작물 수를 일정수 이상으로 제한하거나 (→ 식량위기 대응 농업 정책) 화학비료 투여량을 일정량 이하로 제한하는 정책을 국가 단위에서 시행할 때의 효과가 훨씬 더 클 것이다.

그렇다면 각자의 밥상을 바꾸기보다는 정부의 정책 혁신

을 요구하는 편이 나은 걸까? 하지만 이 둘을 물과 기름 가르듯 딱 자를 수는 없다. 우리가 각자의 집에서 차리는 오늘의 밥상들에는 세계 각국의 농추수산업 정책들이 착실히 반영돼 있다. 아니, 오늘의 밥상들에는 그 정책들이 원인이 된, 지구 각지(바다, 강, 지류, 논밭, 산림, 푸드 생산을 위한 대규모시설…)의 신음과 비명이 배어 있고, 우리의 목을 점점 조르게 될, 오늘도 공중으로 배출되고 있는 이산화탄소와 메테인과 아산화질소가 어른거리고 있다. 이 소리와 기체와 그것을 만든 정책과 우리가 즐기는 맛은 하나가 되어 우리의 입 안에서 질척거리고 있다. 광장에서 정책 혁신을 요구하는 행동만이 아니라 밥상을 마주한 자리에서 정부 정책과 기업의 사업 방향을 변화시킬 선택을 하는 행동 역시 요구되는 까닭이다.

그렇다면 밥상을 차리는 자리에서 어떤 새로운 선택을 할 수 있을까? 대체 어떤 것이 기후밥상이고 기후미식일까? 기후밥상/기후미식의 요건으로 나는 다음을 제안한다.

- **소고기의 유혹에서 벗어나기/소고기 소비량 줄이기**(소고기 생산에는 과다한 물, 초지와 풀이 요구되고, 이 과정에서 탄소 배출량도 높다. 보통의 버거 소고기 패티의 단백질 10g 생산에 수반되는 탄소 배출량은 2-10kg이다. 1인용 소고기 단백질 생산에 쓰이고 있는 농경지에 다른 작물을 심어 식물 단백질로 공급할 경우, 4~28명에게

동일 양의 대체 단백질을 공급할 수 있다는 연구도 있다.*

• **채식이 어렵다면, 우선은 탈육식부터**(온실가스 배출량 저감을 위해 세계 전체의, 한국 전체의 육식 소비량이 감소되어야 한다. IPCC 보고서 〈Climate Change and Land〉(2019)에 따르면, 식단 변화에 따른 온실가스 저감 효과의 순위는 완전 채식 1위, 유란 채식[달걀과 유제품을 허용하는 채식] 2위, 유연 채식[주로 채식이고 육류를 주 1회 섭취하는 식단] 3위였다. **탈육식**이란 모든 밥상 앞에서 육식이 야기하는 여러 문제를 무엇보다 먼저 생각해보는 것, 육식 소비량 축소를 지향하는 것, 곡물 단백질 섭취 위주의 식사를 실천하는 것, 장기적으로는 채식으로 이동하는 것까지 생각하는 것을 의미하며, IPCC 보고서 기준 유연 채식을 포함하지만 그것에 국한되지는 않는다.)

• **수산물(해양생물) 섭취량 줄이기**(이렇게 해야 하는 이유는 극히 단순하다. 플랑크톤, 해초, 어류, 고래류 등 해양생물들 자체가 중요한 탄소 흡수원이기 때문이다. 식물성 플랑크톤과 해초는 광합성 과정에서 대기 중 탄소를 바다로, 정확히는 바닷속 자기들의 체내로 끌고 온다. 이 탄소는 유기물이 되어서는 해양 푸드웹을 따라 다른 해양동물들의 신체를 타고 유랑한다. 이들이 싸는 똥은 그대로 침전되어 탄소퇴적물이 되는데, 한 연구에 따르면 해양 어류가 똥으로 퇴적

* Greta Thunberg et al, *The Climate Book*, Allen Lane, 2022., 341-343, Gidon Eshel의 글 참고.

하는 탄소량이 연간 15억톤에 이른다.* 연안 생태계, 해양생태계에 축적/흡수되는 탄소를 블루카본Blue Carbon이라고 부르는데, 해양 생물들은 그 존재 자체가 블루카본의 일부인 셈이다. 이들의 번영이 곧 지구의 번영이고 우리의 번영이다.)

- **솔SOL 푸드를 기본으로 삼기**(**SOL**은 Seasonal, Oganic, Local의 약자이다. 각기 **제철, 유기농, 지역산**을 의미한다. 계절에 따라 사는 감각을 재학습해야 하며, 화학농의 폐해를 줄여야 하고, 지구-지역농생태계 파괴적이고 불필요한 장거리 수송 먹거리의 유혹에서 해방되어야 한다. 만일 소비자가 SOL을 요구하면, 생산자는 따라올 수밖에는 없다. 그런데 사실 이 문제는 단순한 삶의 풍요로움에 관한 문제이기도 하다. (→ 제로 웨이스트)

우석영

- Greta Thunberg et al, *The Climate Book*, Allen Lane, 2022.
- 이의철, 《기후미식》, 위즈덤하우스, 2022.

* 이의철, 《기후미식》, 위즈덤하우스, 2022, 87에서 재인용.

기후소송

영국 런던정경대(LSE) 산하 그랜섬Grantham 기후변화환경연구소가 2023년 6월 발표한 보고서 〈기후소송 글로벌 트렌드 2023(Global Trends in Climate Litigation 2023)〉에 따르면, 1986년부터 2023년까지 최소 51개국가에서 총 2,341 건의 기후변화 소송[기후소송]이 제기되었다. 보고서는 2015년 파리 협정이 체결된 해를 기점으로 기후소송이 급증했음을 알려준다. 2015년 이후의 기후소송이 전체 소송의 약 2/3를 차지하는 것이다. 소송이 가장 많았던 해는 266건의 소송이 제기된 2021년이었다. 소송 건수가 가장 많은 국가는 USA(1590건), 오스트레일리아(130건), UK(102건), 독일(59건), 브라질(40건), 캐나다(35건) 순으로 나타났다.

이 외에도 이 보고서는 최근의 경향을 강조하고 있는데, 그중 하나는 '전략적' 기후소송의 수가 증가하는 추세에 있다는 것이다. '전략적' 기후소송이란 법정에서의 승리를 넘어 해당 소송이 국가의 정책 그리고/또는 기업과 사회의 행동 변화를 이끌어내는 결과를 목표로 한 기후소송을 뜻한다. 즉, 어떤 사회적/국가적 파급 효과를 전략적으로 의도하는 기후소송을 말하는데, 보고서는 이러한 유형의 소송이 증대하고 있다고 분석했다.

보고서가 주목하는 또 하나의 추세는 기업을 피고로 한 기후소송의 건수가 증가하고 있고, 피고가 되는 기업이나 기업 관련 조직이 다양화되고 있다는 것이다. 2021년엔 30건이 넘는 기후소송이, 2022년엔 20건이 넘는 소송이 기업이나 기업 관련 조직을 대상으로 제기되었다. 2021년만 살펴보면, 은행/보험/금융, 석유화학, 건설, 식품/담배제조, 화석연료생산유통, 화석연료연소발전, 자동차제조 등 다양한 분야의 기업들이 온실가스 오염 기업으로 지목되어 소송 대상이 되었다.

그렇다면 이런 소송들은, 특히 2015년 이후 제기된 1,500건 이상의 소송들은 실효성 있던 소송들이었을까? 아니면 그저 국가나 사회에 경고음을 던지는 수준의 소송들이었을까? 보고서는, 법정 재판이 실제로 진행된 549건의 기후소송 가운데 약 55%에서 기후변화 완화에 도움이 되는 판결이 나왔다고 밝히고 있다. 적어도 판결이 나온 사건 중 절반 이상은 실효성 있는 결과물을 내고 있다고 본 것이다.*

그러니까 전 세계적으로 기후소송은 그저 상징적인 행위에 머무는 것이 아니라 국가 정책과 기업의 행동을 실제로 바꿔내는 유효한 수단이 되고 있다. 최근 UN환경계획UNEP이 낸 보고서인 〈세계 기후소송 보고서: 2023 현황 리뷰Global Climate Litigation Report: 2023

* The Grantham Research Institute on Climate Change and the Environment & The Centre for Climate Change Economics and Policy, 〈Global trends in climate change litigation: 2023 snapshot〉. https://www.lse.ac.uk/granthaminstitute/publication/global-trends-in-climate-change-litigation-2023-snapshot

Status Review〉 역시, 기후소송이 전 세계에서 정부와 기업의 변화를 야기하는 중요한 동력이 되고 있다고 보고 있다. UNEP 국제환경법 책임자 앤디 레인Andy Raine에 따르면, "이제 기후소송은 이해당사자들이 기후행동과 책임을 친척시키는 방식에서 하나의 중요한 추세가 되었다."*

UNEP의 이 보고서는 또한 지금까지 나온 중요한 기후소송 판결을 정리하고 있다. 독일 법원에서는 연방기후보호법안이 생명과 건강의 권리를 지키는 데 미흡하다고 판결했고, 브라질 대법원에서는 파리 협정을 일종의 인권 조약이라고 언명했다는 것이다. 또한 프랑스 파리의 한 법원에서는 프랑스 정부가 탄소예산 목표를 달성하는 데 실패함으로써 기후 관련 생태 피해가 발생했다는 판결을 내놓았고, UK의 한 법원은 자국 정부가 2008년 기후변화법이 명시한 법적 의무를 다하지 못했다고 지적했다. 가장 인상적인 것은 네덜란드의 사례다. 네덜란드 헤이그 법원은 석유기업 셸Shell(로얄더치셸)에 파리 협약에 맞게 2030년까지 2019년 대비 45% 수준으로 이산화탄소 배출량을 감축해야만 한다고 명령한 것이다.**

비록 기후소송 사례가 매우 적고 시작된 시점도 뒤늦지만, 한국도 이러한 흐름에서 예외는 아니다. 2020년 3월 한국 청소년 19명이 '청소년기후소송'을 제기한 이래 지금까지 총 5건의 헌법소원심판 청구소송이 제기되었다. 2020년 중학생 2명의 소송, 2021년 기

* Isabella Kaminski, "Lawsuits are key tool in delivering climate justice, says UN body", 〈The Guardian〉, 23, July, 2023.

** UNEP, 〈Global Climate Litigation Report: 2023 Status Review〉.

후위기비상행동과 녹색당 등 123명의 소송이 있었고, 2022년엔 청구인 전체가 아기거나 어린이인 '아기 기후소송'이 있었다. (62명 중 6세에서 10세 이하 어린이가 22명, 5세 이하가 39명, 나머지 1명은 태아였다.) 그리고 최근인 2023년 7월, 탈핵법률가모임 '해바라기'와 시민단체 '정치하는엄마들'이 또 다시 헌법소원심판 청구소송을 제기했다. 이 소송들의 목소리는 비슷하다. 정부의 탄소중립정책(탄소중립계획 등)과 관련 법률(탄소중립기본법 시행령 등)이 헌법에 명시된 기본권을 침해한다는 것이 주요 요지이다. 즉, 현재 이 5건의 청구소송에 대해 헌법재판소가 판단을 해야 하는 상황이다.

그러나 안타깝게도 한국에서는 온실가스 과배출 기업의 책임을 직접 묻고 그 기업의 책임 있는 행동을 요구하는 소송이 제기되지 못하고 있다. 기업의 그린워싱[Greenwashing, 위장녹색주의]에 대한 책임을 묻는 소송 역시 제기되지 못하고 있다. 2015년부터 2022년 사이에 전 세계에서 온실가스 과배출 기업을 대상으로 한 기후소송이 120건 이상, 기업의 그린워싱을 문제 삼는 기후소송이 총 81건 제기된 상황*에 비추어보면, 한국은 그야말로 기업 상대 기후소송 불모지라고 불릴 만하다.

하지만 왜 그럴까? 여러 이유가 있지만, 가장 중요하게는 기업에 온실가스 배출책임을 물을 수 있는 법률조항이 한국이라는 국가에 아예 존재하지 않기 때문이다. '기후위기 대응을 위한 탄소중

* The Grantham Research Institute on Climate Change and the Environment & The Centre for Climate Change Economics and Policy, 〈Global trends in climate change litigation: 2023 snapshot〉.

립 · 녹색성장 기본법'(2021년 9월 제정)을 입법할 당시, 정의당 강은미 의원은 "온실가스 배출 책임을 지닌 사업주는 기후위기에 따른 피해와 손실에 대해 보상해야 할 책임을 가진다"는 조항이 들어간 입법초안을 제출했다. 하지만 이 법안이 논의되고 통과되는 과정에서 이와 같은 조항은 모두 삭제됐다.* 그러니까 대 기업 기후소송이 제기될 수 있는 법적 여건 자체가 한국에는 없는 셈이다.

하지만 이야기의 끝은 여기가 아니다. 어찌된 영문인지, 한국에서는 그린워싱의 주체인 기업이 오히려 그린워싱을 비판하는 시민 행동가를 대상으로 소송을 (역으로) 제기하는 '적반하장'격 행태가 나타난다. 크게 두 가지 이유에서일 것이다. 우선, 기업친화문화가 사회 전체에 팽배한 가운데, 기업에게 책임을 묻는 목소리가 약하다는 문제가 있다. 바로 그렇기에 수치심을 느껴야 할 집단이 수치심을 느끼지 못하는 것이다. 또 하나, 앞서 말한 이유로 인해 기후활동가들로서는 그린워싱을 하는 기업을 상대로 소송을 제기하는 길이 처음부터 차단되어 있다는 문제가 있다. 그러니 이들로서는 그 기업을 상대로 직접행동을 하는 길에 들어서지 않을 수 없다. 대표적인 사례가 2022년 가을 (국내 최다 온실가스 배출 기업인) 포스코의 그린워싱을 비판한 녹색당 활동가들의 직접행동 그리고 그것을 문제 삼아 포스코가 제기한 소송이다. 이 소송에 대해 2023년 재판부는 1심에서 녹색당 활동가들의 목적은 인정하면서도 그 행위(약 20초간의 연설

* 목은수, 김은송, 유지인, "'그린워싱' 고발하다 법정에 선 활동가들", <단비뉴스>, 2022. 12. 11.

문 낭독)만은 위법하다며 이들에게 끝내 유죄를 선고했다.

앞으로 한국에서도 그 밖에서도 기후소송은 계속해서 제기될 것이다. 기후위기의 심화, 기후충격의 심화 그리고 현실에서의 행동 사이의 간극 때문에, 기후소송 증가는 피할 방도가 없다.

그러나 기후소송으로 정의가 실현되지 못할 때, 그것도 현행법이 허술해서 또는 현직 판사들의 앎의 수준이 낮아서 그럴 때, 시민은 자신의 자유와 사회의 정의를 위해 어떤 행동을 선택해야 하는 걸까? 우석영

- The Grantham Research Institute on Climate Change and the Environment & The Centre for Climate Change Economics and Policy, <Global trends in climate change litigation: 2023 snapshot>
- UNEP, <Global Climate Litigation Report: 2023 Status Review>

시민불복종

2015년, 지구온도 상승을 (산업화 이전 대비) 2°C 상승 수준보다 현저히 아래로 억제하기로 전 세계 194개국이 약속한 '파리 협정'이 체결되었다. 그리고 3년 뒤인 2018년에는 한국 송도에서 〈1.5°C 특별보고서〉가 발표되었다. 1.5°C 이내로 지구온도 상승을 막아야 기후위기로 인한 충격을 그나마 줄일 수 있다는 요지의 보고서였다. 이를 위해서는 2030년까지 매년 배출하는 온실가스를 그 절반 수준으로 낮추어야 했다. 그러나 파리 협정 뒤에도 온실가스 총배출량은 줄어들기는커녕 계속 늘어갔다. 대기 중의 이산화탄소 농도 역시 계속 높아져서 2023년 7월 하와이 마우나 로아Mauna Loa 관측소 기준으로 420ppm을 넘어섰다. 그 사이 기후위기 때문에 발생하는 가뭄, 폭염, 한파, 홍수 등 극단적인 기후현상도 점점 더 자주 발생하고 있다.

그런데도 세계의 주요 정부들은 확실하게 진전된 온실가스 감축 대책을 내놓지 못하고 지지부진했다. 기후 문제 해결을 요구하던 기후운동 진영도 답답한 상황을 타개할 특단의 대책을 마련하지 못한 채 시간을 보내고 있었다. 기후위기 해결을 위해 남은 시간이 점점 더 줄어들고 있다는 위기의식은 더 많은 미래의 시간을 살아가야 할 청년과 청소년들에게 더 절박하게 다가왔다. 하지만 그뿐이었다. 기후위기 해결을 위한 기회의 창은 닫혀가기만 했다.

그러던 중, 교착국면을 단번에 부수고 기후운동의 지형을 일거에 바꿔버린 사건이 북유럽 스웨덴에서 발생했다. 당시 16세 청소년 그레타 툰베리Greta Thunberg가 2018년 가을 홀로 의사당 앞에서 책임 있는 기후대처를 요구하며 **'금요 학교 파업'**을 시작했던 것이다.

툰베리의 '금요 학교 파업'은 기후대응 정책이나 운동의 무력감을 깨고 2019년 3월과 9월, 전 세계의 수백만 청소년과 청년들의 캠페인을 이끌어냈다. 그뿐만 아니라 이 파업은 각국의 정치와 사회운동에도 지대한 영향을 미쳤다. 한편 미국에서는 청소년 기후행동 단체인 **'선라이즈 무브먼트**Sunrise Movement'가 기후행동 의지가 있는 정치인들의 선거 캠페인에 합류하는 등 적극적인 기후정치운동에 나섰다. 그리고 2018년 선거에서 20대 최연소 미국연방 하원의원인 오카시오 코르테스Ocasio-Cortez의 당선이라는 돌풍을 몰고 왔다. 코르테스 의원은 다음 해인 2019년 2월 에드워드 마키Edward Markey 상원의원과 함께 그 유명한 **'그린뉴딜 결의안'**을 의회에 제출하면서 그린뉴딜 정책을 세계적인 이슈로 만들게 된다.(→ 그린뉴딜) 영국에서는 2018년 **'멸종반란**Extinction Rebellion' 운동이 탄생하여 "정부가 기후적, 생태적 비상상태를 선포함으로써 진실을 말해야" 한다면서 강력한 시민행동에 나서면서 주목을 끌었다.

이처럼 기후위기 해결을 위해 남은 시간이 점점 줄어들고 있고, 따라서 점진적인 대책 대신에 전면적이고 비상적인 대응이 필요함에도, 정부와 정치가 지지부진한 협상으로 헛된 시간낭비를 반복하므로 시민들이 **직접행동**에 나서야 한다는 목소리가 커지고 있다. 심지어 2022년에는 종일 실험실이나 연구실에 있을 법한 자연과학자들 1천여 명이 "지금은 실험실에 있을 때가 아니라 행동해야 할 때"라면서 거리로 나오기까지 했다.*

직접행동에 나선 청소년과 청년들, 시민들, 과학자들은 기후위기 해결이 계속 미뤄지고 있는 이유가 기술이 부족하다거나 적절한 정책안이 없어서가 아니라고 믿고 있다. 기후위기 대응의 진정한 실패는 온실가스 배출에 의지해 이익을 얻고 있는 화석연료 기업들이나 이들과 이해관계를 함께하는 정치권력과 여타 사회권력이 기후위기 해결을 방해하기 때문이라는 것이다. 저명한 생태경제학자 팀 잭슨Tim Jackson은 "우리가 권력이라는 문제와 마주하지 않는다면 신속한 해결을 향한 우리의 갈망은 최상의 경우 무력하게 될 것이고 최악의 경우 더 근본적인 변혁의 필요에서 멀어지게 될 것"이라고 경고하면서, 기후위기를 회피하려는 정치나 이익집단에 맞서 '**시민불복종**' 캠페인에 참여해야 한다고 역설하고 있다.**

기후운동가 그레타 툰베리가 2023년 7월 24일 처음으로 시위 도중 불법 행위로 인해 벌금형 유죄를 선고받았을 때, 기자들에게 "규칙을 지키는 것만으로는 세상을 구할 수 없다"고 선언하며 계속 항의시위를 이어가겠다는 의지를 밝혔던 것도 같은 맥락에서이다. 툰베리는 "나는 우리가 생명, 건강, 자산을 위협받는 비상사태에

* 과학자 멸종반란 사이트. https://scientistrebellion.org/

** 팀 잭슨, 우석영·장석준 옮김, 《포스트 성장 시대는 이렇게 온다》, 산현재, 2022.

처해 있다고 믿는다"며 자신의 행동을 정당화했다.*

한편, 영국의 원로 환경운동가 조너선 포릿Johathon Porritt도 "그게 무엇이든 점진적 변화만이 10년 더 지속된다면 우리에게 희망은 전혀 없다"면서, "만일 권력자들이 기후위기에서 우리를 구해야 하는 자신들의 의무를 저버릴 경우, 효과적이고 합법적인 유일한 대응은 비폭력적 시민불복종 운동"이라고 역설하고 있다. 정치학자들은 기득권에 대항하기 위해 시민의 힘을 조직해서 정치인들이 기후위기에 신속히 대응할 수 밖에 없도록 만드는 것을 **'대항 헤게모니counter-hegemony' 형성**이라고 부른다.** 기후위기라는 비상상태에 정부와 정치가 신속하고 전면적으로 대응하도록 하려면, 유일한 희망은 시민의 조직된 힘(→ 기후시민/녹색계급)뿐이라는 것이 시민불복종 운동에 참여하는 이들의 주장이다. 김병권

- 팀 잭슨, 우석영 · 장석준 옮김, 《포스트 성장 시대는 이렇게 온다》, 산현재, 2022.
- Johathon Porritt, *Hope in Hell: A decade to confront the climate emergency*, Simon & Schuster, 2020.

* "Greta Thunberg fined for disobeying Swedish police at climate protest" https://www.theguardian.com/environment/2023/jul/24/greta-thunberg-fined-for-disobeying-swedish-police-at-climate-protest

** Johathon Porritt, *Hope in Hell: A decade to confront the climate emergency*, Simon & Schuster, 2020

단위 안내

경사각도	° (도)
두께	㎞, m
면적	㎢, 에이커(Acre, 1㎢ = 247.105 Acre)
미량 물질 농도 (예: 이산화탄소)	PPM(Parts Per Million). 측정하고자 하는 물질이 전체 물질 1백 만개 중에서 얼마나 포함되어 있는지를 나타냄
미세먼지 농도, **초미세먼지 농도**	세제곱 미터 당 마이크로그램(㎍/㎥)
멸종 생물종	E/MSY(Extinctions per Million Species-Year). 연간 1백만 종의 생물 중 멸종되는 생물종의 숫자
밀도	세제곱 미터 당 킬로그램(kg/㎥) 세제곱 센티미터 당 그램(g/㎤, 1g/㎤ = 1,000kg/㎥)
부피	㎦, ㎥, ㎤ (1㎦ = 10^9㎥ = 10^{15}㎤, 1㎥ = 10^6㎤)
비열	J/(kg·℃)
알베도	%(퍼센트)
열용량	J/℃
열함량, 열량	J(줄), ZJ(제타줄, 1ZJ = 10^{21}J)

염분	g/㎏, ‰(퍼밀), psu(practical salinity unit)
온도, 수온, 지온, 기온, 해표면 수온, 어는점, 지구 평균 온도	℃(섭씨 도)
질량, 이산화탄소 총량	㎏, ton(톤, 1ton = 1,000㎏) Pt(페타톤, Pt = 1,000조ton) Tg(테라그램 1Tg = 1,000,000ton)
해수면, 해수면 고도, 해수면 높이	m(미터), ㎜(밀리미터)
해수면 상승률	㎜/yr(연간 밀리미터)
pH(산도)	potential of Hydrogen. 0부터 14까지의 로그 규모 수치(단위 없음)

찾아보기